溯源與開展：

大陸渡臺學者與臺灣地區傳統學術研究關係論集

楊晋龍　著

簡逸光　主編

林序

　　晋龍兄是中文學術界的「奇人」，光是他的出身和社會歷練，引發好多人的興趣，加上他直白生動地語言描述，也招來不少粉絲。他到高雄師範大學經學研究所上課，一週兩堂，兩週上一次，最多也上四個鐘頭，他竟整整上一天。這事很快就傳遍學術界！有一年，我到臺大參加學術研討會，晋龍兄問我問題，我說現在中文學界不認識楊晋龍的，都要深自反省。

　　晋龍兄是專門的研究人員，所寫的論文當然要很多，他寫了一百多篇，這不是主要的特色，最值得注意的是他古今中外的書都讀，不像一般中文人，苦苦守著中文古書。他可說是個博學家。有一年香港學鋒書店舉辦購書排名活動，一整年晋龍兄都排名第一。他有宏觀的視野和銳利的眼光，別人看不出問題的資料讓他看一看，就會發現問題。所以他研究《詩經》會關注何楷《毛詩世本古義》引用《文昌化書》的問題及意義，他也注意到明清《詩經》論著引用佛典的問題。這些問題，對一個中文人來說，沒有開闊的視野和敏銳的觀察力，是提不出來的。

　　本書是晋龍兄在學位論文之外，首先編輯出版的論文集，全書收錄十三篇論文，正文十篇，附錄三篇。一九四五年臺灣光復後，即有大陸學者為從事教職和處理公務來到臺灣。一九四九年以後，大陸學者隨著政府播遷來臺的更多，在大學從事教學的工作，撰寫通俗的經學著作，為臺灣的經學研究奠定了堅實的基礎，也開創經學研究的新途徑，這就是中文學界所說的第一代的學者。晋龍兄選取屈萬里

（1907-1979）、林尹（1910-1983）、王叔岷（1914-2008）、陳槃（1905-1999）、何定生（1911-1970）五位第一代的學者，利用「外部研究」的方法，即是用電腦科技提供的搜尋技術，以臺灣地區各個大學截至一〇五學年度為止，各大學學位論文徵引各學者著作的結果，並討論各學者對臺灣學術界的貢獻。

至於傳承第一代學者學術成果的第二代學者有龍宇純（1928-）、朱廷獻（1930-1990）、程元敏（1931-）、王熙元（1932-1996）、周何（1932-2003）、黃慶萱（1932-）、戴璉璋（1932-）、許錟輝（1934-2018）、黃永武（1936-）、胡楚生（1936-）、李威熊（1941-）等經學研究大家，晉龍兄僅以張以仁先生（1930-2009）為例，進行學術研究的成果及指導研究生的學術表現，以了解張先生對臺灣學術研究的貢獻。

第三代學者他選取了周鳳五（1947-2015）、林慶彰（1948-）兩位做為例子，也用同樣的方法探討他們兩人的著作對臺灣學術界的影響和貢獻。附錄三篇，一篇是在討論饒宗頤教授對臺灣學術界的影響，饒教授的著作要遲到一九七二年七月臺灣才有人開始徵引，等到廿六年後（即一九九八年六月）才再被列入參考文獻中，此後年年有人引用參考。由於他並非臺灣的第一代學者，而是香港第一代的學者，所以晉龍兄把他列為附錄。第二篇是討論王叔岷教授在大陸地區學位論文的引用情形及其意義，是討論王先生對大陸學術的貢獻和影響，與本書的主題略有出入，所以也列入附錄，至於晉龍兄把我列入討論，我要謝謝他花費了許多時間做我個人著作的分析統計，真辛苦他了。

本書的主題是討論渡海來臺的學者他們對臺灣經學所做的開闢引導的功夫，現代已傳承到第四代、第五代，臺灣由蓁莽未開的小島，到現在的經學王國，從我主編的《臺灣經學人物辭典》收錄將近三百

餘位，另外主編的《臺灣經學人物研究文獻目錄》所收論著條目達到五萬條，從這裡可以看出多少學者花費多少心力來推廣經學，晉龍兄所撰寫的這本書就是最好的例證。

晉龍兄有赤子之心，跟他有交好的學術界人士他永遠記在心裡，他的親戚在竹山種植冬筍，每年過年的時候就郵寄冬筍給學術界對他有交往的學者，這二十多年間從未間斷，我每年都收到這高貴的禮物，可見晉龍兄對友情的執著，可以作為當代人為人處世的典範。

晉龍兄未發表的論文有幾十篇，連大陸學者都要我催促他快點出書，我們應該施加壓力給他，儘早出書以嘉惠廣大學者和他的粉絲。

林慶彰

二〇二一年三月十五日誌於士林磺溪街知魚軒

目次

附錄

導言

　　筆者長期觀察臺灣地區（因討論對象包括位於福建省金門縣的金門大學，故稱「臺灣地區」）中文相關科系的學術研究，一直思考一個很現實的學術議題，就是聞名於世的諾貝爾文學獎的獎項，僅頒發給依然存活在世的文學家，不知道是否受到此獎項的刺激影響，因而使得現當代的文學研究（小說、新詩、散文）特別受到重視，其中尤以小說為甚，於是出現許多諸如：文學史、小說、新詩、小說家、新詩人等等，以現當代文學著作與作家為研究對象的相關研究。但相對於現代文學研究的活躍來看，其他學科涉及現當代學者與學術的研究，就表現得相對低調與沉寂，無論現代經學、現代史學、現代思想、現代哲學、現代教育學……等等，對於參與學者與學術成果的研究探討，顯然都無法與現代文學比觀。

　　臺灣地區的現代學術自然不會僅有現當代文學，就臺灣地區整體學術的了解認知而言，除現當代研究成果與研究學者之外，其他學者與學術研究成果，在臺灣地區整體學術上的重要性，顯然並不低於現當代文學與文學家，因此實有必要對現當代的學術研究，進行更整全性的思考與提倡。基於前述的認知，筆者因而從自己的學術研究專業出發，構思了臺灣地區現當代經學研究成果與經學家表現的研究計畫，這部論文集就是筆者探討「臺灣地區現當代經學史」研究成果的合集。筆者在執行中研院中國文哲研究所重點研究計畫「臺灣經學研究計畫」之際，還曾不知深淺的發下宏願，希望可以完成一部「二十世紀臺灣地區中文學者學術傳播史研究」的學術專書，最終當然沒能完全達成，唯此部論文集則是其中一部分的研究成果。

　　此論文集收錄正文10篇，附錄3篇，總計13篇，由於完成的時間不一，同時寫作的基本理念相同，使用的研究方法單一，寫作的基本內容，不免有某些重複之處，讀者諒之。這13篇論文的出處及內容大旨如下：

　　〈開闢引導與典律：論屈萬里與臺灣地區詩經學研究環境的生成〉，此文刊載於臺北（臺灣）圖書館、中研院歷史語言研究所、臺灣大學中國文學系等主編：《屈萬里先生百歲誕辰國際學術研討會論文集》（臺北：臺灣大學中國文學系，2006年12月），頁109-150。主要在探討二十世紀臺灣脫離日本帝國主義殖民統治之後，臺灣地區詩經學發展過程中，屈萬里先生（1907-1979）在型塑臺灣地區詩經學研究環境上的學術定位。此文從傳播擴散的「外部研究」角度，以統計歸納的方法，透過分析屈先生直接與間接培育臺灣地區研究《詩經》學術人才的實況、論著成為《詩經》注解專書底本，以及成為絕對多數學位論文的引述對象、經學史料化觀點影響不少研究者等等的實際表現，因而確立屈先生在臺灣地區現代詩經學研究環境的形成、發展上的實質作用與貢獻。研究成果應有助於更深入了解屈先生在型塑臺灣地區詩經學研究環境中的影響作用，因而可以更確實了解屈先生對臺灣地區詩經學的整體貢獻外，同時也提供臺灣地區詩經學史研究者一個比較確實可信的有效資料，以及一種新的研究方式，無論對屈先生整體的學術研究與臺灣地區經學史的研究，或一般經學史的研究者，當然都具有實質的學術價值。

　　〈林尹先生和臺灣地區學術關係探論〉，此文發表於2017年11月25日臺北臺灣師範大學國文學系主辦「2017年紀念林尹教授學術研討會」內。論文探討臺灣地區現代中文研究的第一代學者林尹先生對臺灣地區學術貢獻的實情。此文透過「外部研究」的「量化」實證方式，歸納林先生指導93位研究生取得學位，以經學和文學研究為多，

其中有72位在臺灣地區學界傳播學術，內有55位繼續指導研究生完成1838篇論文，然僅149篇徵引林先生論著。臺灣地區各大學86學年至105學年共有1232篇學位論文徵引林先生學術成果為說。林先生指導的論文議題涉及10個學科；徵引林先生學術成果者，來自66所大學261個科系632名教師指導的1199位研究生。可知林先生不僅專精於聲韻學研究而已，且指導的研究生並無門戶之見，對臺灣地區學術影響貢獻的層面相當廣泛，並未侷限在中文學界。本文所得成果對臺灣地區學術、教育等的研究者，提供比較有效的實證資料，對相關研究者，或當具有部分實質的助益功能。

〈引導與典範：王叔岷先生論著在臺灣地區學位論文的引述及意義探論〉，此文刊登於《中國文哲研究通訊》第24卷第3期（2014年9月），頁117-143。此文探討王叔岷先生（1914-2008）對臺灣地區學術界實質影響與貢獻的狀況。透過「外部研究」的傳播學研究方式，首先搜尋得知民45-101學年度（1956.07-2013.06）臺灣地區各大學研究所的學位論文，引述王先生論著者共889篇1212篇次。其次分析引述的學位論文研究方向、研究生歸屬的系所，以及王先生論著出現次數的多寡等，使得王先生在「子部」與「集部」的研究上受到較大的肯定，在《莊子》學、「陶淵明」研究及「斠讎學」教學上，具備最高學術權威地位，這同時也是王先生對臺灣地區學術的影響與貢獻所在。這個學術權威地位並獲得中文、歷史、哲學、教育、藝術及政治等相關系所師生的一致承認。研究的成果對於有心確實了解王老師學術成就與貢獻，還有欲了解臺灣地區學術發展的研究者，提供了部分可信的答案；對「臺灣學」的研究者，當也具有相同的價值。

〈皓首窮經的陳槃庵先生與臺灣地區學術關係簡論〉，此文以〈皓首窮經：陳槃庵先生介述〉，《中國文哲研究通訊》第1卷第2期（1991年6月），頁65-78一文為基礎，進行較大幅度的改寫。論文探

討陳槃先生（1905-1999）與臺灣地區學術的關係，透過「外部研究」方法，詳考臺灣地區研究生學位論文徵引先生論著為說的情況，以見先生對臺灣地區學術研究的影響。截至2020年為止，臺灣地區的大學總共有這545篇學位論文，徵引先生的59種論著為說，總共徵引609次。其中編輯類2種236次；經書注釋類1種36次；先生自創性研究著作56種338次。徵引的內容，編輯類除外，則以春秋史及讖緯研究為大宗。研究所得，不僅有助於對先生與臺灣地區學界關係的了解，同時也提供「臺灣學」研究者，一項可信的有效學術資訊。

〈廿載傳經口卒瘏，寂寞身後其誰知？：何定生教授生平及學術年表〉，此文以〈何定生教授年表初稿〉，《中國文哲研究通訊》第20卷第2期（2010年6月），頁5-27為藍本，除增補〈小傳〉外，僅有小幅度的修飾。此文原係筆者2010年主編《何定生教授紀念專輯》時所作，完成此文實在是一連串的巧合，此可參考筆者刊登在《中國文哲研究通訊》第20卷第2期的〈「何定生教授紀念專輯」前言〉所述。此文主要在紹介何定生教授的生平與教學，何先生雖然未曾指導研究生，在臺灣地區教學引導上的貢獻及身而止，但在臺灣大學中文系任教22年，應該幫助不少學生在學術與知識上的成長，再者，考察臺灣地區研究生的學位論文，自87到108學年（1998年7月-2020年6月）即有60篇徵引何先生之論著為說，這方面當然還可以更細緻的探討，但何先生做為「大陸渡臺第一代學者」的身分及其對臺灣地區學術的貢獻，當無疑義，則此文對研究臺灣地區傳統中文學術研究者，自然具備有提供直接有效資訊的實際功能。

〈張以仁先生與臺灣地區傳統學術研究：以學位論文為對象的考徵〉，此文原刊載於《中國文哲研究通訊》第25卷第4期（2015年12月），頁137-158。論文探討張以仁先生對臺灣地區傳統學術研究的影響力及其貢獻的狀況。研究以臺灣地區研究生學位論文為對象，透過

「外部研究」方式進行研究，藉由網路資料庫與電腦搜尋技術的協助，首先，確定張先生出版的學術專書有10部、學術論文101篇。指導的19位研究生，以經學為研究議題者16位，以經學為學術專業者10位。自1999至2014年共有162篇學位論文，徵引張先生的10部專書和27篇論文為說，學位論文屬於經學者91篇、文學者48篇。經由指導研究生學術專業方向；徵引張先生學術論著學位論文隸屬系所、研究議題內容學科範圍、論文篇數相對於同一議題論文篇數比例等四項指標統計分析，確定張先生對臺灣地區中文系所的研究生及經學研究的影響力最大，文學研究次之。對包括《左傳》在內的《春秋》學研究的學術影響力最高；《花間集》研究的影響力次之，此即張先生對臺灣地區傳統學術影響的實況。研究成果有助於對張先生學術貢獻和臺灣地區學術發展的進一步了解。對張先生學術、臺灣地區學術等研究者，提供某些有效的答案及不同研究思考與方法的功能。

〈學者與詩人：我所認識的張以仁師〉，此文以原刊載於《中國文哲研究通訊》第2卷第2期（1992年6月），頁89-99之文，進行增補改寫。此文依據筆者日常與先師張以仁教授接觸的實際感受，並參酌先師王叔岷教授，以及洪國樑學長、王文陸學長等提供的資訊，還有陳淑宜訪問稿的內容，比較實際的陳述以仁師學術研究的成果、治學的理念、文學創作、教學引導等諸事，最後並附錄以仁師的論著目錄，提供學術界參考。

〈張以仁教授生平及學術年表〉，此文以《張以仁語文學論集‧附錄》（上海：上海古籍出版社，2012年11月），頁345-356之文，進行小幅度的增補。此文初稿原名〈張以仁先生學術月表長編初稿〉，本是1999年筆者參與編纂慶祝先師七十壽辰之《張以仁先生七秩壽慶論文集》（臺北：臺灣學生書局，1999）時編纂，刊於該書頁1161-1173。後來經過補充改寫，並做為《張以仁語文學論集》之「附

錄」，今則更進一步的補充相關資料，以見以仁師的生命與學術的發展，以及相互輝映的實情，用以提供相關研究者參考。

〈臺灣地區研究生學術視域下的周鳳五教授：接受的考甄〉，此文發表於2016年11月10-11日臺北中研院中國文哲研究所主辦「『戰後臺灣經學研究』第四次學術研討會」中。論文探討了臺灣地區研究生學位論文接受周鳳五老師（1947-2015）學術研究成果的實況，用以證實周老師對臺灣地區學術界的實質影響，進而了解周老師對臺灣地區學術研究貢獻的實情。本文以「外部研究」為方法，借助電腦搜尋科技，考得自86到104學年度，共有來自40所大學15個不同科系的200位教授，指導339位研究生完成的352篇學位論文，徵引了周老師86筆的研究成果。周老師涉及「簡帛學」（古文字釋讀）、「書法藝術」、「教學教材」、「現代文學」等方面的成果，最受研究生及指導教授的關注重視，影響因而也最大。影響的學科以中文、歷史、藝術、教育等科系的研究生為多，此即周老師影響臺灣地區學術的實際狀況。研究成果除有助於了解周老師學術的成就與貢獻外，並可提供研究臺灣地區學術者較為可信的有效答案。

〈林慶彰先生與臺灣地區學術研究：以學位論文為對象的探討〉，此文收入蔡長林主編：《林慶彰教授七秩華誕壽慶論文集》（臺北：萬卷樓圖書公司，2018年9月），頁691-720。此文探討了解林慶彰先生二十世紀以來在臺灣地區學術發展中的地位。借助現代電腦科技提供的搜尋技術，以臺灣地區各大學截至105學年為止，林先生指導研究生的表現，各大學研究生學位論文徵引林先生學術成果的表現為對象，透過實證性的歸納統計後加以分析，因而得知林先生指導77位研究生完成85篇論文，有20位留在學界服務，其中5位學生接續指導研究生。再者有來自49所大學院校82個學系所的1189位研究生，總共1245篇的學位論文，徵引林先生201種論著，以林先生「自著類」

的論著121種最多，徵引篇數超過50篇者12種，年平均徵引數超過5篇的8種。總體而論，《中國經學史論文選集》、《五十年來的經學研究》、《明代經學研究論集》、《清初的群經辨偽學》等最受學位論文肯定。研究成果對林先生的學術成就，臺灣地區學術發展的了解，提供具體的答案。對探討林先生學術及臺灣地區學術發展的研究者，因而有比較實質的助益功能。

　　附錄一〈饒選堂先生與臺灣地區的學術研究——香港在地學者對臺灣地區學術的影響初探〉，此文刊載於《中國文哲研究通訊》第28卷第2期（2018年6月），頁133-148。此文探討香港學者對臺灣地區學術的影響與貢獻，先以饒宗頤先生為代表，藉由外部研究的歷史分析法，透過臺灣地區的研究生學位論文參引饒公論著的表現，說明饒公對臺灣地區學術的影響狀況，以提供相關研究者參考。經由2013年之前881篇參考引用饒公論著學位論文的表現，了解饒公在文字學、詞學、藝術等三大領域，對臺灣地區的研究生有非常明顯的影響貢獻，且其影響的範圍除文史哲等相關學門外，還涉及政治、管理、藝術、建築與地理等學門，此即饒公對臺灣地區學術影響貢獻的實情。研究所得成果除提供相關研究者比較實際的答案外，同時對探討香港學術傳播交流者，探討饒公實際學術貢獻者等，均有實際的協助功能。

　　附錄二〈孺慕回歸隱故里　洛帶鄉賢天下知：王叔岷先生著作在大陸地區學位論文的引述及意義探論〉，此文以刊載在《中國文哲研究通訊》第27卷第2期（2017年6月），頁99-127一文為基礎，進行小幅度的增飾。本文探索了四川龍泉驛的王叔岷老師（1914-2008）在兩岸重啟學術交流之後，對大陸學界影響與貢獻的實情。本文透過「外部研究」方式，以大陸研究生學位論文為對象，經由閱讀歸納學位論文引述王老師論著的情況，證明王老師的論著在1981年進入大陸學界，2001年始有學位論文引述，截至2013年止，共有95所大學1所

社科院，總共433篇學位論文受到王老師影響，其中422篇論文引述王老師論著534篇次，引述者以《莊子》、《史記》、「哲學思想」、「語詞」和《左傳》等學術專業的論文為多。引述王老師論著來自23篇論文25部專書，以《莊子》、《史記》、《列仙傳》的研究成果最受研究生重視。影響範圍包括51個城市25個省區。引述的大學在全國排名200強以內者76所，100強以內者46所。研究成果除證明王老師對大陸學術的實質影響外，同時對探索臺灣地區與大陸學術關係者，或探討臺灣地區學者在大陸「改革開放」後學術回饋家鄉狀況者，提供了某些具有實證價值的可信答案。

〈師恩學術重於一切；氣度毅力非常人也：我眼中的林慶彰老師〉，此文原刊登於《國文天地》第31卷第6期（2015年11月），頁44-47。文章討論林慶彰教授因感念且不忘恩師：「大陸渡臺第一代學者」屈萬里先生之教誨，忘身而努力治學以報師恩的實際表現。所論或有助於了解「大陸渡臺第一代學者」對臺灣地區學術研究的無形影響，此即「大陸渡臺第一代學者」在教學引導上的貢獻，這也就是筆者運用「外部研究」方法探討學術影響與貢獻之際，必然將指導研究生，以及指導的研究生再指導的表現，納入討論的主要原因。蓋學術影響除論著的影響外，自然也包括教學引導的影響，課堂上的引導效果如何，缺乏有效的工具探討，直接指導的研究生，當然可以有效的說明學者在教學引導上的貢獻。

上述13篇的完成，其中有好幾篇論文，乃是執行科技單位「二十世紀臺灣詩經學研究」（NSC98-2410-H-001-079-MY3）專題研究計畫的成果，主要是申請研究計畫時想的是《詩經》學方面的研究探討，但執行之際，可能是受到原先「發大願」想要寫作「二十世紀臺灣地區中文學者學術傳播史研究」的無形影響，卻越作範圍越大，最後居然就變成是執行「二十世紀臺灣地區傳統學術研究及其影響」的研究

議題了。因此要特別感謝科技單位的支持與協助，否則必然無法如此順利的完成論文，因為有許多寫作資料的搜尋，都是委由科技單位經費委聘的研究助理協助搜尋而有故也。

最後，還要特別感謝福建師範大學簡逸光教授的經費支援，萬卷樓圖書公司學術編輯呂玉姍小姐的費心，還有科技單位計畫研究助理的協助，是為言。

2020年12月31日楊晉龍識於南港中研院文哲所思玫秀影齋

開關引導與典律：
論屈萬里與臺灣地區詩經學研究環境的生成[*]

一　前言

　　臺灣學界提起臺灣大學的屈萬里先生（1907-1979），應該無人不知，筆者進入臺灣大學夜間部就讀時，屈先生已辭世半年，筆者僅是在臺大學習的過程中，間接了解屈先生：首先是柯慶明師（1946-2019）的平時談話及贈送筆者《昔往的輝光》中的觀察；[1] 其次則是張以仁師（1930-2009）討論學術之際，引屈先生為學與做人處事為典範的舉例讚美；其三是陳修武師（1933-2019）私下談話時的稱美及帶領筆者拜見屈師母，並獲屈師母費海瑾教授惠贈屈先生平日閱讀的一般書籍的因緣。[2] 因此筆者固然因入大學也晚，無緣親炙屈先

＊　此文初稿曾在2006年9月11日臺北中研院中國文哲研究所發表，又於2006年9月15日在「屈萬里先生百歲誕辰國際學術研討會」中發表。感謝評論人夏長樸老師，以及李豐楙先生、楊貞德、嚴志雄和與會學者等的批評意見，使本文的訛誤可以有機會減至最低，謹此致謝。

1　柯慶明老師：《昔往的輝光》（臺北：爾雅出版社，1988），其中頁81-134的〈談笑有鴻儒：懷念屈萬里老師與在第三研究室的日子〉就在回憶絮說柯老師在當屈先生助教時的親身觀察。本文討論涉及的學者，頗多係筆者的師長輩，為尊重學術客觀呈現之原則，故而除屈萬里先生外，僅於腳註中酌加「先生」等尊稱，正文中則皆省略之。

2　陳修武老師及師母彭小甫教授在2003年引薦筆者拜見屈師母，渥蒙　屈師母將家中珍藏的屈先生平時使用閱讀的一般用書賜贈給筆者，筆者除保留其中有屈先生批注等手澤的部分書籍外，其餘均已轉贈給當時剛成立未久的高雄師範大學經學研究所

生，但透過這些間接關係，除獲得藏書的實際利益外，更間接從屈先
生身上獲得不少治學與為人的啟示，[3] 逢此屈先生百歲誕辰紀念之
會，希望透過此文的分析論證，可以稍稍表露屈先生對臺灣整個中文
相關學術的重要貢獻於萬一，當然更希望此文之寫作可以獲得拋磚引
玉的效果，其他專業的研究者因而願意共襄盛舉，使得屈先生對整體
學術與臺灣學術的貢獻與影響的分析探討，可以更全面性的展開。

　　臺灣現代式經學相關的學術研究，固然可以在日本殖民時代看到
一些相關的研究成果，例如吳德功（1850-1924）、洪棄生（1867-
1929）、胡南溟（1869-1933）、連橫（1878-1936）、張純甫（1888-
1941）、周定山（1898-1976）、林履信（1899-1954）、郭明昆（1904-
1943）、張深切（1904-1965）、廖文奎（1905-1952）、黃得時（1909-

「思源閣」珍藏，供經學所的師生們參考使用，非常感謝屈師母的慷慨賜贈，使筆
者與經學研究所的師生們有機會可以同沾屈先生之遺澤，謹此致謝。每次翻閱那些
書籍，就會想到這是屈先生平常在看的書，也是寄託屈先生精神所在，這對經學所
的學生們應該會有另一種不同的感受吧！屈師母贈書給研究生閱讀參考的作為，當
然也是屈先生對臺灣經學研究人才培養的另一種貢獻。

3　稍舉一例，例如張以仁老師曾經提到屈先生要求研究生寫作論文之前，必須對整個
相關的研究狀況與研究成果有一個比較徹底的了解，否則就不應該進行寫作，這也
就成為筆者爾後寫作論文與教學時必然強調的基本要求。這個觀點後來也在《大華
晚報》汪季蘭：〈臺大屈萬里教授談中文研究所培養博士的過程〉的訪問報導中見
到，該報導說屈先生認為「研究生多半已有自己的研究路線，重要的是在做論文之
前商量好一個題目，但是，在決定題目之前，一定要先調查所決定的題目以前有人
做過沒有，而且，範圍不祇是中國，甚至要調查美國、日本過去有做過沒有。屈教
授說，如果所作的論文，在見解思想上能有超越原有論文的可能，當然也可用同樣
的題目，否則就更改題目。」這是屈先生在1971年8月4日接受訪問時所說，可惜臺
灣的中文學界願意如此確實要求研究者者，似乎至今還不多見，實在令人感慨！汪
季蘭的報導稿收入《屈萬里先生文存》（臺北：聯經出版事業公司，1985），第6
冊，頁2091-2094，引文見頁2093。《屈萬里先生文存》共六冊，係由劉兆祐先生與
林慶彰先生蒐錄屈先生：《書傭論學集》（臺北：臺灣開明書店，1980）之外的單篇
論文，以及有關屈先生的報導、紀念性文章、著述目錄等編輯而成。

1999）、江文也（1910-1983）等等的研究，[4] 以及吳守禮（1909-2005）的詩經學相關研究，[5] 同時在更早以來即有少數大陸學者到臺灣或臺灣學者到大陸交流的成果，[6] 但這些為數不多的經學相關研究成果，在臺灣光復之初，由於當時政治的混亂狀態、社會的動盪不安、出版地區的隔離、研究方式的差異、出版傳播的缺乏，以及中日語文上的差距等等因素的影響，並沒有能發生應有的學術功能，臺灣光復初期經學相關的學術研究，因此不得不出現一條無法有效延續的

---

4 這些臺灣早期學者的現代學術研究成果，參閱林慶彰先生編：《日據時代臺灣儒學參考文獻》（臺北：臺灣學生書局，2000）所錄及該書〈編者序〉所言。此書及金培懿之文蒙　林慶彰先生賜贈，謹此致謝。這些著作有些雖是中文著作，但在光復後並沒有受到注意，日文著作後來雖也陸續翻譯成中文，臺灣解嚴以後，有些學者還出版過全集，例如吳德功、洪棄生、連橫、張純甫、張深切等，他們的研究成果也纔逐漸被注意運用，但多數是自覺或不自覺的放在政治認同角度下進行的歷史研究，似乎還未見有從現代經學或傳統經學角度進行研究者，這裡主要是指這些學者在日據時代的學術創作而言，某些學者在光復後出版的學術論著則不列入考慮。另外有關日據時代臺灣儒學研究概況比較實際的探討，亦可參考金培懿：〈日據時代臺灣儒學研究之類型〉，成功大學中國文學系主編：《第一屆臺灣儒學研究國際研討會論文集》（臺南：臺南市文化中心，1997），頁283-328一文的討論。

5 吳守禮先生在1932年即有未刊的《詩經一字索引》（散佚）之作；1933年3月在臺北帝國大學文政學部文學科的「學士試驗合格論文」題目即為〈詩經文法研究──關於「其」字〉（日文，原稿存，未刊）；1935年6月有《從宜諗日記：考勘學術之日記》之作，其中收錄曾發表於《台灣新民報》的〈詩經小學〉、〈詩經傳注〉二文；1938年又有《清代詩經著述考》（原稿佚，存目錄打字稿）等，惜或以日文發表、或者未能刊出、或者散佚不存，以致後學難以引用參考，實在相當可惜。參閱「臺語天地」「http://olddoc.tmu.edu.tw/chiaushin/shiuleh-5.htm」的〈從宜（吳守禮）編著年表〉：及〈吳守禮教授年譜〉：「http://olddoc.tmu.edu.tw/chiaushin/chronol.htm」兩個網頁的記載。

6 日本帝國主義殖民臺灣之前及殖民之時，大陸學者到臺灣的情況，可參閱林慶彰先生、陳仕華、何淑蘋等主編：《近代中國知識分子在臺灣》（臺北：萬卷樓圖書公司，2002）一書的成果報告。臺灣學者到大陸的情況，可以參閱林慶彰先生主編：《日治時代臺灣知識分子在中國》（臺北：臺北市文獻委員會，2004）一書的介紹說明。兩書渥蒙　林慶彰先生賜贈，謹此致謝。

大鴻溝，亦即吳守禮及其他學者等在日據時代完成的經學相關研究成果，在光復以後因此自然而然的失去其應有的學術功能，無法對後來經學相關學術的發展產生實質性的影響功能，處在此種前修缺席，後進未見情況下的臺灣經學相關研究領域，大概只能用學術真空時期形容之。

筆者大膽推測，如果在抗日勝利之後，沒有發生國共爭權的內戰，則以臺灣當時遭受日本殖民五十年；通行的閩客語與官話系統既有距離；菁英分子又以日語為主要思考語文；當時又有多起親日與親共分子的武力奪權之故，因而即使多數臺灣人民心向自己的中國祖國，但其對國家的忠誠度，卻始終遭受當時主政的國民政府高度的懷疑；再者又處於海外邊緣位置的不利地位與處境，大概很難受到政府與主流學術界的青睞，因此短時間內恐怕不太可能有機會發展學術。但歷史的發展往往出人預料，國共兩黨爭奪權位利益的內戰，國民黨最終敗北而不得不退守臺灣，此舉對那類擁護國民黨的徒眾而言，應當是個瀕臨死亡的痛苦打擊；對那些痛恨共產黨的人民而言，則找到一個可以暫時避難而相對安全的場所；對臺灣那些具有政治野心者而言，則是面臨政治迫害苦難的開始，但對當時臺灣政治地位的提昇與現代經學相關學術的發展而言，卻是一個重新建構地位的重要契機。就政治而言，臺灣從一個海外邊緣地區，提昇成為國民黨「復國」的重要且唯一的基地；臺灣人民從忠貞程度遭受高度懷疑的「準叛亂」分子，變成為國民黨「復國」不得不加借重的重要工具之一，這個政治地位的轉變過程，同時也讓許多具有現代民主理念的知識人、企圖奪取政權的政治投機分子，以及毫無政治企圖的臺灣本地和大陸渡臺的無辜人民，遭受國民黨政權合法正當防衛的無情與過度的反擊，以及非法與違法的不當迫害，此一合法自衛但過度的反擊與違法的政治迫害，留下許多至今難以抹滅的後遺症，無論在解嚴時期或解嚴以

後，都直接或間接影響到臺灣學術社群的政治立場與學術研究的價值判斷，尤其對解嚴之後的臺灣學術相關研究的表現，更因此而在呈現在地特色的多元與分化的自由客觀表述底下，蘊藏著某種自覺或不自覺的對立與反抗的心態，這當然是就後來的歷史發展而言。

如果排除政治思想或立場的干擾，僅就當時的學術研究領域進行思考，則那些避居到臺灣的許多不同學術或政治立場的大陸學者們，確實為臺灣當時奄奄一息的學術注入新血，重新為臺灣在地化的學術研究帶來一股新生的力量，有效地帶動臺灣現代學術的持續發展，因而建立起比較好的與比較新的研究典範。臺灣現代式經學相關的學術研究，就在此一時代潮流下受惠於大陸學者公佈的學術成果與研究典範，更因為接下來四十多年的兩岸隔絕，在兩地的政治運作、教育內容與意識形態極大差異；學術交流對象與學術追求目的極度不同；甚至在政治考慮下刻意與大陸立異的實際狀況下，臺灣學者在經學相關研究上的動機、方法與價值判斷、終極關懷等等，因此逐漸地形成自己的學術特色，同源而異流的表現出與大陸地區經學相關研究上明顯差異的結果。[7] 臺灣現代經學相關的研究，就是在此種特殊歷史的情境下，經由大陸渡臺第一代學者們的用心引導而成立：其先則接受來自大陸不同學術立場學者的教導而建立根基，進而透過自我的轉變、重生、形成、發展、茁壯，最後並相對於其他地區的研究而獨立成家，冷戰時期還影響到香港與新加坡地區，解嚴之後更逐漸與大陸地

---

7 以上有關臺灣與大陸兩岸學術因為政治的關係而隔絕，以及各自發展的實況與原因，筆者曾以詩經學為例進行研究，研究成果或許可以提供部分的解答，見拙著：〈臺灣近五十年詩經學研究概述（1949-1998）〉，《漢學研究通訊》第20卷第3期（總79期）（2001年8月），頁28-50；修訂版見：〈詩經學研究概述〉，林慶彰先生主編：《五十年來的經學研究》（臺北：臺灣學生書局，2003），頁91-159。拙著：〈論兒童讀經的淵源及從理想層面探討兩種讀經法的功能〉，《（高雄師大）國文學報》第8期（2008年6月），頁71-120一文，也有部分相關的內容。

區的研究互相影響。

　　考察第一代大陸渡臺學者們的貢獻，就經學相關學術的研究而論，首先是他們不僅介紹大陸當時最先進的研究成果，提供臺灣經學相關研究的基本常識；同時還運用大陸習得的研究方法進行研究，寫出許多在經學研究上具有創見且有重要影響的論著；其次是他們有系統地培育出許多經學研究的新人才，這是他們對臺灣經學相關學術研究環境的形成尤其重大的影響，因為他們培養出來的這些第二、三代的學者，就成為具有臺灣在地特色的經學相關研究的中堅研究者；[8]其三是這些第一代的學者們型塑了臺灣經學研究的新環境，使得臺灣的經學相關研究，除吸收大陸在民國時期獲得的具有現代求真精神為主軸的學術成果之外，還能夠具有與大陸經學頗不相同的臺灣在地特色，就是相對於大陸不承認「經學」具有獨立的學術地位，完全以史料看待經學而將中國傳統文化經典分散在西洋文化意義下的學術分類中，且以拒絕承認中國傳統文化價值為前提，甚至以絕對毀滅性的要求對待經學倫理道德價值的意識形態；臺灣的經學研究雖也有部分與大陸相近的經學史料化的傾向，以及將經典散入現代西洋學術分科中的現象，但最重要的則是依然承認中國傳統文化的精神價值，甚至刻意以發揚傳統中國文化代表的經學倫理道德價值為研究的基本要求，即使完全接受經學史料化的研究者，也不會否認經學的倫理價值在現

8　姑且以臺灣大學系統的屈萬里先生、臺灣師範大學系統的林尹先生與高明老師等三位影響比較重要的第一代學者為例說明之。根據臺北（臺灣）圖書館「全國博碩士論文資訊網」蒐錄的不完全資料，屈萬里先生指導的學位論文有19篇、林尹先生有60篇、高明老師有64篇。根據臺北（臺灣）圖書館漢學研究中心「經學研究目錄資料庫」收錄的不太準確的資料，屈萬里先生有199筆經學相關的研究成果，林尹先生則有16筆、高明老師有141筆。大陸來臺第一代學者培育出來的碩博士人才，後來分散在臺灣的各大專院校任教，同時也在相關學術行政機關掌握經費與政策上的實權，因而對臺灣經學相關學術的傳播與研究產生實質的影響。

代社會中依然有其實質的功能，此種自覺地提倡或發揚經學傳統倫理價值內容的研究目標，因而可以比較有效地形成與大陸經學相區隔的研究背景與研究的大方向。以上三點就是臺灣第一代經學相關研究學者們的共同貢獻。[9]但是開創臺灣經學在地研究的新環境、新契機與新典範的學術成就，除政治、社會與經濟等相配合的環境之外，固然

---

9 早期臺灣大學的第一、二代學者，也到臺灣師範大學、東吳大學、輔仁大學、成功大學、東海大學等任教；臺灣師範大學第一、二代學者，則在政治大學、中國文化學院、東吳大學、輔仁大學、成功大學、高雄師範學院一類師範院系學校等等大學中任教，臺灣師範大學因為首先設立博士班，早期在臺灣學術界的影響力，可能有超越臺灣大學系統之處。不過第三代以後，由於在學術內容上，兩個系統互相作用的影響，既有保持各自獨立特色者，也有混合兩邊而難以實際區分爾我者，因此籠會說臺灣經學相關研究，實際呈現的是具有臺灣在地特色的多元與分化的自由表述狀況。除屈萬里先生、林尹先生和高明老師之外，其他對臺灣經學相關學術研究環境的形成具有貢獻者，可以再舉幾個顯例說明之：首先，諸如現代新儒家第一、二代學者，如牟宗三先生、徐復觀先生與張亨老師、戴璉璋老師等等，雖也有經學相關論著，但其成就主要是在哲學思想意義下的儒學而非經學；錢穆先生及其門人弟子如何佑森老師、何澤恆老師等等，同樣有經學相關的論著，但錢先生主要的學術關懷是史學而非經學；輔仁大學王靜芝先生固然也有經學相關論著，但一般認為王先生最大的成就是在書法藝術上。其次，民間學者如臺北市溫州街「天德黌舍」後改稱「奉元書院」上百歲的主人，前清遺老愛新覺羅毓鋆先生（1905-2011），長期以「私塾」的形式傳播經學，對臺灣經學研究人才的培養，固然也有相當重要的影響，但此種體制外的教學，大致上僅能定位在對體制教學的輔助功能上，很難評估實際的影響功能。此外臺灣某些宗教團體，如「一貫道」，就一直存在有講說《四書》課程的慣例，這當然也對型塑臺灣的經學研究環境有助益，但其效應實在很難評估。其三，還有諸如戴君仁先生（馬一浮先生弟子）、毛子水先生、何定生先生、史次耘先生、程發軔先生、成惕軒先生、李曰剛先生、李辰冬先生、陳立夫先生、謝扶雅先生、羅光先生、陳大齊先生、華仲麐先生、盧元駿先生、熊公哲先生、王夢鷗先生、嚴靈峰先生、潘重規先生、陳槃先生、孔德成老師、裴溥言老師……等等老一輩的學者，對臺灣經學學術研究環境的形成，當然都有其或多或少的貢獻。有關「一貫道」講讀《四書》的傳統，可參考鍾雲鶯的相關研究，如〈論一貫道《學庸淺言新註》的注疏意義〉，《臺灣東亞文明研究學刊》第3卷第1期（2006年6月），頁163-187的討論。《臺灣東亞文明研究學刊》渥蒙 臺灣大學人文社會高等研究院賜贈，謹此致謝。

不會僅僅只是一、兩位學者的影響作用即可形成，但其中當然也還可以有影響或大或小的區分，如果就今日已經存在的歷史事實，進行比較客觀的「逆反追認」的觀察，則無論從學術創見、教學授課、指導學生、學術論著、學術行政等任何角度來看，恐怕都不得不承認李濟（1896-1979）心目中「經學第一人」，[10] 在1972年（1972）7月以「對先秦史料之考訂，中國古代經典（《書》《詩》《易》等）及甲骨文之研究，均有成就，尤精於中國目錄校勘之學」的學術成就，當選中研院院士，任職於臺灣大學中文系、中研院歷史語言研究所與臺北（臺灣）圖書館等學術相關機構的屈萬里先生，在經學研究領域上的重要影響地位。

實際的考察屈先生在學術上的成就，根據前賢們的研究觀察，可以發現屈先生除在經學領域中的《易經》、《尚書》、《詩經》等有比較特出的研究成果與效應之外，還在上古史、甲骨學、文獻學、辨偽學、目錄學、版本學、校勘學等方面，都有某些為學界接受或引發討

---

10 見屈師母費海瑾教授：〈屈萬里先生的治學與史語所〉，頁248，收入山東省圖書館、魚臺縣政協編：《屈萬里書信集・紀念文集》（濟南：齊魯書社，2002），頁239-249。筆者以為李濟先生「《詩經》《書經》《易經》讀經明理闡揚先賢遺教；契文金文說文釋文舉例啟迪後進新知」的輓聯，最能表現屈先生整體的學術內涵與成就。宋梅村先生「為院士稱名師上庠尊祭酒既能闡殷墟考釋《尚書》殘字更能揚乾嘉新徑洙泗舊徽四十年業績煌煌照世等身著作重山邱」之下聯，也頗能表現屈先生的治學精神，尤其「揚乾嘉新徑」一語，最能表現屈先生的治學精神所在。史次耘老師「治學重證據宗法胡傳兩哲人；立言至嚴謹絕似漢鄭一經師」之上聯，最能表現屈先生的研究態度與學術的淵源。鄧傳楷先生「治學見宏規敷教上庠材培杞梓森多士」一聯，可見屈先生作育人才之一面。收入屈萬里先生治喪委員會編：《中研院院士屈翼鵬先生哀思錄》（臺北：屈萬里先生治喪委員會，1979），頁147、頁150、頁155、頁160。《哀思錄》雖標「屈萬里先生治喪委員會編印」，但實係當時為東吳大學中文研究所博士生的林慶彰先生受屈師母之託，在屈先生逝世後百日內獨力完成，聯經出版事業公司免費印刷裝訂，兩者之功似不可沒，故順筆及之。又此書渥蒙　林慶彰先生賜贈，謹此致謝。

論而具個人特色的學術見解，[11] 屈先生對臺灣學術發展因此也具有多方面、多層次與多樣性的影響特質。由於屈先生具有此種多方面、多樣性與多層次學術貢獻的事實，探討屈先生對臺灣學術界的影響貢獻，自然可以從各種不同的學科角度進行研究分析，然而屈先生此種多元與多重的學術成就，以及與臺灣學術研究環境發展的關係，至今似乎還未見到比較可以讓學術界重視的研究成果出現，其他學科姑且不論，即以經學領域而言，有關屈先生經學的整體成就，以及與臺灣經學研究發展的關係，同樣缺乏應有的研究關注，由於筆者的學術專業僅在詩經學的小小研究範圍內，當然沒有能力對屈先生整體的學術或經學的成就，進行全面性的深入發掘探究與重現，但筆者因為曾經完成〈臺灣近五十年詩經學研究概述（1949-1998）〉一文，因而對屈先生與臺灣詩經學研究發展的關係，可能比一般研究者有稍微多一點的了解。該文主要是透過文獻學統計歸納的初步分析，以探討臺灣光復後五十年來詩經學發展的實況，在該文的研究過程以及後來持續關注此一議題的結果，發現屈先生在詩經學上的見解，固然並非全部都毫無疑義的被相關研究者所接受，[12] 不過這些小小爭議的存在，並無

---

11 參閱丁邦新老師：〈屈翼鵬先生與歷史語言研究所〉及劉兆祐先生：〈屈翼鵬先生對中國圖書館事業的貢獻〉，收入屈萬里先生治喪委員會編：《中研院院士屈翼鵬先生哀思錄》，頁7-13、頁27-37；丁老師探討屈先生在文字學、經學、史學方面的成就；劉先生論及屈先生在版本、目錄與出版上的貢獻，合觀兩文可見屈先生多方面的學術成就與貢獻。

12 例如屈先生在《詩經釋義・敘論》（臺北：中華文化出版事業委員會，1952），上冊，頁12-14中，主張「興不取義」的觀點，經徐復觀、蘇伊文、余培林、文幸福、林葉連、吳宏一師等等學者的論證分析，已被證明不夠周延，現在多數研究者比較同意的觀點是：「興」至少兼有「不取義」與「取義」兩類，且其意義相當複雜。大陸學者葛曉音對「興不取義」也抱持反對的立場，見氏著：〈「毛公獨標興體」析論〉，《中國文化研究》2004年春之卷，頁40-51的相關討論。臺灣呂珍玉也曾針對《詩經詮釋》提出63處可能可以再加商榷的問題進行檢討，見氏著：〈讀屈萬里先生《詩經詮釋》（國風）疑義〉，《第五屆中國訓詁學全國學術研討會論文集》（臺

礙於屈先生對臺灣詩經學研究發展的重要作用。筆者曾以該文初步歸納研究的成果為基礎，再進一步結合其他相關資訊進行分析判斷，以為就屈先生與臺灣詩經學的關係而論，至少可以有以下五項比較實際的正向關係：首先臺灣最早一本詮解《詩經》的詩經學專著，就是屈先生在1952年出版的《詩經釋義》，這本是由與政府關係密切的「中華文化出版委員會」出版，並列為「大專用書」，出版半個世紀以來，一直成為各大專院校《詩經》課程講授之際的標準用書；其次臺灣第一篇正式發表在學術期刊，針對《詩經》進行專門研究的現代學術論文，就筆者所知應是屈先生發表在《大陸雜誌》的〈罔極解〉，[13]此文開啟臺灣學術界爾後專文研究《詩經》的先河；其三屈先生在當時政治鬥爭導致兩岸隔絕的狀況下，由於服務中研院的關係，可以有機會閱讀大陸學者的作品，因而在《詩經釋義》中以諱稱「近人某氏說」而規避當時政治審查的方式，引入許多大陸學者相關的研究成果，[14]有效地將臺灣與大陸相關的學術研究聯繫在一起，透過屈先生論著的引用，達到兩岸學術交流的部分功能；[15]其四屈先生在詮解

中：逢甲大學中國文學系，2000），頁147-169及〈讀屈萬里先生《詩經詮釋‧雅頌》疑義〉，《東海大學文學院學報》第43卷（2002年7月），頁1-22兩文。大陸學者不同意屈先生某些觀點者，如王宗石：〈《詩》義新探三則〉，《人文雜志》1995年第3期，頁80-83、頁96，該文謂：「〈小雅‧小明〉之『共人』，臺灣屈萬里《詩經釋義》云：『共人，溫恭之人，蓋行役者為其妻也。』高亨亦同此說，《詩經今注》云：『共，通恭，恭敬之人，此指作者之妻。』唯查《三百篇》從無以『恭人』稱妻者。又查此詩所言皆是眼前身邊之事，是以知其斷非戍邊將士之妻。」

13 屈先生：〈罔極解〉，《大陸雜誌》第1卷第1期（1950年7月），頁5-6。

14 屈先生：《詩經釋義》，上冊，頁6、頁15、頁19、頁24。

15 屈先生曾在民國65年5月撰文建議有關單位「盡量購買匪區出版的圖書」，理由是學術研究若缺乏新資料，則「得不到正確的結論，不但貽誤後學，而且會使外國學者看不起我們的學術水準」，由此可見屈先生對兩岸學術研究成果交流的關心，見〈關於漢學中心的兩個問題〉，收入《屈萬里先生文存》，第3冊，頁1175。案：1979年行政院孫運璿院長指示教育部成立「漢學研究資訊中心」，1987年終於在臺

《詩經》過程中，引錄不少《漢石經》的文字，以證《詩經》文本存在有異文，[16] 有助於對不同《詩經》版本文字的認識；其五屆先生更刻意引用甲骨文與金文等出土資料，以協助詮釋《詩經》篇章的內容，[17] 雖然此法由於牽涉頗多相當深入的專門知識，因而有點後繼乏人，但也開啟比較自由運用古文字以印證《詩經》的研究方式。但因為〈臺灣近五十年詩經學研究概述〉探討的議題焦點，主要以臺灣詩經學整體成就的表現為重心，因而無法針對屈先生個人的作用與效應進行比較確實的探討，然而從前述粗略的觀察，亦可知屈先生對臺灣詩經學相關學術發展的重大功能，因而希望再從詩經學的角度，透過屈先生學術創見與書籍傳播上的影響與作用，嘗試比較確實而深入的探究屈先生在型塑臺灣詩經學研究環境上的重要地位。

屈先生在學術與經學上的的整體成就，以及在臺灣經學環境發展上的貢獻，固然還沒有被充分的挖掘表露，但也不是全部都被忽略。就詩經學方面而言，就已經有一些總括性的評論及少數可觀的研究成果，如何定生（1911-1970）很早就已經有評介《詩經釋義》之作；[18]

北（臺灣）圖書館成立今日的「漢學研究中心」，似不能說完全與屈先生的提倡呼籲毫無關係。

16 例如《詩經詮釋・邶風・北風》（臺北：聯經出版事業公司，1983年），頁75，謂「其虛其邪」的「邪」，「《漢石經》作耶」；「既亟只且」的「只」，「《漢石經》作旨」。案：全書有35處引《漢石經》為說，一處引《魏石經》（頁355）。

17 例如在《詩經釋義》中曾引用金文，以證明〈小雅・天保〉「神之弔矣」的「弔」為「淑」之訛，見《詩經釋義・小雅・天保》，下冊，頁125。在《詩經詮釋》中則引入甲骨文，以證明〈邶風・谷風〉「昔育恐育鞠」中「恐育」之「育」字，「當讀為後，謂後來也」，見《詩經詮釋・邶風・谷風》，頁64，全書共有21處引甲金文為說。案：《詩經詮釋》係在屈先生過世後，屈師母費海瑾教授以《詩經釋義》為底本，再依照屈先生改進和擴充的640多條資料加以整理出版，見〈詩經詮釋跋〉，頁631。不過《詩經釋義》還是依照原樣繼續印刷出版，故兩書同時印書流傳，其實此亦可部分考見屈先生對臺灣詩經學界的實質影響。

18 何定生先生：〈《詩經釋義》評介〉，《學術季刊》第2卷第1期（1953年9月），頁136-

張學波（1929-1994）也有總括屈先生在1971年以前在《詩經》詮解上不主一家、依詩文求本義，以及字詞訓詁上成就的研究論述；[19] 林慶彰（1948-）也曾為文總結屈先生一生在詩經學上重要的四點學術成就與貢獻的事實；[20] 洪國樑（1949-）則經由歸納分析《詩經釋

138。何先生以為該書係五四以來第一本「建設性的著作」，內容特色有：年代考證工夫確實、注文富於風趣、注釋很能傳譯原文的意味、偶及文法界說省卻讀者麻煩等。

19 張學波：〈六十年來之詩學〉，程發軔主編：《六十年來之國學（一）》（臺北：正中書局，1972），頁305-361。該文謂《詩經釋義》「係就詩篇本文以探求其本義，既不專主一家之言，亦無漢宋門戶之見。」謂《詩經選注》「注解簡單明瞭，難句且加翻譯。」又以屈先生在〈關雎〉、〈甘棠〉、〈將仲子〉、〈女曰雞鳴〉、〈狡童〉、〈子衿〉、〈溱洧〉、〈蒹葭〉、〈鼓鐘〉、〈瞻彼洛矣〉、〈菀柳〉、〈白華〉等諸篇詩旨解說上，較舊說為是。訓詁方面則以為屈先生訓〈常棣〉「和樂且孺」之「孺」為「濡」之假借，義為「滯久」；以〈楚茨〉「我孔熯矣」之「熯」為「謹」；以〈駉〉「思馬斯徂」之「徂」為「且」之假借，義為「多」等諸說，皆較舊說為是。不過也以為屈先生以〈殷武〉為「頌美宋襄公之詩者，恐又非是。」謂屈先生解〈泮水〉「大賂南金」謂「大賂」為「所賄賂者，有元龜、象齒及南金也」一說，「拘泥《傳》《箋》之舊說，恐不可從。」見頁309、頁339-352、頁357-358、頁360-361等。張學波先生的生卒年，蒙臺灣師範大學國文系 賴貴三教授賜知，謹此致謝。

20 林慶彰先生：〈屈翼鵬先生的詩經研究〉，《書目季刊》第18卷第4期（1985年3月），頁178-191。此文根據屈先生三種專著、12篇論文歸納屈先生研究《詩經》的成果與貢獻有：（一）編纂通俗讀本：《詩經釋義》、《詩經選注》；（二）基本問題探究：孔子未刪詩、《詩序》首句與申述之語非一人所作、〈國風〉非民謠本來面目，係貴族與官吏以雅言創作及翻譯民間歌謠為雅言而成、雅與夏通，本是王朝所在的地域之名，故該地語言稱雅言，音樂叫雅樂、興與歌謠本義無關、漢儒曲解詩的本意，當作可以為法與可以借鑑的教化教條；（三）詩旨新解：同意前述張學波之文所論，以為屈先生在〈關雎〉、〈甘棠〉、〈將仲子〉、〈女曰雞鳴〉、〈狡童〉、〈子衿〉、〈溱洧〉、〈蒹葭〉、〈鼓鐘〉、〈瞻彼洛矣〉、〈菀柳〉、〈白華〉等諸篇詩旨解說上，較舊說為是；（四）字詞新釋：「周行」之「行」本義為「道路」、出現於句首之「不瑕」之「瑕」為「語助詞」、「德音」指他人之言語或聲譽、「無競」之「競」義為「較量」「比擬」、「昭假」用於主動即顯靈，用於被動即祈神顯靈以祀之、「罔極」義為「無良」即「缺德」、「孺」當作「濡」義為「滯久」、「徂」當讀為且，多也、「河」專指「黃河」、「嶽」均指「太岳」即霍山、「兕觥」為角形酒器等。

義》與《詩經詮釋》中「亦通」二十七例，因而發現屈先生研治《詩經》的方法與目的，就是希望學者「會觀」或「會通」多義，以求全貌之解的本意；[21] 林慶彰在為文探討臺灣詩經學發展時，亦曾稍稍觸及屈先生有功於詩經學研究人才培育之事；[22] 近年來由於兩岸學術交流的頻繁，尤其受到林慶彰在大陸學術期刊發表有關臺灣詩經學研究概況論文的影響，[23] 使得大陸學者在從事詩經學的相關研究時，亦不得不注意到屈先生在詩經學上研究創見的成就，因而在某些詩經學研究的論文中，出現引用或評論屈先生詩經學觀點的論述。[24] 另外還有

---

21 見洪國樑先生：《詩經訓詁之「亦通」問題：屈翼鵬先生《詩經釋義》、《詩經詮釋》「亦通」例釋》（臺北：學海出版社，1995），頁25-35，該文謂屈先生治《詩》，旨在「會觀二義以求解」，主張「需會通數義，方能見其全貌」。

22 林慶彰先生：〈臺灣近四十年詩經學研究概況〉，《文學遺產》1994年第3期，頁119-125，文中謂：「影響臺灣經學研究的學者，主要有屈萬里、林尹、高明、王靜芝等學者，他們在各大學開課講授經學或傳統小學的課程，訓練經學研究人才，纔逐漸奠定臺灣經學研究的基礎。……培育出來的經學人才，遍布整個臺灣的大學院校，成為推動經學的主力。」

23 大陸詩經學的研究者，所以會特別注意到臺灣的詩經學研究，尤其注意到屈萬里先生在詩經學上的學術貢獻，恐怕不得不歸功於林慶彰先生：〈臺灣近四十年詩經學研究概況〉一文的傳播推廣，因為大陸學者後來有關臺灣詩經學史方面的論斷，大致都不出此文之外。此文有關屈先生學術成就方面的意見，則大致來自林慶彰先生〈屈翼鵬先生的詩經研究〉一文的結論。

24 如馮慶東：《屈萬里研究》（濟南：山東師範大學中國近代史碩士論文，2004），主要在簡介屈先生的生平及論著的狀況。另外如以「中國期刊網」進行搜尋，則有張啟成：〈海外與臺灣的詩經研究〉，《貴州大學學報（社會科學版）》1995年第2期，頁49-53及〈論朱熹《詩集傳》〉，《貴州文史叢刊》1995年第3期，頁31-36兩文，評論屈先生詮解《詩經》之作：「在訓詁方面，主要是博採眾長，擇善而從，但也時有新見。在闡述詩歌的題旨方面，較偏重於《詩集傳》的朱熹說，但也時有獨到之見。如將〈鄭風‧有女同車〉理解為『婚者美其新婦之詩』，很切合原詩的本義。屈氏在字詞考釋方面也有精深的研究，重視《詩經》的字詞研究，本是王國維的擅長之處，而屈氏在此基礎上又有所發展，有所創見。」孫立堯：〈釋興：論一種歷史的詩學觀〉，《學術論壇》1997年第6期，頁70-74，引屈先生〈論國風非民間歌謠的本來面目〉之論，以批駁顧頡剛《詩經》為「民歌」之誤。楊之水：〈詩經名物

從純粹讚美角度進行評價者，[25] 這類讚美性的評價固然缺乏實證的價值，但對了解屈先生在一般學者眼中的地位，則也有部分的功能。

前述何定生、張學波、林慶彰與洪國樑等針對屈先生詩經學的研究成果，對屈先生在整體詩經學研究上的學術貢獻，當然具有某些正面的助益功能，但都是從探討屈先生個人學術創見的「內部研究」角度進行探討，固然已把屈先生相對於其他詩經學研究者的學術特色表現得頗為清楚，但對於探究屈先生型塑臺灣詩經學研究環境的學術「外部」影響作用，則顯然還有不足之處，因為如要確實了解屈先生對臺灣詩經學整體環境的貢獻與影響，則除以上述諸文有關屈先生在詩經學範圍內研究創見的學術「內部」貢獻的了解為基礎之外，至少

新證之五——《小雅·斯干》〉，《中國文化》第15、16期（1997年），頁46-56，論〈斯干〉之詩旨，同意屈先生「築室既成而頌禱之」之論而進行發揮；解「似續妣祖」引述同意屈先生「古者祖母以上皆謂之妣，祖父以上皆謂之祖；故西周之書，及甲骨文與早期金文，皆祖妣對稱」之說。向熹：〈論《詩經》語言的性質〉，《中國韻文學刊》1998年第1期，頁33-40。引屈先生〈論國風非民間歌謠的本來面目〉之論而同意之，謂「屈萬里先生曾著文從篇章形式、文辭運用、押韻情況、語助詞和代詞的用法等方面，進行過詳細的討論，我認為是正確的」。林祥征：〈二十世紀中國《詩經》研究述略〉，《泰安師專學報》第21卷第2期（1999年3月），頁2-7，謂：「質量高的是屈萬里的《詩經釋義》，該書成為臺灣大專院校《詩經》課的教本，注釋簡潔扼要，並融入許多新的研究成果。」又說：「屈萬里先生在著述之餘，著力於《詩經》的教學，培養出著述豐厚，富於開拓的學者多人，為《詩經》研究注入新鮮血液。」李慶：〈關於《詩經·周頌》中〈大武〉諸詩的探討——王國維〈周大武樂章考〉商榷〉，《復旦學報（社會科學版）》2005年第5期，頁80-87、頁128，謂：「屈萬里《詩經釋義》多以金石，特別是出土鼎器的銘文解《詩》，在說明詩歌本意和有關歷史事實上，多有創益。」

25 例如鄭騫老師：〈詩經詮釋序〉，《詩經詮釋》，頁1-2，稱美《詩經釋義》：「辨名物，明訓詁，酌古準今，折衷漢宋，探二〈雅〉、三〈頌〉之史源，闡風人比興之微旨，既可供初學之誦習，又足備專家之參考。各大學講授詩經者，固多採用為課本；自修之士，亦皆人手一編，……風行學府，久歷年歲」。蘇雪林：《詩經雜俎·自序》（臺北：臺灣商務印書館，1995），頁2-3，亦以「考證精審，要言不煩，嘉惠後學，靡有窮已」之言，稱美《詩經釋義》一書。

還應該進一步的從培育人才、研究方法、研究方向、詩經學論著引述等幾個影響方向進行「外部研究」角度的深入探討。前述諸文除洪國樑之文專注於研究方法的探討，林慶彰曾稍為觸及培育人才的問題外，可能由於論文議題焦點與篇幅限制的關係，對於影響經學研究環境的相關問題，並沒有進行比較深入的分析討論，至於研究方向、詩經學論著引述等一類影響的問題，則更未見有注意者，此文因此在前述相關諸文研究成果為基礎的前提下，選擇從傳播擴散的「外部研究」角度，透過屈先生在培育人才、研究方法、研究方向、詩經學論著引述等方面的表現，以探討屈先生對臺灣詩經學研究環境形成上的影響作用；主要的目的除希望比較深入的說明屈先生在培育詩經學研究人才上貢獻的實況外，同時也想辨明臺灣學者在進行詩經學相關學術研究之際，面對屈先生詩經學表現接受的態度如何？因為這些表現均影響到臺灣詩經學研究環境的形成，但洪國樑對屈先生的研究方法已進行過較為細緻的研究，此文的重點因此主要集中在有關培育人才、研究方向、詩經學論著引述等三方面的探討，結合前述學者有關「內部研究」所得的研究成果，以便可以比較確實地了解屈先生在臺灣詩經學研究領域的功能與影響作用，以及在臺灣詩經學研究者心目中的地位。不過受限於筆者的學識能力與論文篇幅之故，因此暫時僅能進行比較簡略的初步分析說明，至於比較全面性與整體性的深入探討，則有待同好共襄盛舉，或筆者將來學識增長後更進一步的探索。本論文的研究成果，對於進一步了解屈先生在臺灣詩經學研究領域上的影響貢獻，以及對於型塑臺灣詩經學研究環境的重要作用，應該具有可信的實證價值；同時對於有心探究屈先生學術成就與貢獻，以及探討臺灣經學史或詩經學史的研究者，應該也具一定的參考價值。

此文研究的重心放在屈先生與型塑臺灣現代詩經學研究環境關係的「外部研究」上，因此主要以統計歸納之後，再進行分析的方式進

行研究；研究過程也同時透過接受者所以選擇「引述」的深度分析方法，藉以檢證確定屈先生在詩經學研究領域內，長期影響的效應功能。[26] 使用的資料，除前述探討屈先生學術貢獻與稱美屈先生詩經學論著諸文外，還包括兩類比較重要的文獻：一是屈先生詩經學相關論著：主要以《詩經釋義》與《詩經詮釋》兩書為重點，而以《詩經選注》及其他詩經學相關論文為輔。一是屈先生論著外的資料：主要以屈先生指導的研究生論文及研究生發表的論著；2006年6月以前臺灣學者發表出版的教科書性質的《詩經》詮解之作等。[27] 經由這些不同類

---

26 此研究方法主要受到三方面的影響啟發：首先是美國科學哲學史家托馬斯・庫恩（Thomas S. Kuhn, 1922-1996）所謂「一種這樣的影響——研究報告腳注中所引技術文獻分佈的轉移——應作為革命發生的一種可能指標而加以研究」觀點的啟發，見〔美〕庫恩著，金吾倫、胡新和譯：《科學革命的結構・序》（北京：北京大學出版社，2003），頁5。其次是科技單位正在推行而早已盛行於自然科學界與社會科學界的「論著被引用率」基本原則的啟發；有關分析引用文獻以論學術傳播的功能與限制，圖書館學界論者頗多，謹舉下述較原則性之三文供讀者參考。蔡明月：〈引用文獻分析與引用動機研究〉，《教育資料與圖書館學》第38卷4期（2001年6月），頁385-406；羅思嘉：〈引用文獻分析與學術傳播研究〉，《中國圖書館學會會報》第66期（2001年6月），頁98-112；王梅玲：〈電子期刊興起及其對學術傳播影響的探討〉，《中國圖書館學會會報》第71期（2003年12月），頁61-78；筆者此文固也以探討學術傳播為目的，但欲論證的影響功能則與圖書館界追求學科間關係與發展及研究近況與趨勢的功能大有差別，故僅說受到啟發。其三是瑞典朗德（Lund）大學的媒介（大眾傳播）研究的學者卡爾・艾里克・羅森格倫（Karl Eric Rosengren）批評家經典定義的啟發。根據荷蘭籍的弗克馬（Douwe Fokkema, 1931-）和蟻布思（Elrud Ibsch, 1935-）夫婦的引述說：羅森格倫「發展了一種研究批評家的經典的方法。他建議數一數某些作家（或作品）在針對另一作家的批評中被提到的次數。該方法來源於下面這種思想：關於某一批作家作品的知識屬於文化階層擁有的一般性知識，因而為批評家提供了一個參照系。只有知名的作家才可以因此比較或解釋而被提及。羅森格倫在這項研究中採用了下面的這種操作性的關於經典的定義：經典包括那些在討論其他作家作品的文學批評中經常被提及的作家作品。」見弗克馬、蟻布思著，俞國強譯：《文學研究與文化參與》（北京：北京大學出版社，1996），頁51。

27 案：以《詩經》內容為主要研究議題的單篇論文，應該也可以列入探討之列，不過

型資料的交叉分析，即可了解屈先生的詩經學研究成果，在詩經學相關論著中的作用，以見屈先生在臺灣詩經學研究環境中的功能。論文研究進行的程序，首先在「前言」中探討臺灣經學研究環境形成的因素、屈先生在經學與詩經學上的成就及相關的研究成果，並說明本論文寫作的意義與價值；其次針對屈先生授課的潛在影響與指導研究生的狀況，以及研究生論著的研究內容，探討分析屈先生在培育臺灣詩經學研究人才的實況與貢獻；其三則就臺灣詩經學相關論著引錄屈先生研究成果的狀況，選取其中較為重要的專書，進行「引述」的統計與深度的分析，以見屈先生在詩經學相關學者心目中的地位；其四根據屈先生的言論與論著內容的表現，以分析探討屈先生研究《詩經》的基本立場方向，以及造成的實際影響；最後則根據前述三項研究成果，檢證屈先生在型塑臺灣詩經學研究環境上的貢獻與影響。

二　詩經學研究人才的培育狀況

　　影響構成詩經學研究環境的內涵，除實際進行論文寫作或批評等相關研究者，亦即那類以學術研究為訴求的傳播者之外，還應該有非以研究為訴求的一般傳播者，以及接受或不排斥此一學術傳播的政治社會氣氛。然而無論是作者、批評者或傳播者，甚至政治社會氣氛的形成，在在皆無法離開「人」此一基本因素，作者、批評者或傳播者自不必論，政治社會氣氛其實也是因為多數人的認同而形成。一般傳

一則教科書性質的論著與學位論文兩者的表現，大致已可以具有相當大的代表性；再者根據筆者初步的統計，至2000年止臺灣學者發表出版的期刊與論文集一類的單篇論文，至少就有2625篇，見拙著：〈臺灣詩經學論著目錄（1945-2000）〉（未刊稿），至2006年保守的估計恐怕不會低於3000篇，由於數量太多，一時尚無法進行全面性的歸納整理，因此暫時未列入探討的範圍。

播者與政治社會氣氛固然與研究環境的形成關係相當密切，但由於基本的樣本數太大、相關的變項太多，故而僅能根據許多相關的表現做為間接證據，進行推測性的評估，比較難以進行可以有效檢證而具實證性意義，因而可用以證明其影響實際表現的研究探討，故一般傳播者與政治社會氣氛，大致僅能被當作形成研究環境的背景資料。相對於一般傳播者與政治社會氣氛在研究探討上的困難，以學術為訴求的傳播者，則具有比較明確的指標，例如發表學術相關論著的多寡、參與相關學術活動的狀況、學校講授相關課程的情形、指導研究生撰寫相關論文的成果等等，均可以當作探討其影響表現的直接因素，因而比較有可能進行影響狀況的分析探討，不過參與相關學術活動的影響還是比較間接，真正可以進行直接探討影響狀況者，大致以發表學術論著、學校講授課程、指導研究生等三項因素較為直接，這也就是本文用來評估屈先生影響臺灣詩經學研究環境的三項重要基本指標，不過其中發表學術論著的影響狀況，則是下一節要探討的內容，本節僅先探討涉及學校講授課程與指導研究生等兩項與培育詩經學研究人才相關的影響內容。

首先就學校講授課程的潛在影響功能或作用而言，屈先生在1949年4月應當時臺灣大學校長傅斯年（1896-1950）之聘，開始任教於臺灣大學中文系，直至1978年7月離職，作育學術人才達三十年之久，其間並曾先後受邀於臺灣師範大學國文研究所，中國文化學院與東吳大學等兩校中國文學研究所任教，[28] 主要講授的有《周易》、《尚書》、《詩經》、古籍導讀、先秦學術資料討論、文史資料討論、經學專題

---

28 屈先生曾擔任新加坡南洋大學、加拿大多倫多大學、美國普林斯敦大學等校的客座
　教授，到過日本與越南講學，這對經學在海外的公佈當然有幫助，但與臺灣詩經學
　的研究環境無關，故不列入討論。

討論等課程，[29] 在這三十年期間除授課外，同時還根據當時大學畢業之際，必須撰寫學士論文的規定，負責指導大學部學生撰寫畢業論文。屈先生在各大學院校講授《詩經》課程及指導學生撰寫畢業論文，修課獲益的學生數量應該相當多，例如張以仁師的學士論文〈讀魏風〉，即由屈先生指導完成；[30] 丁邦新（1936-）與管東貴（1931-2019）則均特別提及選讀屈先生《詩經》課程之事；[31] 屈先生自己也提到龍宇純（1928-）、何佑森（1930-2008）協助編著《詩經選注》之事，[32] 這些應該都是臺灣詩經學界潛在的研究人才，即使沒有許多實證的資料，但也可以推測屈先生講授《詩經》課程，在學術傳播與詩經學研究人才培養上的貢獻。這些修習過《詩經》課程者，當然不可能全部都留在學術界或其他與學術相關的行業中，繼續有關詩經學的研究而成為學術的開創者或發現者，但即使大學畢業後即離開學術界，僅僅成為詩經學的接受者，至少對認同詩經學政治社會氣氛的建構，也有積極正面的影響功能；何況其中還可能有某些在高中以下教育界服務者，上課之際很可能就會涉及與詩經學相關的議題，因而就

---

29 以上所述參閱臺灣大學中國文學系編：《臺灣大學中國文學系系史稿（1929-2001）‧年表‧正編》（臺北：臺灣大學中國文學系，2002），頁14-72及李偉泰老師：〈屈萬里先生傳〉，頁243-252。此書渥蒙　葉國良老師賜贈，謹此致謝。

30 案：張以仁老師除學士論文外，還有2篇與《詩經》相關的單篇論文，指導的研究生中直接以詩經學內容為研究主題者，有洪國樑學長、張寶三學長、張素卿、鄒純敏、彭美玲與筆者等六人共八篇學位論文。

31 參閱丁邦新老師：〈無憂無懼、乘化而歸〉與管東貴先生：〈二度啟蒙〉，收入屈萬里先生治喪委員會編：「《中研院院士屈翼鵬先生哀思錄》」，頁58-64。丁老師有4篇與詩經學相關的論文。

32 屈先生曾經在《詩經選注‧敘論》（臺北：正中書局，1955），頁10中，特別提到「友人周天健先生，和臺灣大學中國文學系同學龍宇純、羅邦楨、何佑森、韋雲生諸君，對於本書的選註音讀各方面，都給予了不少的寶貴意見」，這一段文字在1976年的新版中已經被刪除。龍老師有12篇詩經學論文，指導的研究生有謝美齡、呂珍玉等兩篇詩經學的學位論文；何佑森老師有1篇詩經學論文。

在無形中成為一般性的詩經學傳播者，這些一般性的詩經學傳播人才，對臺灣詩經學研究環境的形成當然也有一定的影響，這是屈先生講授《詩經》課程在培養詩經學研究人才上存在的積極貢獻之一。

其次就指導研究生撰寫論文的相關議題而論，對臺灣詩經學研究環境的形成，比較具有實際影響貢獻者，當然是那些接受屈先生《詩經》課程的洗禮後，繼續留在學術界發展的學習者，他們或者繼續進入研究所深造，或者留在大學院校任教與研究，這些自願留在學術界奮鬥的學習者，同時也是臺灣詩經學比較具有積極性的傳播者，因而與臺灣詩經學研究環境的形成與發展當然關係較為密切，就今日比較容易取得而具有實證價值的資料而言，這些繼續留在學術界者自然以具有博碩士學位者為多數，這些曾經修習過屈先生《詩經》課程，繼續進修而取得學位的學習者，無論其論文研究的主題是否以《詩經》相關議題為主，從其講授《詩經》課程及參與學術活動的潛在傳播功能而論，則對臺灣詩經學研究環境的形成或發展，當然都具有某些實質性的影響，不過影響功能的大小當然還可以再加區分，由於開課講授《詩經》的狀況不明，因此主要還是必須觀察這些研究生進入學術研究社群以後，在以詩經學相關內容為研究主題論著的表現狀況，因而也就可以做為間接證明屈先生對臺灣詩經學研究環境發展的影響功能。亦即透過屈先生指導的研究生，在詩經學研究上的表現，應該就可以部分了解屈先生在臺灣詩經學研究人才培養上的功能與貢獻，甚至還可以進一步了解屈先生與臺灣詩經學研究環境的關係，因而可以有助於確定屈先生在臺灣詩經學研究上的地位。

屈先生指導完成博碩士學位論文的研究生，包括臺灣大學、臺灣師範大學與東吳大學等三校，共有：潘美月（1939- ）、陳舜政（1937-）、程元敏（1932-）、許進雄（1941-）、劉兆祐（1936-）、黃沛榮（1945-）、章景明（1941-）、李偉泰（1946-）、周鳳五（1947-

2015)、周昌龍（1951-2012）、朱曉海（1951-）、葉國良（1949-）、林慶彰、陳瑞庚（1942-）、詹秀惠、張光裕、林政華（1946-）、張彬村（1950-）、鄭良樹（1940-2016）、周全（1947-）、黃然偉、李聖愛、白中道、王景鴻、吳美乃、呂振端、邱信義、呂美雀、譚固賢、李旭光、黃筱敏、王慶光等三十二位，[33] 這些論文涉及的內容，包括《易經》、《尚書》、《詩經》、《三禮》、《論語》、《孟子》等經學相關的議題，以及甲骨學、版本學、目錄學、辨偽學、史料學、學術史等等方面議題的內容，實與屈先生多方面的學術專業成就相當符合，其中論文主題直接以《詩經》為主要研究對象者，僅有白中道的《左傳引詩研究》（1968）一文，[34] 但白氏後來似乎沒有繼續詩經學方面的研究。屈先生指導而留在臺灣學術界的研究生中，直接以《詩經》內容為研究對象，不包括僅部分涉及《詩經》內容的中文研究論著，根據粗略的搜尋統計，則專書部分有：程元敏的《王柏之詩經學》（1968）、《三經新義輯考彙評（二）詩經》（1986）、《詩序新考》（2005）等三部；論文集部分有：林慶彰的《詩經研究論集（一）》（1983）、《詩經研究論集（二）》（1987）等兩部。期刊論文相關者不計，直接以《詩經》為研究內容者，則程元敏有十五篇、林慶彰十三篇、林政華四篇；葉國良與陳瑞庚各二篇；劉兆祐、詹秀惠、周全等各一篇。屈先生間接影響的部分，即第二代學者指導的研究生，其論文內容直接以《詩經》為探討對象者，則林慶彰有七篇、程元敏有三

---

33 屈先生指導的學生在臺灣學界服務者，就筆者所知有：臺灣大學：潘美月老師（今：佛光大學）、程元敏老師、許進雄老師、黃沛榮老師、李偉泰老師、周鳳五老師、葉國良老師、陳瑞庚老師。東吳大學：劉兆祐先生（今：文化大學）、林慶彰先生；臺北教育大學：周全先生。中央大學：章景明老師、詹秀惠。清華大學：朱曉海先生。暨南國際大學：周昌龍先生。開南管理學院：林政華先生。

34 案：1968指該書出版的西元紀年，下文書籍後括弧內所附阿拉伯數字皆同。

篇、劉兆祐與葉國良各有一篇，[35] 此外還可加上前述張以仁師指導的八篇、龍宇純指導的二篇，這些屈先生直接指導的研究生，以及由屈先生學生指導的研究生，就是屈先生培養臺灣詩經學研究人才最實際的表現。

　　根據前述比較實證性的資料，並結合筆者〈臺灣近五十年詩經學研究概述〉一文的研究發現，可知二十世紀以來臺灣詩經學研究者中，除張以仁師、杜其容、丁邦新、葉國良、林政華等學者外；還有比較活躍的如龍宇純、程元敏、林慶彰，以及洪國樑、張寶三（1956-）、蔣秋華（1956-）、楊晉龍（1951-）、張素卿（1963-）、呂珍玉、侯美珍等等研究者，都直接或間接受到屈先生《詩經》課程與指導的影響；此即屈先生在培育臺灣詩經學研究人才上實質性的作用與影響的功能。此外長期在臺灣大學、東吳大學與中國文化學院等校開課講授《詩經》的裴溥言（1921-），除《詩經欣賞與研究》中有關周初的年代，接受屈先生的意見，採用董作賓（1895-1963）《年代世系表》之外，[36] 在1969-1970年僑居泰國之際，曾多次專函請教屈先生研治《詩經》之法，屈先生亦不吝於表達自己的指導意見，[37] 此種

---

35 以上統計的結果，主要參考「中研院圖書館館藏目錄」、「臺北（臺灣）圖書館」與「漢學研究中心」、日本「東洋學文獻類目檢索」等相關搜尋網站，以及拙著：〈臺灣詩經學論著目錄（1945-2000）〉（未刊稿）相關資料，加以必要的整理而得。以下正文出現的統計資料，除非另有說明，否則來源均與此處相同，因此不再重複註明出處，以省篇幅。

36 糜文開先生、裴普賢老師：《詩經欣賞與研究·自序（一）》（臺北：三民書局，1991年改編版），第1冊，頁14。

37 屈先生：〈致裴溥言〉，收入山東省圖書館、魚臺縣政協編：《屈萬里書信集·紀念文集》，頁219-222收錄的四封信。裴老師是魏建功先生（1901-1980）的高足，見臺靜農先生：〈序（四）：悲或喜的思想與情感〉，收入糜文開先生、裴普賢老師：《詩經欣賞與研究》，第1冊，頁23。糜文開先生則是錢穆先生的弟子，見裴普賢老師：〈自序（三）〉，頁20。

實質的請教，或者也可歸入屈先生間接培育臺灣詩經學研究人才之一端。

三　詩經學論著引錄的探究與分析

學者對學術界具有比較全面性或長遠性貢獻者，除人才的培養之外，最為具體有效的工具，當然就是相關的學術論著，學者相關論著在學術社群中的評價，同時也代表該學者在學術社群中的學術地位，學術評價表現的方式，至少有兩種類型，除比較重視確實有效證據和謹慎細密分析，要求以理據說服讀者的嚴謹評價，如張學波或林慶彰探討屈先生在詩經學上的研究成果與貢獻等一類的文章之外；還有一種一般性的評價方式，這種方式大致以一種結論性的語句為之，例如前述蘇雪林（1896-1999）稱美屈先生之論即是。前一種評價類型因為符合現代學術研究的基本原則，因此比較具有公信力。後一種僅有結論性「稱美」語句類型的評價，則因為既沒有提供確實可靠的資料，更沒有經過嚴謹細緻的論證分析，因此一般比較嚴謹的研究者，都會將其歸入個人情緒性的感情反應，當做「私人性」僅具部分參考價值的主觀意見，很少直接當成具有「公共性」客觀評價意義與價值的結論。不過此種一般性的觀察意見，其實還可以有斟酌的餘地，因為如果從另一種不同的角度進行思考，則出現此種結論性的稱美語句，除非可以證明確實存在有某種特殊情感，例如師長、學生、親友等的親密關係，或者金錢交易的有意推銷等等非學術因素的干擾，否則恐怕還不宜太快就下負面性批判貶抑的定論，因為即使只是根據個人主觀感覺而得的意見，卻也絕不可能是毫無根據的空穴來風，因此並非毫無論證的價值，至少在影響的傳播價值的探討上，就是一項有效的參考證據，因此前文纔會說這類型的評價固然缺乏實證的價值，

但卻有助於了解屈先生在一般學者眼中的學術地位。

排除非學術因素干擾的任何學術性的評價，都不可能是完全毫無任何根據的空穴來風，故而如果再進一步考察出現此種缺乏實證性資料支持的讚美性評價的背景或來源，實際上也可以與被評價者的論著，在該學術領域的影響作用密切相關，最可能的狀況是該學者的論著，已經成為該學術領域相關研究者理所當然的典範對象，變成為該學術領域的一種不自覺學術認同的「刻板印象」，亦即該學者的論著已經在無形中具有一種「經典教科書」的效應，就是在某些學者心目中，已經成為一種理所當然必須認同引用的典範性答案，[38] 讚美者在此不自覺的前提預設下，因而認為讀者必然和他一樣了解評價對象的學術資訊，於是進行實際評價之際，就很自然的主動略去必要的論證說明，這其實就是該學者論著影響下的效應表現。

屈先生的詩經學相關論著，無論在臺灣詩經學的研究領域內，或者在一般的學術領域中，其實在許多研究者的心目中，的確就具有此種理所當然的典範價值形成的學術「刻板印象」的地位，因此當這些

---

38 所謂「經典教科書效應」指的是一般學生面對官定教科書之際，由於事先就已經存在有絕對相信教科書觀點必然正確的自我認知，因而幾乎沒有學生會去質疑教科書的內容，由於接受者缺乏質疑的思考或能力，於是教科書提供的觀點，就成為絕大多數學生理所當然的通俗性共同見解，這種教科書提供的意見一旦成為學生或社會大眾一般性的「刻板」觀點之後，就會在不知不覺間成為多數人思考相關問題的典範性答案，因而就隱含有一種對思考此類問題者，一種不自覺而強大的強制性的無形影響力量，逼迫或影響思考相關問題者，不得不去認真面對教科書提供的意見做出反應。學術研究者當然比較具有質疑的思考與能力，但實際上每一個時代皆有某些當代學術界共認的典範論著或答案，多數專業或非專業的研究者思考相關問題，面對此類典範論著或答案時的一般性反應，其實也會出現類似此種「經典教科書效應」的現象，筆者下文即希望藉此種「經典教科書效應」現象的分析，以說明屈先生詩經學相關論著，在臺灣詩經學與一般學術界的評價地位。此一觀點當然與美國科學哲學史家托馬斯・庫恩（Thomas S. Kuhn）的科學研究上「典範」的說法有關，見金吾倫、胡新和譯：《科學革命的結構》一書的相關討論。

學者從事學術研究之際，只要涉及與《詩經》相關的議題，屈先生論著的相關內容，就會好像呼吸一般自然而然的出現在研究者的腦海中，無形中就逼迫研究者不得不去面對屈先生論著的答案或觀點，如果該說與屈先生所論相容，於是或者引錄屈先生相關之論，以證明自己說法的正確性、或者根據屈先生之論而再進一步的發揮；如果該說與屈先生之論相違，作者可能因此而心中感到不安，於是引錄屈先生之論說明不同之故、或者提出可以補正屈先生之論的理由、或者堅持自己的見解而駁斥屈先生所論之非；如果該文僅是需要現代式的意義解釋，則一般就會直接引錄屈先生之見解為答案。這類引錄無論是站在「肯定認同」立場的無條件引用、還是站在認同或同情立場「說明補正」的引用、或者站在反對抗爭立場「駁斥反對」的引用，基本上表現的都是接受屈先生詩經學論著影響下的結果，如果可以比較實際的歸納統計學界引錄數量的實際表現，就可以比較有效地說明屈先生詩經學論著與臺灣詩經學研究環境的關係程度，因為引錄者越多則表示相關學術專業研究者，對屈先生論著重視的程度越高，即使是負面駁斥的引用，實際上也表現屈先生在該研究者心目中的重要地位，否則何必浪費時間與文字進行駁斥？孟子若不是因為墨子與楊朱等學術強大威脅的危機感，當然就不至於出現「情緒失控」式的「無父無君」「是禽獸也」（〈滕文公下〉）的謾罵語句了。因此透過臺灣學術界引錄屈先生論著的狀況，應該也就可以說明屈先生詩經學相關論著，在臺灣學術界的評價與地位，同時也可以說明屈先生在臺灣詩經學環境內的影響與貢獻。

　　屈先生詩經學相關的觀點，主要是經由其論著而傳播影響，因而有關屈先生詩經學專著出版發行的狀況，當然也可以用來印證屈先生在臺灣詩經學研究環境塑造上的作用。因此下文除探討屈先生專著出版發行的狀況外，並將選取臺灣比較通行而具有類似「教科書」性質

的《詩經》詮解專著、學位論文等，從這些論著引錄運用屈先生詩經學相關研究成果，包括《詩經釋義》、《詩經選注》、《詩經詮釋》及單篇論文的實況，[39] 以見屈先生與臺灣詩經學研究環境的關係。

首先就屈先生詮解《詩經》專著出版傳播的狀況而論，由於書籍出版與銷售的數量，屬於出版社的商業秘密，因此無法確實知道屈先生三本專著實際發行的數量，但可以從其出現在書店的狀況，以及出版的情況進行推估，因而可以間接得知書籍在臺灣學術界被接受的狀況，屈先生的專著最先出版的是《詩經釋義》，該書在一九五二年初版分上下冊發行；大約在一九七○年合成一冊出版；一九八○年出重新排版印行，至今已經是新二版四刷。其次是《詩經選注》，該書在一九五五年初版，一九七六年重新改版發行（舊版214頁，新版326頁）。最後是《詩經釋義》的增訂版《詩經詮釋》，該書在一九八三年初版發行。以上三書至今依然繼續出版，可以在各大書店的書架上見到，由此可見屈先生這三本專著在臺灣詩經學歷久不墜的重要地位。

其次就具有教科書性質的專書引錄屈先生論著的狀況而論，由於臺灣各大學院校開課講授《詩經》的狀況，以及開課教師使用課本的狀況，缺乏實際調查的統計資料可資參考，實情因此無法確實掌握，不過了解實際的事實雖有其困難，但其實也可以透過間接的方式，進行比較具有可信度的推估，就是如前述推估屈先生專著傳播的狀況一

---

39 屈先生著作目錄參閱劉兆祐先生：〈屈萬里先生著述年表〉，收入屈萬里先生治喪委員會編：《中研院院士屈翼鵬先生哀思錄》，頁179-221；李偉泰老師：〈屈萬里先生學術簡表〉，收入臺灣大學中國文學系編：《臺灣大學中國文學系系史稿（1929-2001）》，頁247-252。屈先生有關詩經學的論著，參閱林慶彰先生：〈屈翼鵬先生的詩經研究〉，頁178-180所論。案：《詩經選注》雖標編譯館出版，實係正中書局出版；《詩經釋義》則有中華文化出版事業委員會、華岡出版部、中國文化大學出版部等三個單位出版；《詩經詮釋》由聯經出版事業公司出版。下文所稱「屈先生詩經學論著」，即包括這些相關的文獻。

樣，就是經由現在坊間是否還能夠輕易購買到該書，以及相關的研究論著是否還在引錄，因而可以間接推斷該書在臺灣詩經學研究社群中使用率的高下，透過比較高使用率專書的引錄狀況，大致也就可以了解屈先生詩經學相關論著，在臺灣詩經學研究環境中負擔的實際功能。考察臺灣光復後本地學者創作出版，可以當作大學院校教科書使用的專著，除屈先生的三本專著外，大概還可以有宋海屏的《詩經新譯》（1954）、李一之（1909-）的《詩三百篇今譯》（1964）、糜文開（1907-1983）與裴溥言（1921-2017）的《詩經欣賞與研究》（1964）、江舉謙（1919-）的《詩經韻譜》（1964）、高葆光的《詩經新評價》（1965）、陳清凌的《詩經白話譯註》（1968）、王靜芝（1916-2002）的《詩經通釋》（1968）、劉克寰的《詩經通解》（1970）、張允中（1908-）的《白話註解詩經》（1971）、馬持盈（1906-）的《詩經今註今譯》（1971）、李辰冬（1907-1983）的《詩經通釋》（1971）、于宇飛的《詩經新義》（1972）、裴溥言的《詩經評注讀本》（1982）、吳步江的《詩經義韻臆解》（1982）、朱令譽的《詩經讀本》（1982）、朱守亮（1929-2020）的《詩經評釋》（1984）、普慧（1959-）的《白話詩經》（1984）、胡鈍俞的《詩經繹評》（1985）、傅隸樸（1908-）的《詩經毛傳譯解》（1985）、黃漢宗的《詩經新探》（1987）、張允中的《詩經古韻今注》（1987）、陳美燕的《詩經讀本》（1992）、余培林（1931-）的《詩經正詁》（1993）、黃忠慎（1955-）的《詩經簡釋》（1995）、王禮卿的《四家詩恉會歸》（1995）等共二十五部，就筆者所知及歸納學位論文引用的狀況，其中曾被選做教本及較被研究者重視的書籍，[40] 大致有余培林的《詩經正詁》、王靜芝的《詩經通釋》、

---

40 根據搜尋歸納臺北（臺灣）圖書館「博碩士論文資訊網」，統計2006年6月之前論文參考書目引用的狀況，其中居前幾名的引用者有：引錄余培林先生的《詩經正詁》（臺北：三民書局，1995）一書的學位論文有73篇，其中29篇為詩經學相關論著；

糜文開與裴溥言的《詩經欣賞與研究》、朱守亮的《詩經評釋》、黃忠慎的《詩經簡釋》、馬持盈的《詩經今註今譯》等六部專著，透過這些專著引錄的實際考察，則也就可以大致理解屈先生在臺灣詩經學界與學術界比較實際的地位。

　　屈先生三本詩經學專著，屬於針對既存專書進行詮釋解說的注解式論著，此類著作當然不可能全無依循，故書中既有作者獨特創見的內容，同時也會引錄前人的研究成果，一般引錄的研究成果可以分成兩類：一是該學科領域內具有經典教科書觀點意義的一般性共識答案，就是大家都會引錄的資料；一是該作者首先引入或個人獨特喜好的解答。如果希望探討的是作者的學術貢獻，則就應該排除一般性的共識答案，不過就臺灣現代詩經學多元混雜而缺乏共識的研究環境，以及此文研究設定的傳播擴散的歸納分析，而非學術創見及其貢獻的分析探討目標而言，則無論是屈先生的學術獨創、首先引入、獨特引錄或一般性的引用等等，只要是出自屈先生專著中的解釋觀點或文

72篇引錄王靜芝先生的《詩經通釋》（臺北：輔仁大學文學院，1968），其中26篇為詩經學相關論著；61篇引錄糜文開先生與裴溥言老師的《詩經欣賞與研究》，其中35篇為詩經學相關論著；44篇引錄朱守亮先生的《詩經評釋》（臺北：臺灣學生書局，1984），其中27篇為詩經學相關論著；38篇引錄馬持盈的《詩經今註今譯》（臺北：臺灣商務印書館，1984），其中6篇為詩經學相關論著；16篇引錄黃忠慎先生的《詩經簡釋》（臺北：駱駝出版社，1995），其中8篇為詩經學相關論著。若以詩經學相關論著引錄多寡的狀況進行排列，則依次為：糜文開先生與裴溥言老師、余培林先生、朱守亮先生、王靜芝先生、李辰冬先生、黃忠慎先生、馬持盈等。另外李辰冬先生的《詩經通釋》（臺北：水牛出版社，1972），有31篇引錄該書，且其中有22篇為詩經學相關論著，唯此書主張《詩經》係尹吉甫一人的歷史傳記，除非另有考慮，否則恐難當作教科書；還有題作馮作民編著：《詩經》（臺北：星光出版社，1980）一書，亦有35篇論文引錄，其中有2篇為詩經學專著，唯該書實係剿改〔日〕白川靜著，杜正勝老師譯：《詩經研究：中國古代歌謠》（臺北：幼獅月刊社，1974）一書而成；白川靜的《詩經研究》亦有32篇論文引用，其中有21篇為詩經學相關論著，然白川氏固非臺灣學者，故此三書均未列入考慮。

句；無論是指名道姓的引錄或匿名引錄、不管是居於接受贊成或者反對抗爭的立場，只要解釋文句和內容與屈先生論著相同或相近，即可認定其已經受到傳播意義下的影響。

　　由於篇幅限制與時間的關係，此文將暫時以屈先生《詩經詮釋·周南》十一篇詩的詩旨與一百二十七個注釋條文，作為比較分析的指標，根據前述六本專著在詩旨與注釋內引述屈先生論著的實情進行比對分析，首先以這六部書注解的條文與詩旨及其相關的討論當作基準指標，直接以《詩經詮釋》和這六部書的基準指標內容進行比對，[41] 只要基準指標與屈先生專著的內容相同或相近，[42] 都會列入引述統計

---

41 六部書中王靜芝先生的《詩經通釋》、朱守亮先生的《詩經評釋》與余培林先生的《詩經正詁》均有〈緒論〉，從〈緒論〉的形式與內容，即可發現雷同之處甚多，此亦屈先生影響之一證。另外僅有兩部書明白表示參考屈先生的論著：余培林先生《詩經正詁》附有〈重要參考書目〉，其中即列有《詩經詮釋》；黃忠慎先生《詩經簡釋》在〈例言〉標明的引用書籍中，則有《詩經詮釋》與《詩經選注》。其他則均未列出參考或引用書目，諸書的注釋與詩旨中，雖有部分標明出自屈先生，但未標明而實際引錄者卻更多，此種作為當然具有傳播學的分析意義，但似乎有違現代一般學術的常規，不過這三本書實際上都是1987年臺灣宣佈解嚴之前完成的作品，以當時的學術環境衡之，雖不很正當卻應該算是平常的現象。其中朱守亮先生在《詩經評釋·凡例》中列出胡樸安、張學波、王靜芝先生、裴普賢老師、龍起濤、王鴻緒等古今學者，卻獨獨漏掉參考引用最多的屈先生，屈先生的《詩經釋義》既是臺灣詩經學研究者必看之書，朱先生應該不至於刻意隱瞞來源而讓自己成為學界鄙視的「文抄公」，比較合理的推論應該是朱先生認為屈先生論著中的見解，乃是臺灣詩經學研究者共知的事實，因而不必說大家都會知道，如果此一推測屬實，當然就具有傳播學上影響與接受，以及屈先生論著具有「經典教科書觀點」的實質意義。

42 「相同」或「雷同」指字句與屈先生注釋文字完全相同者，如「河，黃河」、「芼，擇也」之類；「相近」或「近似」指意義相同而字句稍有改變者，如「芼，擇也」，馬持盈作「芼，擇取」（頁4）；「好逑，猶言嘉偶」，糜先生與裴老師作「好逑即好配偶」（頁2）；「反側，猶反覆也」，王靜芝先生作「反側，反覆翻動不安貌」（頁37）；「友，親也」，朱守亮先生作「友，親愛之意也」（頁40）；「葛布之細者曰絺，粗者曰綌」，余培林先生作「絺綌，即細葛布，粗葛布」（頁10）；「荇，水生植物，似蓴，

分析的範圍。其次是以《詩經詮釋》的注解條文為基準，統計被引錄
的狀況如何？直接比對的結果，發現屈先生這些注釋與詩旨在這六本
書的基準指標與被引用的表現是：（一）糜文開與裴溥言的《詩經欣
賞與研究》有八篇詩旨與屈先生相近或相同，佔72.7%強；在總共78
個注釋中，有60個條文全部或部分引用屈先生的注釋，佔76.9%強；
屈先生的注釋有三十一條未被引用，被引用率為75.6%弱。[43]（二）
朱守亮《詩經評釋》有四篇詩旨與屈先生相近或相同，佔36.4%弱；
在總數111個注釋中，有85個條文全部或部分引用屈先生的注釋，佔
76.6%弱；屈先生的注釋有8條未被引用，被引用率為93.7%強。（三）
余培林《詩經正詁》有10篇詩旨與屈先生相近或相同，佔90.9%強；
在150個注釋中，有104個條文全部或部分引用屈先生的注釋，佔
69.3%強；屈先生的注釋有12條未被引用，被引用率為90.6%弱。
（四）馬持盈《詩經今註今譯》有8篇詩旨與屈先生相近或相同，佔
72.7%強；在總共102個注釋中，有64個條文全部或部分引用屈先生的
注釋，佔62.7%強；屈先生的注釋有17條未被引用，被引用率為86.6%
強。（五）王靜芝《詩經通釋》有一篇詩旨與屈先生相同，佔9.1%
弱；在全數110個注釋中，有89個條文全部或部分引用屈先生的注
釋，佔80.9%強；屈先生的注釋有17條未被引用，被引用率為86.6%
強。[44]（六）黃忠慎《詩經簡釋》有7篇詩旨的觀點與屈先生相近或相

可食，故曰菜」，黃忠慎先生作「荇菜，一種可以吃的水生植物」（頁4）等之類。

43 案：注釋中雖未出現，但在書中白話語譯時則實際用之。此或者亦可以做為屈先生
　詩經學論著具有「經典教科書觀點」的另一個有效的證明。

44 王先生《詩經通釋》注解的方式，係仿照古書的句下注方式，因此每一句下全部之
　注以一條計算。屈先生曾經說王靜芝先生的《詩經通釋》：「大都因襲陳說，罕有發
　明」，見屈先生：〈致裴溥言：（1969年）八月七日〉，收入山東省圖書館、魚臺縣政
　協編：《屈萬里書信集・紀念文集》，頁221。這也可以解讀為屈先生已經看出是書
　頗多與自己見解雷同相近的內容，因為屈先生當然不可能對裴老師說出「這本書有
　很多內容都是抄自我的書」等一類自我標榜的話。

同，佔63.6%強；在全部147個注釋中，有124個條文全部或部分引用屈先生的注釋，佔84.4%弱；屈先生的注釋有5條未被引用，被引用率為96.1%弱。若再進一部統計這六本書引用的平均數，則在詩旨方面有57.6%弱，此即屈先生「詩旨」被引用率的平均數；在注釋方面則有75.1%強，此係六本書的注釋引錄屈先生注釋內容的平均數；屈先生注釋實際被引用率平均數為88.2，此指屈先生注釋被六本書「接受」程度的平均數，如果不計個別的情況，則由此可見無論詩旨或注釋及接受度上，顯然屈先生的影響作用都相當高，若從統計學的角度加以考察，則顯然已經達到具有高論證價值的顯著水準了。

如果從政治干擾的非學術角度進行思考，先假設屈先生的詩經學論著並非真的具有學術價值，因而把1988年以前，大陸書籍還不能公開擁有，可以參考的古代與現代詩經學專業學術的論著不多，因此不得不參考引錄屈先生此本唯一「半官方」論著的可能性納入考慮，排除解嚴之前出版的論著，僅以完成於解嚴之後的余培林《詩經正詁》與黃忠慎《詩經簡釋》兩書為論證的重心，這兩本書是在兩岸學術交流頻繁、學術論著自由流通、大陸相關書籍大量湧入、相關古籍大量翻印故取得比較容易、注解與學術觀點的選擇性大大增加等等學術氣氛非常自由的時代完成，因而可以排除任何政治性考慮的干擾；同時兩位作者與屈先生也沒有直接的門派的關係，因此也就可以排除師友倫理關係等等的干擾。但檢證兩書內容與屈先生詩經學見解的雷同相似度，在詩旨方面平均為77.25%；在注釋方面則平均有76.85%；屈先生注釋被引用率則平均為93.35%，顯然都超過六本書的平均數。再就整部書的引錄狀況而論，余培林《詩經正詁》一書的「注釋」中，未具名引錄與轉錄者不論，具名引錄屈先生條文的即有111處，另在「詩意・章旨」內也有31處，全書正文在142處提及屈先生的觀點，這是該書〈重要參考書目〉中，總共49種民國以來學者論著中引述最

多者。黃忠慎《詩經簡釋》的「註解」中，未具名引錄與轉錄的不
計，有66處具名稱引屈先生之說，另在「說明」中又有17處引述屈先
生之論，全書共在83處直接稱引屈先生之論，這當是該書參考引用的
16種民國以來詩經學論著中引述最多者。上述的統計固然不是百分之
百的準確，但應該也可以由這些初步的實證統計分析，獲得一個非常
明顯的答案，就是相關學者在面對大量相關資料之際，根據自己自由
意志的選擇之下，依然願意如此大量地引錄屈先生詩經學論著的觀
點，顯然可以判斷是因為屈先生的論著在學術專業實質性成就上的考
量，絕對不可能是因為參考書籍太少，或者基於擔心受到政治干擾
下，被迫而不得已的選擇或接受，這應該是非常清楚的結論。

　　至於諸書都出現的未具名引錄與轉錄屈先生論著內容的狀況，[45]
在此文原先設計的研究方法與研究議題目標之下，實則可以具有相當
重要的傳播擴散的意義。考察這些引錄學者不指明出處的原因，因為
大多數是正面的引用而非批評，因此可以排除學術倫理因素的考慮，

---

45 案：未具名引錄者，例如《詩經詮釋‧周南‧關雎》的注釋說：《詩經》中凡言
「河」者，皆指「黃河」；〈周南‧樛木〉的注釋說：南，猶今言「南邊」、「南面」
等，尤其《詩經詮釋》中大量出現的「今言」、「今語」、「今謂之」、「今所謂」、「猶
言」、「意謂」、「凡」、「案」等等一類的解說語句，當該絕大多數是屈先生的創見或
初次引入者，但諸書引述之際多數皆未標明來源。轉錄者，如屈先生引述《經傳釋
詞》、《經義述聞》與馬瑞辰、王國維、于省吾、郭沫若等等的解說，這種轉錄當然
更不可能標明取自屈先生，但讀者應該也很容易判斷，因為這些被引入屈先生論著
的書籍，在解嚴之前並不是很容易就能夠取得，而且還有一些資料更不是人人可
看，看了還可能有坐牢，甚至還有危害生命的危險，但如果引自屈先生的論著，則
可以消除這些潛在的危險性；再者沒有見過屈先生的論著，而在注解過程中又恰巧
選取與屈先生同樣材料的可能性當然存在，但除非作者不是在臺灣寫作，否則此一
可能性根本不存在，筆者絕不相信臺灣詩經學研究者中會有人在注解《詩經》之
前，連閱讀與取材都刻意避開屈先生的相關論著而不看，因此也就可以斷定那些在
注解中與屈先生論著相同的一般性材料，還是出自屈先生的論著。「未具名引錄」
的這兩種引錄方式，在諸書出現的情況相當普遍，稍微比對一下即可明瞭。

同時也可以合理的推測他們不是故意要抄襲盜用，則比較可能的原因，就是在不知不覺中將屈先生這些具有個人獨特性的詮解觀點，當成詩經學界的「普通常識」在運用。換言之；屈先生的某些個人創見，已經脫離屈先生個人單一屬性的身分地位，擴散成為詩經學界「理所當然」的具有一般公共性的共識，於是就成為詩經學研究者無法逃避，必須認真面對的或者接受、或者進行矯正、或者反駁的自覺或不自覺的「對話」對象，因此引用其說之際，當然就不會特別在意是否指明出處。當學者的某些觀點成為該學科絕大多數研究者理所當然的「刻板印象」之際，同時就表示該學者在此一學科的重要「典範」地位。經由前述教科書性質專著引述狀況簡短的論證分析，可以看出屈先生在臺灣詩經學界具有此一未曾被有效揭露的學術公共性的典範屬性，這同時也就是會出現如蘇雪林等一類缺乏實證性稱美的重要原因。

其三就學位論文的引錄運用而論，雖然根據林慶彰與筆者的歸納統計，以詩經學相關內容為學位論文研究主題的研究生，其中有許多由於僅將《詩經》當作史料而進行研究，因此其論文雖可歸入詩經學的領域，但其學術專業實不在詩經學上，故在獲得學位之後，就有超過百分之六十以上的研究生，從此不再進行與詩經學相關的學術研究。[46] 不過就一般情況而言，直接以《詩經》作為學術專業的研究生，獲得學位且繼續留在學術界發展者，大致上還是會以《詩經》相關議題作為其研究的主要對象，因此也就可以部分同意張高評（1949- ）所謂「學位論文和開授課程」與「研究領域和方向」，具有十分密切相關性的觀點，就是說學位論文專業研究的內容，不僅與後來開課講

---

46 林慶彰先生：〈詩經學史研究的回顧與前瞻〉，鍾彩鈞先生主編：《中國文哲的回顧與展望論文集》（臺北：中研院中國文哲研究所，1992），頁349-382；以及拙著：〈臺灣近五十年詩經學研究概述（1949-1998）〉一文所論。

授的學科內容有直接關聯，同時對於「期刊論文和專著的發表」，甚至「指導碩士博士論文選題趨向」也都有相當高的關聯性，因此考察一般學術研究的概況，「執簡御繁之道」，當以「碩士博士學位論文最具指標性」，因此經由學位論文內容的論證分析，則實際的學術表現也就可以「思過半矣」。[47] 如果此一前提認知沒有大誤，則也就可以透過觀察屈先生詩經學論著在學位論文中，被刻意引用的實況，提供一部分了解屈先生與臺灣詩經學研究環境形成關係的證據。

根據相關目錄的初步搜尋，截至2006年6月底為止，臺灣以詩經學為主要研究專題的博碩士論文共有171篇，若從1956年起算，則其中至少有136篇論文直接引述屈先生詩經學論著為說，[48] 引用率為

---

47 張高評先生：〈唐宋文學研究概況〉，龔鵬程老師主編：《五十年來的中國文學研究》（臺北：臺灣學生書局，2001），頁180。張高評學長此文本針對考察五十年來唐宋文學研究的概況而發言，但應該也可以移用在詩經學傳播作用的考察上。

48 引錄屈先生詩經學論著的詩經學為主的學位論文作者與完成時間為：杜其容老師（1956）、余培林先生（1963）、趙逸文（1964）、夏鐵生（1967）、劉儀芬（1970）、葉達雄先生（1972）、古添洪（1972）、康義勇老師（1973）、陳茂進（1976）、施炳華（1974）、張成秋（1977）、鄭均（1977）、鍾洪武（1978）、文幸福先生（1978）、黃章明（1979）、王春謀（1979）、洪國樑先生（1980）、洪湘卿（1981）、蘇伊文（1981）、李婧慧（1981）、李再薰先生（1982）、奚敏芳（1982）、季旭昇（1983）、許詠雪（1983）、林惠勝（1983）、黃忠慎先生（1984）、孫小玉（1984）、林耀潾（1985）、朴忠淳（1984）、江乾益先生（1985）、李景瑜（1985）、陳章錫（1985）、許英龍（1985）、張寶三先生（1986）、文幸福先生（1986）、藍麗春（1986）、文鈴蘭（1986）、陳昀昀（1986）、李康範（1987）、陳文采（1988）、康曉城（1988）、林佳蓉（1988）、彭武順（1988）、李光筠（1989）、林奉仙（1989）、潘秀玲（1989）、劉邦治（1990）、王瑞蓮（1990）、趙明媛（1990）、林葉連（1990）、張素卿（1990）、金基喆（1991）、吳萬鐘（1991）、車行健（1992）、彭維杰（1992）、彭美玲（1992）、歐秀慧（1992）、郭明華（1992）、蘇慧霜（1993）、邱惠芬（1993）、林佳珍（1993）、林美蘭（1993）、陳明義（1993）、江永川（1994）、郭麗娟（1994）、陳溫菊（1994）、文鈴蘭（1994）、王靜芳（1994）、洪春音（1995）、林耀潾（1995）、朴忠淳（1995）、侯美珍（1995）、胡靜君（1996）、朱孟庭（1996）、周玉琴（1996）、劉逸文（1997）、呂珍玉（1997）、金怨賢（1997）、韓世芳

79.5%強，且其中在1987年臺灣宣佈解嚴，大陸書籍大量進入臺灣後
纔完成的論文，若考慮開放與應用不可能同步的可能性，而自1989年
起算；這也是屈先生過世十年之後，就是同時將時間淘汰的因素納入
考慮，則至少還有93篇論文，即佔78年後全部論文113篇的82.3%強，
或佔引錄屈先生論著學位論文的68.4%弱，這些論文都直接參考屈先
生詩經學論著的內容，經過十年時間的淘洗，以及大陸書籍大量進入
的競爭之後，依然能夠保持如此高的引用率，可見引錄屈先生論著既
不是因為師門倫理的關係，更不是因為參考書少的緣故，實際上是因
為屈先生論著學術專業精當，訛誤較少之故，[49]否則就不會在屈先生

（1998）、張曉芬（1998）、李莉褒（1998）、鄭建忠（1998）、譚莉萍（1998）、陳
靜俐（1998）、簡良如（1998）、楊瑞嘉（1999）、呂美琪（1999）、王清信（1999）、
伍純嫻（2000）、蕭開元（2000）、陸景琳（2000）、顏淑華（2001）、吉田文子
（2001）、朱孟庭（2001）、簡澤峰（2001）、顏淑華（2001）、何思慧（2001）、張
政偉（2001）、盧詩青（2001）、劉彩祥（2002）、周玉珠（2002）、蔡敏琳（2003）、
鄭岳和（2003）、曾麗丹（2003）、劉秋英（2003）、李欣玲（2003）、萬金蓮
（2003）、楊明哲（2003）、陳文采（2003）、古敏慧（2003）、邱惠芬（2003）、陳
慈敏（2003）、許美珠（2004）、黃文琪（2004）、鄭玉姍（2004）、謝奇懿（2004）、
林昭陽（2004）、鄭靖暄（2004）、陳文珍（2004）、陳秀英（2004）、王秋香
（2004）、林詩娟（2004）、蘇秀娟（2004）、林東山（2004）、劉玉華（2005）、王
淑麗（2005）、黃如敏（2005）、黃立己（2005）、蔡雅芬（2005）、蘇芳蓁（2005）、
邱靜子（2005）、柯岳君（2005）、張淑惠（2005）、林純玉（2005）、劉如玲
（2006）、劉耀娥（2006）等。由於早期的學位論文，取得較為困難，因此還有唐
海濤（1963）、林淑惠（1966）、白中道（1968）、賈禮（1970）等4篇未曾過目，無
法明確判斷是否引錄屈先生論著，比較合理的推測，應該還有引錄者，故說「至
少」、「以上」。

49 呂珍玉：〈讀屈萬里先生《詩經詮釋・雅頌》疑義〉，頁1-2，論及所以選用《詩經詮
釋》為其教學教本之故時，說：「原因是該書錄有經文、分章，並加新式標點，方
便閱讀。加上在每篇詩首條注釋，作者都對詩指略作介紹，使讀者於歷來紛紜眾說
中，得到清晰指引。當然最主要的原因，還是作者具有深厚的學術專業，在作字句
詮釋時，不僅言簡意賅，且能兼顧字義，相較於一般注釋或翻譯書籍的諸多問題，
可說是鮮少錯誤，實為研讀《詩經》最佳指導用書。」此使用者的經驗之論，可以
證實筆者所言。

逝世十年之後，以及開放大陸書籍大量進口後，依然獲得如此高比例
的自由引用狀況。這相對於同樣較早期出版的王靜芝《詩經通釋》僅
有30篇左右詩經學學位論文的引錄、糜文開與裴溥言《詩經欣賞與研
究》僅有近40篇左右引錄、朱守亮《詩經評釋》僅有30篇左右引錄，
則兩方面高下懸殊的引錄狀況，如此顯而易見，即使排除屈先生論著
較早出版所佔的時間優勢，亦可以看出屈先生相對於其他學者，在臺
灣詩經學界的特殊地位。如果再結合其他非以詩經學為研究主題的學
位論文，至少有180篇以上引錄屈先生詩經學論著為說的事實，而同
樣較早期出版的王靜芝論著僅有近50篇引錄、糜文開與裴溥言僅有近
30篇引錄、朱守亮僅有近20篇引錄的實況，則屈先生的詩經學論著，
在臺灣一般學術研究者心目中的價值與地位，大概不必再經繁瑣的論
證，也就可想而知了。

　　透過長期出版不衰的事實、教科書論著具名與不具名的大量引
述、代表研究者未來研究方向與領域的學位論文引述實況等的統計歸
納，不僅可以了解屈先生詩經學論著在詩經學界與非詩經學界傳播滲
透的深入，以及形成類似教科書典範觀點的學術「刻板印象」，使得
屈先生某些詩經學的觀點，理所當然的具有無可質疑的普遍性意義，
因而成為詩經學專業研究者無論有意或無意、無論願意或不願意，都
必須認真面對的「對話」對象的事實之外；屈先生詩經學論著在臺灣
詩經學界與一般學術界的地位，同時也在此表露無遺，這也就是屈先
生型塑臺灣詩經學研究環境的另一個貢獻。

四　詩經學研究方向的探索與意義

　　屈先生自述自己學習研究立場變化的過程是：開始是在許多人
「喊丟線裝書進毛坑的刺激，偏要自己多讀點古書，想知道它是否有

價值」的逆反與好奇的心理前提下，進行經書的閱讀；後來閱讀梁啟
超（1873-1929）的《國學必讀書及其讀法》、《清代學術概論》、《中
國近三百年學術史》等書，治學路向因此大受影響；進入山東圖書館
研讀金文書籍之後，原本「反對胡適之先生所提倡的白話文的，尤其
反對顧頡剛一派疑古史的學說」的立場日見動搖；等到進入中研院史
語所讀書之後，不僅不再反對胡適（1891-1962）提倡白話文，同時
也接受顧頡剛（1893-1980）等對古史懷疑的立場，就是「感到中國
古史方面的傳統說法，也的確有許多不能無條件的相信」，屈先生自
認從這時候開始，纔真正認識與確定了治學的途徑。[50] 屈先生在此委
婉的表達自己由傳統學術的認知角度，逐漸趨近現代史學研究立場的
學術轉變過程，以及從此確定以提倡白話文和疑古史學為起點的治學
途徑，[51] 因此以史學求真為主要研究內容的學術走向，就成為屈先生
爾後研究的主要焦點與議題，具體來說，可以借用屈先生稱美傅斯年
《性命古訓辨證》一書的話來說明，那就是「以客觀之態度，據真實
之材料，以演化論之觀點，作歷史的研究」的治學徑路，這同時也可
看出傅斯年對屈先生治學觀念上的重大影響作用。[52]

---

50 見屈先生：〈我的讀書經驗〉，收入《屈萬里先生文存》，第5冊，頁1775-1779。這篇
　由陳瑞庚老師訪問的屈先生「夫子自道」式的文章，差一點因為與柯慶明老師要求
　的「文學性」相牴觸，因而慘遭當時主編《新潮》的柯老師退稿的命運，見柯慶明
　老師：〈談笑有鴻儒：懷念屈萬里老師與在第三研究室的日子〉中的絮說，收入
　《昔往的輝光》，頁84-88。

51 屈先生當然不是完全接受胡適先生與顧頡剛式的疑古觀點，屈先生實際上僅接受他
　們「經書只是歷史資料」的反經學觀，以及「古史不可盡信」的懷疑態度。屈先生
　認為疑古學派「只有破壞，沒有建設」，只有傅斯年先生纔是「運用科學的可信的
　材料，從事於本國史的建設」，見屈先生：〈敬悼傅孟真先生〉收入《屈萬里先生文
　存》，第5冊，頁1841-1842。

52 該文說：「是書精處，在能以客觀之態度，據真實之材料，以演化論之觀點，作歷
　史的研究。故其結論，多正確可據。」見屈先生：〈性命古訓辨證〉，收入《屈萬里
　先生文存》，第1冊，頁342。筆者以為此一讚美不僅表達屈先生對傅先生學術成就

屈先生接受梁啟超、胡適、顧頡剛等的觀點，除「反傳統」的意識形態外，同時也接受了現代式西洋學術分科的概念，因此對於傳統經、史、子、集的四部分類，雖然也同意其因使用的歷史悠久，稱述古書亦無不便，但還是站在現代學術分科的角度，批評傳統四部分類的方式，「以今日學科分類之眼光視之，則問題甚多。以經部為例，若《周易》，若《論語》，若《孝經》，若《孟子》，實為哲學類書；《尚書》及《春秋》三《傳》，實為史學類書；《三禮》乃為社會科學類書；《詩經》則文學類書；《樂》則音樂類書；《爾雅》、《說文》、韻書等則語言類書也」，[53] 由此可見屈先生認知的現代學術意義下「經學」的內涵，已經大有別於傳統的經學概念。因此屈先生固然充分了解到「孔子的《春秋》……借著史事，以指示人們孰善孰惡，和褒善貶惡的意旨。因此，孔子的《春秋》，並不是為了記載史事作的，乃是為了表達他的倫理思想而作的」的事實，[54]「表達倫理思想」當然

的尊崇，其實也是屈先生自我學術追求的理想立場；筆者甚至以為屈先生固然明言接受胡適先生、梁啟超與顧頡剛等人觀念的影響，但實際上最推崇的應該是傅先生，這可以從屈先生許多紀念性的文章，以及即使面對《詩經》這一被他歸入「純文學」的作品，依然要引用傅先生之論，將其當做語言學、史學等研究資料的治學方向，獲得部分證實。除此之外，擔任屈先生助教的柯慶明老師在2006年9月16日下午「屈萬里先生百歲誕辰國際學術研討會」的「綜合座談」中的談話，也證實屈先生在平日的言談間確實非常推重傅斯年先生的學術與為人，並且也得出與筆者相同的結論，這也可以做為屈先生治學觀念受到傅斯年先生嚴重影響的旁證。再者從屈先生舉「精確不刊」的例證，說明「新解之勝於舊說」的理由是：「清儒重視考據，在學術方面，有長足的進步。加以近七八十年來，新出土的學術資料很多。憑藉著這些古人沒見過的資料，在經學方面，可以糾正舊說之誤者頗多。又因自然科學日益進步，許多古人不能解釋或解釋錯誤的物事，現在也可以作正確的理解」的論點，即可窺見屈先生重考據與演化論的觀點，見屈先生：〈經義新解舉例〉，《屈萬里先生文存》，第1冊，頁23。

53 屈先生：《古籍導讀》（臺北：臺灣開明書店，1979），頁1-2。又參閱屈先生：〈子部雜家類之新的分類問題〉，收入《屈萬里先生文存》，第3冊，頁967-968。

54 見屈先生：《先秦文史資料考辨》（臺北：聯經出版事業公司，1983），頁362。

屬於傳統經學的內涵，但屈先生所以會如此說，固然可以看出屈先生並沒有完全反對經書具有倫理思想內涵的意思，[55] 但同時也可看出屈先此說的重點，顯然不在強調借史事以指示人們孰善孰惡和褒善貶惡意旨的「假借」，而是以「記載史事」纔是正途的立場發言，否則也就不至於認為傳統經學是遮蔽埋沒「聖經真象」的一片「烏煙瘴氣」；[56] 甚至提出「經學也只是古代史料的一部分」的主張，[57] 可見

---

55 屈先生探討發揮傳統倫理價值之內容，如謂「中道」與「孝道」是孔子傳述周人的文化，而以「愛」為基礎的「仁道學說」和「忠恕之道」纔是孔子的創發，因此孔子教導學生的「道」，就是「以仁愛為基本精神，而推衍出來的做人、從政、應世、接物的道理。」因此孔子教學的重點，就「是德、智、美、體，四育並修；但德育最為重要，其次是智育（學文）。」可見屈先生雖將經學史料化，但並沒有否認或拒絕經學的傳統道德價值的功能與效用，屈先生主要是反對用附會的方式來讀經，因此對於因孔子之強調而成為中華文化傳統的「仁道」精神，就認為「是不可能，也絕不必要改變的」，重要的是如何「保持傳統思想的精義，而又適應新的潮流」，這話雖然用來讚美《三民主義》，頗有政治的意味在內，但觀察屈先生前後的思想觀點，此說應該是其對中華文化的基本觀點，屈先生此類觀點正可以呼應前文論及的臺灣經學研究背景大大不同於大陸經學研究的意識形態的說法。屈先生有關孔子或傳統倫理道德內涵的相關論點，參閱〈孔子的述與作〉、〈孔子對國際關係的主張〉、〈周初文獻與孔子的中道和孝道學說〉、〈孔子教學的典範〉、〈孔子的忠恕之道〉、〈個人行為的基本準據：忠恕〉、〈中華傳統的理想〉等文的論證說明，諸文收入《屈萬里先生文存》，第1冊，頁271-312及頁345-354。引文見頁298、頁301，頁351。

56 屈先生：〈媽媽經和經學〉，收入《屈萬里先生文存》，第5冊，頁2310。以及〈推衍與附會：先秦兩漢說《易》的風尚舉例〉，第1冊，頁101。

57 屈先生：〈甲骨文、金文與經學〉，收入《屈萬里先生文存》，第2冊，頁446。屈先生又說：「經書是研究學術的重要資料，更應當考清楚它們產生的時代，只是古代的經生們，都把經書看作金科玉律，不敢懷疑它們，以致誤認了許多史料，而造成很多不可信的古代史事。」見屈先生：〈宋人的疑經風氣〉，《書傭論學集》，頁243。另外屈先生也說《周易》「亦不過先秦故籍之一」，「乃研究殷周間社會史者之絕好資料」；《尚書》是中國「最古的、也是最具權威的一部史書」，見屈先生：〈說易〉，《屈萬里先生文存》，第1冊，頁46；〈尚書與其作者〉，第1冊，頁105、頁111；〈先秦漢魏易例述評自序〉，第4冊，頁1290。還有以《周禮》、《禮記》、《春秋左傳》為「史料」者，見《古籍導讀》，頁27-29。

屈先生並不認為經書具有什麼特殊的地位或功能，故而批評那些認定「經書所言的道理是永久不變」的人，把經書「當作像西方的《聖經》那樣經書看待」，「以為《五經》是孔子手訂的，如日月經天，不容懷疑，只有遵照著去做」，因而「經書不啻是一批沒有條文的憲法」的觀點，這其實都是「戴上有色的眼鏡看經書」的結果，並不是一種值得繼續遵循的學術研究的正當理念，屈先生認為「今日研究古代學術該走的路線」，應該要「用現代人的觀念，現代的資料及現代做學問的方法，再利用那些資料去掉有色的眼鏡」的研究方式，必須如此纔有可能達到學術求真的目的。既然經書「都是古代的史料」，則會出現認為經書中那些「嘉言可為修養品德之用，也是思想史、哲學史的資料。如《詩經》那麼美麗的詩篇正是文學史的材料。《尚書》是政治史，《周禮》是古代官制史、政治思想史的史料。而《禮記》、《儀禮》為民俗史或社會史料。……可知經書為後世史料」的觀點，[58] 也就可以理解了。

屈先生認為研究經學的主要目的，就在於辨明記載事蹟的真象是非，因而可以做為歷史研究的直接資料，屈先生因此明確表示：「凡先秦經籍，經昔儒所附會，致失其本來面目者，皆正待吾人之研究以昌明之。其所以研究之目的，即闡明其真象，作為古代社會史之資料而已」，屈先生因此特別慶幸自己能生於「思想解放後之今日，而不復為迷信聖人之觀念所蔽」的時代，因而可以排除經書「曾經聖人之

---

[58] 見屈先生：〈經學簡述〉，《屈萬里先生文存》，第1冊，頁3-9；〈關於經書的幾個小問題〉，第1冊，頁11。屈先生批評傳統經學觀的還有：〈周易爻辭中之習俗〉，第1冊，頁79謂：「歷代經生，擬聖人於神祇，視群經如符籙。以為經書皆聖人微言大義之所萃，則非常人所能索解。故於經文至平至易之辭，往往以至深至奧之義說之。馴致說經之書愈多，而群經之真義愈晦。……兩千餘年來，說《易》之書，雖或間有枝節可採，而蔽於經之一念，致喪其真象者實多。」相近意見可參〈推衍與附會：先秦兩漢說《易》的風尚舉例〉，第1冊，頁101-104的討論。

手與自尊自大之念，以故神奇說」的束縛，可以自由自在的進行「平心潛擊，以得其真象為目的」客觀研究。[59] 追求歷史真象於是長期成為屈先生研究關注的焦點，細心的讀者應該可以在屈先生的許多文章，發現其中不少與追求「真象」相關的語句，[60] 屈先生更兩次明確的說出研治「史學」的目的「是在求真」，[61] 甚至還認為傳統古籍雖多，但「要而言之，實大部分為史料」，因此斷言「吾人今日所從事之文史方面研究工作，大多數乃整理史料或考證史料之事」，由此可知屈先生是以現代史學的立場，以「求得真實之知識」為目的，[62] 將經書當作古代遺存的文獻資料，進行史實真偽考據研究的治學立場。

屈先生既然以經學為「史料」，經學研究因此就成為追求歷史記載真象的史料考辨研究，在史學研究的前提下，《詩經》於是不僅是

---

59 屈先生：〈說易〉，收入《屈萬里先生文存》，第1冊，頁45-46。

60 如謂：「學術是天下公器，以求真為目的」，又說：「達到求真的目的，學術才有進步」，見〈經義新解例〉，收入《屈萬里先生文存》，第1冊，頁17、頁23。以為根據現代人擁有的學術條件，「從事於《周易》之探討，其真象當不難大明也」，「以得真象為最終目的」必將能達到，見〈說易〉，第1冊，頁45、頁46。又以為歷來研究《周易》者，「蔽於經之一念，致喪其真象者實多」，見〈周易爻辭中之習俗〉，收入《屈萬里先生文存》，第1冊，頁79。指責清人研治漢《易》，「從尋求《周易》的真象方面來看，就未免謬以千里了」，因而「無法見到《周易》的真象」，研究《周易》要「客觀地尋求經文的本義，……推衍引申，牽強附會之談，只可說是一家之學，就未必是《周易》的真象了」，見〈推衍與附會：先秦兩漢說《易》的風尚舉例〉，第1冊，頁101、頁103、頁104。

61 見屈先生：〈尚書中不可盡信的材料〉，收入《屈萬里先生文存》，第1冊，頁123、頁133。屈先生的內弟費海璣教授也曾總括屈先生一生的經學研究說：「姊丈治經，乃是本清儒『六經皆史』的說法，把《五經》當作史料。姊丈治經的方法，也是照清儒的方法。即先識字，由識字而通經。……經解，必然姊丈為第一人；再發展下去，便蔚然可觀哩。」見費海璣教授：〈安慰屈翼鵬夫人——費海瑾女士——的信〉，收入《屈萬里先生文存》，第6冊，頁1672-1675。

62 見屈先生：《古籍導讀》，頁43。

文學作品，同時也是古代社會史料。[63] 屈先生曾經居於反對傳統經學研究的立場，批評漢代以來研究《詩經》者，因為要合乎「通經致用」的「詩教」原則，因此利用引申附會的迂曲方法解說《詩經》，「以表現褒貶之意，希望在政治和教化上發生作用」，於是「硬要把（每）一首詩，都說成含有教訓或鑑戒的意義，於是這部優美的文學作品，竟變成死板板的教條了」，屈先生認為「這些詩篇的本義，絕大多數都可以就它們的原文推尋出來」，就是說《詩經》各篇的作意，可以就各詩篇的原文推求而得，推求所得的本義，就可以當作「驗證風俗」的資料，屈先生因此認為「我們研讀《詩經》，一定要擺脫漢人所謂『詩教』的枷鎖，而就詩篇原文，以推尋其原意。然後進而作古文學、古音韻學、古代史事、古代社會、古代生物學等各方面的研究，才不至於辜負了這三百多篇寶貴的資料。」[64] 這顯然是一種史料學的思考，同時也是一種將作品「公共化」為某一「類型」或「階級」的「人群」之作，因而排除特定「個人」作品的思考，這也就是屈先生會有「《詩經》固然是文學作品，但也是絕好的古代社會史料。就文學方面說，固然應該知道各詩產生的時代背景；就社會史料說，更應當知道史料的時代」主張的理由，[65] 由此可見屈先生雖然批評漢人把《詩經》這一部優美的文學作品，變成死板板的教條，但其主張的文學內容，顯然並不包含文學美感欣賞的層次，因為屈先生認為從事研究工作，主要是「憑材料做客觀的論斷，不尚揣測，也不

---

63 見屈先生：《古籍導讀》，頁28；《先秦文史資料考辨》，頁9；〈談詩經〉，《屈萬里先生文存》，第1冊，頁171等處之論。

64 屈先生：〈先秦說詩的風尚和漢儒以詩教說詩的迂曲〉，《屈萬里先生文存》，第1冊，頁197-223。

65 屈先生：〈簡評高本漢的詩經注釋和英譯詩經〉，《屈萬里先生文存》，第1冊，頁227。

尚空想」，[66] 可見其研究的精神與重點，依然在史料學或文獻學的層次內，對文學藝術美感的深入探討，屈先生當然不會完全反對，但也和「詩教」義理與實踐的探究一般，絕不可能成為屈先生從事《詩經》研究時特別強調的內容。

屈先生此種反對傳統「詩教」價值的追尋，排除文學藝術美感的欣賞，視《詩經》為先秦文史資料的「經學史料化」的研究觀點，同樣表現在《詩經釋義》和《詩經選注》的〈敘論〉中，尤其引錄傅斯年所謂「欣賞文辭」、「歷史材料」與「言語學材料」的研究態度，更可以表現出屈先生史料學研究的基本立場；[67] 屈先生〈敘論〉的內容又可以在王靜芝、朱守亮與余培林等書中的〈緒論〉出現，王靜芝更明確的表示〈緒論〉的內容：「採今人屈萬里先生之說」；[68] 再者綜合〈敘論〉和〈例言〉的觀點，更可發現董同龢（1911-1963）讚美高本漢（1889-1978）《詩經注釋》在觀念上：「不把三百零五篇當作經書看」、「擺脫了《詩序》的羈絆」、「不主一家」等的三個優點，其實也就是屈先生研讀《詩經》的重要主張，毋怪屈先生有「完全贊同」之論。[69] 屈先生此種訓詁不主一家、就詩篇本文求作意、反對詩教解讀的研究立場與態度，固然承襲自五四新文化運動主流學者胡適與傅

---

66 屈先生：「〈中研院歷史語言研究所工作重點及珍藏資料〉」，《屈萬里先生文存》，第3冊，頁1101。

67 屈先生：《詩經釋義‧敘論》，頁24-25。傅先生所謂「欣賞文辭」，只具有修辭學層次的意義，並不包含文學美感欣賞的層次。龍宇純老師宣稱《詩經》除可以作為擬測「古音」的韻腳之外，沒有其他用途的觀點與此相近，韻腳其實也可以有助於文學美感的欣賞，但持「經學史料化」立場的學者，大多刻意忽略此一功能。龍老師之論見柯慶明：〈談笑有鴻儒：懷念屈萬里老師與在第三研究室的日子〉，《昔往的輝光》，頁100的轉述。

68 王靜芝先生：《詩經通釋‧凡例》，頁32。

69 屈先生：〈簡評高本漢的詩經注釋和英譯詩經〉，《屈萬里先生文存》，第1冊，頁226。

斯年等的觀點，但誠如前文所述，屈先生的論著在臺灣詩經學界的影響作用甚大，因而此種視《詩經》為「史料文獻」的「經學史料化」研究的立場與態度，經由屈先生論著的直接滲透與其他承襲屈先生觀點學者的間接傳播，因而就成為臺灣詩經學界許多研究者自覺或不自覺遵循的研究方式，根據筆者初步統計2000年以前臺灣詩經學論著的研究內容，在總數二六二五筆的資料中，包括音韻、訓詁、文法、句法等相關內容的「文字學類」論著，就超過六百筆以上；包括民俗、歷史、政治、思想、經濟、教育、社會等研究的「史料學類」論著，至少也有二百多筆；關於《詩經》作者、《詩序》、賦比興、研讀立場等等問題的論著，至少超過三百六十筆，這些總共超過一一六〇筆與傳統「詩教」無關或執意反對「詩教」，從史料學立場從事的研究，僅涉及基本問題、字詞解釋、研究態度等方面的論著，其中不少作者或明或暗的以屈先生的立場為立場，或以屈先生立場為其研究對話的主要對象。[70] 除這些高達百分之四十四以上的史料學立場的論著外，前文曾經提及有超過百分之六十以上的研究生，僅將《詩經》當作史料而進行研究的治學立場，恐怕也很難說與屈先生主張的此種史料化的詩經學研究方向完全無關。

　　詮解《詩經》專著方面，如王靜芝明確表示《詩經通釋》一書的解說立場是：「不拘一家之說，惟採其是者；或別具愚見，總以實事求是為主」；[71] 朱守亮同樣表明《詩經評釋》「為集解性質，惟是是從」，詮解的原則是「撮取各家最精當之」解說，目的是「要以就《三百篇》

---

70 例如：有關「興」是否取義的問題、有關「言」是否都是「語助詞」的問題、有關「嶽」是否即「霍山」的問題、有關「德音」是否都是「語言」的問題、有關「罔極」是否都是「無良」的問題；有關「君子」是否全未指涉「品德高尚者」的問題、有關「召伯」是否即「召穆公」的問題……等等。有關論著數量的初步統計，請參考拙著：〈臺灣近五十年詩經學研究概述（1949-1998）〉，頁35-36的討論。

71 王靜芝先生：《詩經通釋·凡例》，頁3。

本文，以探求其本義旨歸」；[72] 余培林自謂《詩經正詁》「以解釋詩文、探求詩義為目的」，注釋則「既無今古之偏，亦無漢宋門戶之見，惟求真求是」。[73] 馬持盈更明確表示讀過屈先生與王靜芝的著作之後，「竊喜其能突破漢儒宋儒講《詩》之藩籬而直探詩人之本意」。[74] 觀察他們這些所謂「實事求是」、「惟是是從」、「求真求是」等等的宣示，豈非就是屈先生所謂「求真」與「闡明真象」治學立場的翻版？再者不以追求發揮「詩教」義理為重心，強調「直探詩人本意」，僅就詩文本身推求詩義，以及訓詁不主一家的論點，當然也與屈先生解讀《詩經》的態度與立場相近，此種雷同相近的情形，固然無法實際證明確實只是接受屈先生一家之說觀點的表現，但似乎也很難說與屈先生毫無關係，但至少可以從諸家在字詞與篇旨的內容上，與屈先生論著偏高的雷同近似率，合理的推測諸家確實閱讀過屈先生的論著，甚至還可以比較大膽的推測，諸家注釋《詩經》之際，很可能即以屈先生的《詩經》詮解專書為底本，然後再進行增刪、改補、辨正等等的工作，否則焉能有如此高的雷同相似度，如果此一推測屬實，則諸家因此在有意或無意中受到屈先生觀點的影響，當是相當正常的反應。以上所述即屈先生詩經學論著的研究觀點，以及其對臺灣詩經學研究環境可能存在的影響作用及產生的功能；亦即對屈先生在臺灣詩經學研究環境的形成與發展可能存在的實質作用方面的說明。

五　結論

　　屈先生與臺灣《詩經》研究的關係，一般比較被注意的焦點，多

72　朱守亮先生：《詩經評釋·凡例》，頁1。
73　余培林先生：《詩經正詁·例言》，上冊，頁1。
74　馬持盈：《詩經今註今譯·序》，頁1。

數是注目在諸如：先秦典籍單獨出現「河」字都是指「黃河」、「罔極」就是「無良」、「周行」引申為「大道」等等一類學術創見的學術「內部」貢獻上，前述張學波之文即其顯例，這類學術創見的貢獻當然很重要；但除此之外，屈先生對臺灣的《詩經》研究，其實另有一個更為重大的貢獻，就是身為臺灣現代式學術研究第一代的引導開發者，對於型塑臺灣詩經學相關研究環境的重要作用，此一學術「外部」貢獻對相關研究者似乎都是不言而喻的存在，但實際上卻從沒有人進行必要的論證，比較深入認真的探討則更不必說，因此很難在一般陳述屈先生對臺灣詩經學貢獻的文章中，確實了解到屈先生與臺灣整體詩經學研究環境的關係及貢獻的實際內容，如果真想比較深入了解屈先生在臺灣詩經學上整體的功能與貢獻，則僅強調那類特殊學術創見的「內部研究」一面，顯然還不夠圓滿真實，必須同時納入屈先生在臺灣詩經學研究環境塑造過程中影響作用的「外部研究」另一面，必須有效結合「內部研究」與「外部研究」兩方面的實質內容，纔有可能獲得比較正確的答案。由於屈先生學術創見的「內部研究」的探討，已經有諸如林慶彰、張學波與洪國樑等一類比較可信的研究成果，此文因此將研究議題聚焦在屈先生型塑臺灣詩經學研究環境貢獻的「外部研究」內容上，以便可以有效彌補前賢以「內部研究」為重心等諸文不足之處，經由上述的歸納、論證與詳細的分析、討論，大致可以得到下述幾點結論：

（一）臺灣光復之前，固然也有部分涉及經學的研究，但成果相當有限，水準也參差不齊，多數缺乏現代學術研究的價值。臺灣現代式的經學研究，實際上是由那些跟隨國民黨政府退守到臺灣的第一代學者們的開蒙啟發，以及由第一代教育培養的第二代學者們的傳播發揚，兩者共同引導傳播而形成。影響建構臺灣經學的學者固然不少，但就其中影響比較重要的學者而言，則屈萬里先生絕對是臺灣經學史

上必須特別重視的重要學者之一。

（二）屈萬里先生擁有多方面的學術成就，僅就經學而論，其在《周易》、《尚書》與《詩經》的研究上，都有其獨到的見解。以《詩經》而言，不僅出版臺灣第一本詮解《詩經》的專書，發表第一篇詩經學的單篇論文，同時也引進較新的結合甲骨、金文與石經等考古學及民俗學等成果而進行研究的「揚乾嘉新徑」、「新考證學」方法，以及「實事求是」追求真象的實證史學研究觀點；在《詩經》的篇旨與字詞訓詁等方面的研究，更獲得不少具有學術價值，且深受相關學術研究者認同接受的個人創見，這是一般詩經學研究者都會注意到的屈先生在《詩經》研究上學術「內部」上的重要貢獻。不過除此之外，屈先生對臺灣詩經學其實還有另一項相當重要的貢獻，此一重要貢獻長期以來一直沒有被充分的注意，那就是屈先生對臺灣詩經學研究環境的形成與發展，事實上具有超越其他學者的重要影響與作用的詩經學發展的學術「外部」貢獻。如要比較完整深入的了解屈先生對臺灣詩經學整體的影響與貢獻，除注意其在學術研究上屬於創見的「內部研究」之外，還要將屈先生在型塑臺灣詩經學研究環境上發生重要作用的「外部研究」納入考慮，必須兩者有效的結合，纔能真正突顯屈先生在臺灣詩經學史上實際的功能與地位。

（三）從「外部研究」的角度言，屈先生在型塑臺灣詩經學研究環境上的貢獻，首先是屈先生直接與間接培養教育出許多現在活躍在詩經學領域的研究人才。其次是屈先生詩經學的專著，不僅成為許多《詩經》注解專書的「底本」，甚至成為許多詩經學研究者不自覺的「經典教科書」；詩經學論著的內容，更成為絕大多數學位論文引述的重要對象，同時也成為幾乎是整個臺灣學術界公認的「標準答案」。其三屈先生反對「詩教」的觀點、就詩篇本文求作意、視《詩經》為史料的觀點等研治《詩經》的觀點，影響不少詩經學的研究

者；「興」不取義的觀點，則成為許多《詩經》研究者從事《詩經》注解時，必須表明接受或反對立場的「對話」對象。這些也就是屈先生在型塑臺灣詩經學研究環境上具有的功能與作用。

（四）此文從傳播擴散與滲透的「外部研究」角度進行研究，透過接受者選擇「引述」的深度分析方法，再經由歸納統計的實證分析而獲得的研究成果，不僅可以提供更深入了解屈先生對臺灣詩經學的作用與貢獻的有效證據，因而可以彌補前賢從「內部研究」探討獲得的屈先生對臺灣詩經學貢獻上的不足，於是可以比較全面性的確實了解屈先生在臺灣詩經學整體研究上的重要影響地位外；對於有意研究屈先生的學術與貢獻和研究臺灣經學史與詩經學史的學者，也提供許多可信且有學術價值的研究成果及比較創新的研究思考與論證分析的方法，這對於相關研究者當然就具有提供部分研究資料與方法的協助功能。

林尹先生和臺灣地區學術關係探論

一 前言

　　臺灣地區中文學界現代性質的學術研究，最早自是受到日本帝國主義「明治維新」後派任臺北帝國大學，接受現代學術研究的漢學研究者，如東京帝國大學文科大學漢學科畢業的久保得二（1875-1934）和京都帝國大學文學部史學科畢業的神田喜一郎（1897-1984）等的影響，不過日本漢學研究方面的影響在臺灣光復以後，開始雖也有傳承，但其後則完全斷裂。[1]真正對臺灣中文學界產生實質影響，並持續到現在的現代學術研究者，不得不歸功於兩個時段來臺的大陸學者們；首先是在臺灣脫離日本帝國主義殖民統治的1945年，由國民黨政府派員接收的學者初步建立；其次是1949年國共內戰，國民黨敗退臺灣後，跟隨國民黨政府渡海來臺避難的學者，持續建立並擴充推展，[2]最終使得臺灣中文學界成為不僅大有別於新中國學術思考與體系，同

1　根據臺灣大學中國文學系編：《臺灣大學中國文學系系史稿（1929-2001）》（臺北：臺灣大學中國文學系，2002），頁11的記載，臺灣大學中國文學系設立之初，曾留任原畢業於臺北帝國大學文政學部文科東洋文學專攻畢業的文學士吳守禮先生和黃得時先生為副教授，但兩位先生的學術後繼無人，因此影響相當有限。臺灣大學中文系的創設與負責系務學者的相關歷史，可參考臺大中文系官網的介紹：http://www.cl.ntu.edu.tw/intro/super_pages.php?ID=intro1。

2　黃兆強編：《二十世紀人文大師的風範與思想：後半葉》（臺北：臺灣學生書局，2007）一書，有部分參考的價值，例如：首篇為陳新雄老師〈先師林景伊先生之詩學〉，第2篇為陳慶煌〈國家文學博士宗師——高郵高先生之生平與學術成就〉。

時還因而附帶有「增加臺灣新價值」意義的「民國學術的延伸」。[3]前一階段主要影響的是臺灣大學中文系，後一階段則擴及臺灣師範大學國文系，以及其他「新成立」或「復校」的大學。這兩階段進入臺灣大學和臺灣師大的大陸學者們，就是建立臺灣傳統中國學術現代研究的第一代學者，[4]這當然是臺灣中文學界熟知的普遍常識。

　　大陸來臺的中文學界第一代學者們，對臺灣中文學界影響的空間範圍，大致可以分成兩個不同的學校體系，一是接續北京大學學術研究體制的臺灣大學中國文學系的系統；一是以培養師資為宗旨的臺灣師範大學國文學系的系統。[5]且由於臺灣師範大學國文系率先於1957年成立博士班，[6]因而造就許多具有「文學博士」學位的畢業生，進而分佈到全臺灣的多所大學任教，對臺灣中文學術的研究與傳播的影響，早期大致超過遲至1967年方成立博士班的臺灣大學中文系。考察臺灣師範大學國文系成立博士班之後，最早擔任所長者，先後為高明老師（1909-1992）與林尹先生（1910-1983），因此相對而言，兩位學者對臺灣學界的影響不言可喻。然而觀察中文學界的相關研究，雖然也有學者注意到臺灣師範大學國文系這兩位第一代重要學者在學術

3　「增加臺灣新價值」，來自楊儒賓：〈導論：該禮讚或詛咒：《1949禮讚》的反思〉，《文化研究》第22期（2016年春季），頁210-211；引文見頁211。「民國學術的延伸」，見楊儒賓：《1949禮讚》（臺北：聯經出版事業公司，2015），頁171。

4　臺灣中文學界的所謂「第一代學者」之確認與問題，可參考龔鵬程老師：〈學會運作概況〉，龔鵬程師主編：《五十年來的中國文學研究（1950-2000）》（臺北：臺灣學生書局，2001），頁363；以及車行健：〈指南山下經師業，渡船頭邊百年功：政治大學在臺復校初始階段（1954-1982）的經學教育〉，《中國文哲研究通訊》第27卷第2期（2017年6月），頁47腳注8的相關討論。

5　大陸來臺第一代學者，影響且構成臺灣中文學界兩個不同學術系統內容的陳述，可參閱龔鵬程師：《四十自述》（臺北：印刻出版公司，2002），頁35。

6　見：http://ch.ntnu.edu.tw/intro/super_pages.php?ID=intro1：臺灣師範大學國文學系官網的介紹。

研究上的表現與成就，[7]但卻缺乏針對他們對臺灣學界整體影響貢獻的關注與研究，所謂「學術影響貢獻」的實質內容，至少可以包括：學術傳承的貢獻（指導研究）、學術傳播的貢獻（開課教學）、[8]學術發展的貢獻（學術創新）、研究成果的貢獻（徵引應用）等等，因為再好再高明的學術研究成果，如果沒有傳承、傳播和發展，那也就如同被埋於地底的珍珠一樣，難以發揮其最大的功能，因此第一代學者們的學術影響貢獻，自是臺灣學術研究上值得關心探討的議題。筆者在2000年左右開始思考此一問題，為彌補此一臺灣學術研究長期忽視的議題，於是設計了探討「臺灣第一代中文學者對臺灣學術實質影響貢獻」的研究議題，並且在「外部研究」的基本思考下，透過「量化」的方式進行觀察探討，先後曾探討過臺灣大學中國文學系所：屈萬里先生（1907-1979）、[9]王叔岷老師（1914-2008）、[10]張以仁老師

7　如：姚榮松：〈林景伊先生的語言文字學〉，臺灣師範大學國文學系主編：《漢學研究之回顧與前瞻國際學術研討會論文集》（臺北：臺灣師範大學國文系，2006），頁1-27。賴貴三：〈林尹景伊教授易學管窺〉，臺灣師範大學國文學系主編：《紀念瑞安林尹教授百歲誕辰學術研討會論文集》（臺北：文史哲出版社，2009），上冊，頁1-66。王寧：〈林尹先生的學術成就與章黃之學的繼承發展〉，《孔孟月刊》第599-600期（2012年8月），頁50-53；陳逢源：〈高明先生之學術成就〉，《孔孟月刊》第607-608期（2013年4月），頁15-23。……等等之類。

8　學者的學術論著，被當作上課教本，既可以歸入「學術傳播的貢獻」，也可歸入「研究成果的貢獻」，林先生的《中國學術思想大綱》、《中國聲韻學通論》、《文字學概說》、《訓詁學概要》、《新校正切宋本廣韻》等書，至今依然是某些大學相關課程教師講課之際的主要課本或必讀參考書，但這部分無法有效探討，是以未能納入討論。可知林尹先生對臺灣中文學術圈的影響貢獻，遠遠超出本文討論界定的範圍之外。感謝遠來高雄師範大學經學研究所交換的中國人民大學清史研究所歷史文獻學專業的張含章同學及臺北大學中文研究所李天慈同學的提醒指正。

9　楊晉龍：〈開闢引導與典律：論屈萬里與臺灣詩經學研究環境的生成〉，本書頁1-48。

10　楊晉龍：〈引導與典範：王叔岷先生論著在臺灣學位論文的引述及意義探論〉，本書頁87-116。

（1930-2009）、[11]周鳳五老師（1947-2015），[12]總共五位師長對臺灣學界影響貢獻的實況；還旁及香港學者饒宗頤先生對臺灣學術影響的探討。[13]臺灣師範大學國文系的師長們，對臺灣學界的實質貢獻，並不小於臺大中文系的師長們，然而至今卻少有針對臺灣師大學者實質影響臺灣學界的相關研究成果，[14]是以設計此文，嘗試探討林尹先生對臺灣學界影響貢獻的實況，期望可由此而獲得拋磚引玉的效果。

林尹先生字景伊，1910年出生於浙江省瑞安縣，1926年16歲即跳級至北京中國大學就讀，18歲考入北京大學國學研究所，19歲以《溫州方言》一文畢業，隨即受聘為河北大學教授，先後曾執教於南開大學、金陵女子大學、北平師範大學、東北大學、四川大學等校，並曾擔任湖北省立高級中學文科主任。1949年舉家移居臺灣，受聘為臺灣師範大學教授兼國文研究所所長，並先後在政治大學、東吳大學、中國文化大學、輔仁大學、淡江大學等校開課，1983年6月病逝於臺北榮民總醫院，[15]享壽七十有四。[16]林先生的學術成就，以傳統聲韻學

---

11 楊晉龍：〈張以仁先生與臺灣傳統學術研究：以學位論文為對象的考徵〉，本書頁 161-184。

12 楊晉龍：〈臺灣研究生學術視域下的周鳳五教授：接受的考甄〉，本書頁223-247。

13 楊晉龍：〈饒選堂先生與臺灣的學術研究：香港在地學者對臺灣學術的影響初探〉，本書頁295-317。

14 政治大學車行健教授的大作：〈指南山下經師業，渡船頭邊百年功：政治大學在臺復校初始階段（1954-1982）的經學教育〉，大致已經觸及此一探討的範圍。

15 筆者當時為臺北榮民總醫院護理部的護理佐理員，並在臺灣大學夜間部中文系就讀。當時剛從中央大樓的第11病房（胸腔外科病房），被派往東區的第七病房（安寧病房）服務，這個病房住有已中風昏迷不醒，1937年「八一三淞滬戰役」時送國旗給「四行倉庫」國軍的楊惠敏女士。當時曾聽聞中正大樓病房同事告知，有位國大代表而且是臺灣師範大學國文系的大教授過世，筆者當時並不知道就是林尹先生。等到1985年筆者考上高雄師範學院國文研究所，辭掉臺北榮總的工作到高雄就讀，方才有幸受教於：劉文起老師、林慶勳老師、曾昭旭老師、應裕康老師、王熙元老師等等，這些教導筆者的老師們，全都是在林先生指導下取得博、碩士學位。

最為擅長，不僅承繼章太炎（1869-1936）、黃侃（1886-1935）一系的師說，[17]並且還能融通古今，是以受到著名聲韻學者錢玄同（1887-1939）「綜合之功與組織之力，皆可贊歎」之認可稱賞；[18]跟隨林先生長達27年的及門弟子陳新雄先生（1935-2012），稱林先生「於義理則精於老莊，此家學也。」[19]以上即林先生學經歷與學術成就之大觀。

　　林尹先生的學術影響不僅具有面對臺灣的「本地性」，同時還具備有面向世界的「國際性」，但基於本文宗旨僅在考察分析林先生對臺灣學界的影響貢獻，面對「臺灣學界」方是寫作此文的基本宗旨，是以林先生指導的香港、韓國等外地研究生的影響，以及臺灣境外研究生徵引林先生學術論著等的學術貢獻，自非本文關注討論的範圍。本文將以下述三項指標，做為分析探討林先生對臺灣學界學術影響貢獻的依據：（一）林先生指導臺灣本地研究生的實況；（二）林先生指導的研究生在臺灣學界發展的表現；（三）臺灣各大學研究生學位論文徵引林先生著編成果等的實況。[20]綜合此三項指標以考見林先生在

---

16 以上內容參閱下列諸文：林尹先生：〈自傳〉，http://www.jingyilin.org/linyin/biography.php：《景伊文化藝術基金會》網站，2017年11月10日搜尋。陳新雄老師：〈百年身世千年慮之林尹教授〉，《中國語文通訊》第8期（1990年5月），頁34-38；姚榮松：〈林景伊先生的語言文字學〉，頁1-6《大師小傳》。張成秋：〈林尹大師親炙記1-2：訓詁學講話〉，《張成秋部落格》2013年3月26日：http://blog.udn.com/chanz/7430438，2017年11月10日搜尋。劉克雄：〈當代儒宗林尹先生年表〉，《劉克雄的博客》2015年4月22日：http://blog.sina.com.cn/s/blog_960c09db0102vrk5.html，2017年11月10日搜尋。

17 此可參閱下述二文：王寧：〈林尹先生的學術成就與章黃之學的繼承發展〉；柯淑齡：〈當代儒宗林景伊先生及其對章黃聲韻學之弘揚〉，臺灣師範大學國文學系主辦「紀念林尹教授國際學術研討會」（2012年5月26日）會議論文。

18 錢玄同：〈林尹中國聲韻學通論序〉，《制言》第39期（1937年4月），頁5。

19 陳新雄老師：〈百年身世千年慮之林尹教授〉，頁38。此即林先生有《中國學術思想大綱》大作之故。

20 由於本文探討的是林先生對臺灣學界的「學術影響貢獻」，因此除林先生指導研究

學術專業上，對臺灣學界影響貢獻的實情。研究之際使用的文獻，將以臺北（臺灣）圖書館《臺灣博碩士論文知識加值系統》為主，[21]再輔以《師範院校聯合博碩士論文系統》、[22]《臺灣聯合大學系統博碩士論文系統》、[23]《臺灣師範大學國文學系碩博士論文目錄》；[24]並進入林先生曾經任教的幾所大學的官網搜尋，最後還參考車行健教授整理的成果。[25]經由「外部研究」的「量化」實證方式，統計歸納與該三項指標相關的資訊，進行分析說明，以確實了解林先生對臺灣學界影響貢獻的實情。研究進行的程序，除「前言」與「結論」外，將分三節進行：首先歸納林先生指導的臺灣研究生數量，以及這些研究生在臺灣學界的發展狀況，以見林先生的學術傳承及學術傳播等的影響；其次考察統計臺灣各大學研究生在105學年之前獲得學位者，[26]徵引林

生和發表論著外，校正、編輯《中文大辭典》、《大學字典》、《國民字典》、《兩漢三國文彙》及《新校正切宋本廣韻》等，當可歸入「研究成果貢獻」的範圍，故列入討論行列。再者筆者以往常由Email奉接陳新雄老師惠賜的詩文大作，是以深知林先生的詩學影響陳新雄老師甚深，此可從陳老師〈先師林景伊先生之詩學〉之大作獲得證明。然創作到底與學術的傳承影響及學術貢獻關係較遠，且荀子有「農精於田，而不可以為田師；賈精於市，而不可以為賈師；工精於器，而不可以為器師」之論，〔清〕王先謙撰，沈嘯寰、王星賢點校：《荀子集解‧解蔽》（北京：中華書局，1992），下冊，頁399。基於前述的認知，林先生的創作《景伊詩抄》，因此不列入討論。

21 見http://ndltd.ncl.edu.tw/cgi-bin/gs32/gsweb.cgi/login?o=dwebmge。

22 見http://140.122.127.247/cgi-bin/gs/gsweb.cgi?o=d1。

23 見http://etd.lib.nctu.edu.tw/cgi-bin/gs32/gsweb.cgi/login?o=dwebmge&cache=1478146968815。

24 見http://ch.ntnu.edu.tw/per3/archive.php?class=604。

25 車行健：〈指南山下經師業，渡船頭邊百年功：政治大學在臺復校初始階段（1954-1982）的經學教育〉，頁75-82〈附錄：熊公哲、高明與王夢鷗指導博碩士生學位論文一覽表〉。

26 臺灣各級學校的學年，均為當年7月到隔年6月，是以105學年指的是2016年7月到2017年6月，本文以下所稱學年均如此。本文取用的文獻因此是2017年6月以前取得學位並上傳的學位論文。

先生學術論著的實際表現，以見林先生研究成果的學術貢獻表現；其三綜合歸納分析前兩節相關的訊息，立基於臺灣學術的視角，論證林先生對臺灣學界影響貢獻等的實情。最終則在「飲水思源」、「吃果子拜樹頭」等不忘本的基源思考前提下，透過此篇小論文，說明並證明現代臺灣中文學界學術研究的淵源，以及中文學界研究者對臺灣整體學術發展影響貢獻的情況，供「臺灣學」的相關學術研究者參考。

二　林尹先生指導的研究生考實

學術若要發展，就必需要有影響，學術影響的層面多方：開課講授、公開演講、當面討論、信件來往、指導研究、出版論著、二手傳播等等，都是構成學術影響的因素。開課講授、公開演講、當面討論、信件來往、二手傳播等方面「受影響」的訊息，比較無法有效掌握，僅有公開出版的論著和指導研究的表現，可以獲得較為有效的受影響情況訊息。本節探討的是林先生指導研究的學術影響實況，將以歸納統計指導的研究生數量、研究生學位論文的學科範圍、研究生畢業後的學術發展等三方面的資訊為對象，並根據這三方面的實際表現，呈現林先生指導研究生方面的學術影響實況。

（一）指導研究的考甄

林尹先生的本職在臺灣師範大學國文系所，但也在政治大學、東吳大學、中國文化大學、輔仁大學、淡江大學等校開課教學。這幾所大學除臺灣師範大學國文系1956年設碩士班，1957年率先成立博士班外，中國文化大學在1963年即設立中文研究所，1968年設立博士班；[27]

---

27 筆者遍查網路相關資料，未見中國文化大學中文研究所博士班成立時間，渥蒙　中

政治大學中文系1964年設碩士班，1969年設博士班；輔仁大學中文系
1967年設碩士班，1981年設博士班；東吳大學中文系1974年設碩士班，
1977設博士班；淡江大學中文系1988年設碩士班，1999年設博士班。
除淡江大學外，林先生都有可能指導研究生，但經過實際考察，林先
生指導的研究生除臺灣師大國文系外，僅中國文化大學與政治大學有
指導畢業的研究生，輔仁大學和東吳大學未見有指導研究生的記錄。
林先生指導的研究生，就取得學位的時間而論，碩士學位最早取得者
為臺灣師範大學國文研究所47學年度畢業的左松超和謝雲飛；最晚取
得者為臺灣師範大學64學年度畢業的張翠寶。博士學位最早取得者為
臺灣師範大學50學年度畢業的賴炎元和王忠林等2位博士；最晚取得
者為中國文化大學72學年度畢業的司仲敖、陳松雄、廖雪蘭、王瑞生
等4位博士，這是林先生指導的研究生，最早與最晚畢業的情況。若
就每學年度畢業的研究生人數而論，實際的狀況如下表：

林先生指導的研究生年度畢業人數表

學年	47	48	49	50	51	52	53	54	55	56	57	58	59	60	61	62	63
碩士	2	2	1	1	2	2	1	1	1	2	1	6	0	2	1	2	0
博士	0	0	0	2	0	1	0	1	1	0	1	2	6	2	8	5	4
總計	2	2	1	3	2	3	1	2	2	2	2	8	6	4	9	7	4

學年	64	65	66	67	68	69	70	71	72	總計
碩士	1	0	0	0	0	0	0	0	0	28

國文化大學中國文學系季旭昇教授代為查詢告知，同時還告知中國文化大學第一位
取得博士學位者為李殿魁教授。謹此說明並致謝。

| 博士 | 2 | 3 | 1 | 10 | 2 | 3 | 5 | 9 | 4 | 72 |
| 總計 | 3 | 3 | 1 | 10 | 2 | 3 | 5 | 9 | 4 | 100 |

以上是林先生自47學年度到72學年度（1958年7月-1984年6月）總共26年時間，每學年度畢業的研究生實況。論文總數100篇，來自93位研究生。[28]博士論文72篇，來自三所大學：出自臺灣師範大學國文研究所者43篇、[29]政治大學中文研究所者5篇、[30]中國文化大學中文研究所者24篇。[31]碩士論文28篇，出自臺灣師範大學國文所者23篇、[32]政治大學中文所者2篇、[33]中國文化大學中文所者3篇，[34]這是林先生指導各校研究生產出的論文數量。

　　林先生指導完成的100篇學位論文，依學科分類，大致可以粗略分

---

28 林先生指導的研究生中：許錟輝、周何、左松超、婁良樂、張文彬、張建葆、葉政欣等7位，碩博士論文皆由林先生指導，故93位研究生產出100篇學位論文。

29 臺灣師範大學國文研究所43位取得博士學位者：陳新雄老師、王熙元老師、曾昭旭老師、賴明德老師、龔顯宗、許錟輝、黃慶萱、張高評、劉兆祐、蔡信發、姚榮松、林炯陽、周何、于大成、傅武光、王忠林、杜松柏、張建葆、李慧淳、柳晟俊、張仁青、許世旭、陳泰夏、張子良、婁良樂、林東錫、許璧、胡自逢、徐芹庭、葉政欣、陳品卿、黎建寰、賴炎元、王關仕、李雲光、黃永武、左松超、阮廷卓、辛勉、黎光蓮、張文彬、王更生、成元慶等。

30 政治大學中國文學研究所5位取得博士學位者：應裕康老師、鮑國順老師、董忠司、林平和、陳飛龍等。

31 中國文化大學中國文學研究所24位取得博士學位者：林慶勳老師、柯淑齡、司仲敖、鄭阿財、王三慶、李殿魁、陳松雄、曾榮汾、戴瑞坤、李道顯、洪瑀欽、陳義成、黃孝先、廖雪蘭、陳德昭、王明通、傅兆寬、邱衍文、閻琴南、王瑞生、陳弘昌、邱棨鐊、譚明阜、張成秋等。其中廖雪蘭後改名廖一瑾，以下皆稱廖一瑾。感謝福建師範大學經學研究所簡逸光教授的提醒指正。

32 臺灣師範大學國文所23位取得碩士學位者：劉文起老師、左松超、謝雲飛、謝一民、袁乃瑛、周何、李鍌、張建葆、林至信、許錟輝、葉政欣、婁良樂、陳建雄、徐紀、張文彬、莊萬壽、施銘燦、翁文宏、謝忠正、簡翠貞、馮榮輝、許老雍、張翠寶等。

33 政治大學中文所2位取得碩士學位者：詹俊喜、竺鳳來等。

34 中國文化大學中文所3位取得碩士學位者：尹和重、周謙、張尚倫等。

成下述幾個範圍，若依產出的論文數量排列，[35]則：（一）經學範圍22篇，包括：《周易》3篇；[36]《尚書》4篇；[37]《詩經》3篇；[38]《三禮》4篇；[39]《春秋左傳》4篇；[40]《春秋穀梁傳》1篇；[41]經學史3篇。[42]（二）古典文學範圍21篇。[43]（三）聲韻學範圍17篇。[44]（四）學術史範圍11篇。[45]（五）思想（子學）研究範圍10篇。[46]（六）文字學範圍7篇。[47]（七）斠讐學範圍5篇。[48]（八）訓詁學範圍4篇。[49]（九）語言學範圍2篇。[50]（十）版本學範圍1篇。[51]這是林先生指導

---

35 本處統計原有訛誤，感謝北京大學古代文學研究所沈彥廷同學的指正。

36 包括：胡自逢、徐芹庭、黃慶萱等3位研究生的3篇學位論文。

37 包括：陳品卿、傅兆寬、黎建寰、許錟輝（博論）等4位研究生的4篇學位論文。

38 包括：賴明德老師、賴炎元、張成秋等3位研究生的3篇學位論文。

39 包括：周何（博論）、邱衍文、王關仕、李雲光等4位研究生的4篇學位論文。

40 包括：周謙、張高評、葉政欣（碩博士）等3位研究生的4篇學位論文。

41 研究生王熙元老師的1篇學位論文。

42 包括：司仲敖、黃永武、袁乃瑛等3位研究生的3篇學位論文。

43 包括：尹和重、李殿魁、李道顯、李慧淳、杜松伯、柳晟俊、洪瑀欽、張仁青、張翠寶、許世旭、陳松雄、陳建雄、陳泰夏、陳義成、黃孝先、詹俊喜、廖一瑾、鄭阿財、簡翠貞、譚明阜、龔顯宗等21位研究生的21篇學位論文。

44 包括：陳新雄老師、應裕康老師、林炯陽、董忠司、林平和、王忠林、張文彬（碩論）、邱棨鐊、謝一民、謝雲飛、成元慶、林至信、竺鳳來、翁文宏、張尚倫、馮榮輝、左松超（碩論）等17位研究生的17篇學位論文。

45 包括：林慶勳老師、曾昭旭老師、鮑國順老師、柯淑齡、黎光蓮、闓琴南、戴瑞坤、張文彬（博論）、王瑞生、王更生、陳弘昌等11位研究生的11篇學位論文。

46 包括：劉文起老師、張子良、徐紀、陳德昭、傅武光、許老雍、莊萬壽、婁良樂（碩博論）、王明通等9位研究生的10篇學位論文。

47 包括：周何（碩論）、施銘燦、許錟輝（碩論）、張建葆（博論）、李鍌、曾榮汾、陳飛龍等7位研究生的7篇學位論文。

48 包括：劉兆祐、蔡信發、于大成、左松超（博論）、阮廷卓等5位研究生的5篇學位論文。

49 包括：張建葆（碩論）、謝忠正、許璧、林東錫等4位研究生的4篇學位論文。

50 包括：姚榮松、辛勉等2位研究生的2篇學位論文。

51 研究生王三慶的1篇學位論文。

的學位論文，研究議題含括的學科範圍。

　　林尹先生在26年之內，指導臺灣師大、政治大學和中國文化大學等3校的93位研究生取得學位，總共產出100篇的學位論文，研究生學位論文的研究議題，粗略歸納涉及10個學科範圍，以經學相關研究的範圍居首，古典文學範圍的研究居次，至於一般刻板印象中林先生最專業的聲韻學研究範圍，反而屈居第三。就林先生指導研究生學位論文研究議題的內容表現而論，可以發現林先生指導的學位論文，至少包括經學、古典文學等10個學科，歸納這些學科的內容，涉及傳統四部分類中的「經部」、「子部」和「集部」等三部，從林先生指導的學位論文學科屬性的表現來看，可見林生在學術研究上的多元性，這就可以比較有效地證明林先生並非學界一般刻板印象中，僅僅只是精於聲韻學的專家而已。

（二）研究生學術發展考實

　　學者指導研究而產生的學術影響，可以有兩種情況：一是該研究生取得學位後，不再從事學術相關活動，學術影響因此也就僅止於該研究生而已；不過由於本文原就有「臺灣學界」的自我限制，是以境外的研究生，理所當然也就僅止於該研究生而已；一是該研究生繼續在學界活動，無論是否繼續指導研究生，僅就其在大學的教學活動而論，自也是學術傳播甚至傳承的一環，因為無論哪一種情況，都會產生像《列子》中愚公所謂「子又生孫，孫又生子，子又有子，子又有孫，子子孫孫，無窮匱也。」[52]或《莊子》所謂「指窮於為薪，火傳也，不知其盡也」那般，[53]延續甚至永不止盡的傳承下去。可見學者

52　〔晉〕張湛：《列子注・湯問》（臺北：臺灣商務印書館，1983年影印文淵閣《四庫全書》本），第1055冊，卷5，頁8b。

53　〔晉〕郭象：《莊子注・養生主》（《四庫全書》本），第1056冊，卷2，頁4b。

指導的研究生是否繼續在學界活動，嚴重影響學術的傳承與發展。林先生指導的93位研究生中，有9位韓國籍留學生，[54]另有2位在香港學界服務，[55]這類研究生雖然對韓國的「漢學」研究和香港的中文研究，或曾產生重大的學術影響，對林先生學術在臺灣境外的傳播也大有作用，但此自非本文關注之對象，當可略而不論。

　　林尹先生指導的研究生除前述11位境外生，臺灣本地研究生總共有82位，以下僅根據筆者所知，針對這82位研究生取得學位後的職業走向，[56]製成下表：

林先生指導的臺灣本地研究生學術走向狀況表

研究生	畢業學年	職業走向	任職單位	指導學位論文
左松超	47、61	大學教師	臺灣師大、清大、中央、中正、淡江	6篇[57]
謝雲飛	47	大學教師	政大	12篇
謝一民	48	大學教師	成大	6篇
袁乃瑛	48	語言教學	臺灣、美國	無
周何	49、54	大學教師	臺灣師大、高雄師大	63篇

---

54 韓國籍留學生有：尹和重、成元慶、許世旭、李慧淳、陳泰夏、許璧、洪瑀欽、柳晟俊、林東錫等9位研究生。再者此位陳泰夏博士，並非主張漢字為韓國人創造發明的陳泰夏教授。

55 取得博士學位後在香港學界服務者為：李雲光、阮廷卓等2位研究生。

56 研究生的職業訊息，透過各校的介紹及搜尋網站提供的訊息，並參考賴貴三〈一甲子菁莪樂育，五十年薈萃開新〉（2006年10月16日）：http://ch.ntnu.edu.tw/files/archive/544_f5893b14.pdf。2017年11月10日搜尋。這方面的資料取得有其困難度，是以闕漏必然甚多，竭誠歡迎了解實情的師長與前輩們惠予糾正指導。

57 學位論文統計根據前述臺北（臺灣）圖書館《臺灣博碩士論文知識加值系統》等資料庫蒐錄者為限，並以105學年度，即2017年6月之前取得學位者為對象，以下之統計皆同。

研究生	畢業學年	職業走向	任職單位	指導學位論文
李鍌	50	大學教師	臺灣師大	22篇
賴炎元	50	大學教師	臺灣師大	1篇
王忠林	50	大學教師	臺灣師大、文化、高雄師大	21篇
張建葆	51、59	大學教師	臺灣師大	11篇
林至信	51	不明	不明	無
許錟輝	52、59	大學教師	臺灣師大、東吳	96篇
葉政欣	52、67	大學教師	成大	3篇
婁良樂	53、61	大學教師	臺灣師大	無
陳建雄	54	不明	不明	無
詹俊喜	55	不明	不明	無
胡自逢	55	大學教師	臺灣師大、高雄師大、中央	19篇
竺鳳來	56	不明	不明	無
徐紀	56	大學教師	臺灣師大	無
張尚倫	57	不明	不明	無
陳新雄	57	大學教師	文化、臺灣師大	105篇
張文彬	58、67	大學教師	臺灣師大	8篇
莊萬壽	58	大學教師	臺灣師大、長榮大學	29篇
施銘燦	58	大學教師	高雄師大	無
翁文宏	58	大學教師	中興大學	無
于大成	59	大學教師	成大、淡江、中央、臺灣師大、臺大、文化、政大、東吳、實踐家專	26篇
王熙元	59	大學教師	臺灣師大	56篇
黃永武	59	大學教師	高雄師大、中興、成大、臺北市大、東吳	28篇

研究生	畢業學年	職業走向	任職單位	指導學位論文
謝忠正	60	大學教師	臺灣師大	無
簡翠貞	60	大學教師	新竹教大	23篇
李殿魁	60	大學教師	文化、花蓮師院、北藝大	70篇
應裕康	60	大學教師	政大、高雄師大、文化	35篇
馮榮輝	61	不明	不明	無
黃慶萱	61	大學教師	臺灣師大	38篇
王更生	61	大學教師	臺灣師大、德明商專	55篇
賴明德	61	大學教師	臺灣師大、中原大學	13篇
辛勉	61	大學教師	臺灣師大	無
徐芹庭	61	大學教師	臺灣師大、中央、淡江、中興、高雄師大	6篇
許老雍	62	大學教師	高雄師大	17篇
劉文起	62	大學教師	高雄師大、中正、世新、東吳	59篇
陳品卿	62	大學教師	臺灣師大、文化	無
劉兆祐	62	大學教師	東吳、臺北市大、文化	36篇
王關仕	62	大學教師	臺灣師大	12篇
李道顯	62	大學教師	文化大學	無
陳飛龍	62	大學教師	政大	無
黎建寰	63	大學教師	臺灣師大	無
邱燮鐋	63	大學教師	文化大學	1篇
林平和	63	大學教師	中央、銘傳	10篇
張翠寶	64	大學教師	臺北科大	無
蔡信發	64	大學教師	臺北市大、中央、銘傳	29篇
杜松伯	65	大學教師	中興、臺灣師大	無
張成秋	65	大學教師	新竹教大	2篇

研究生	畢業學年	職業走向	任職單位	指導學位論文
曾昭旭	66	大學教師	高雄師大、中央、淡江	69篇
張仁青	67	大學教師	師大、中山、文化	14篇
龔顯宗	67	大學教師	中山、中興、靜宜、高雄師大、臺南大學	188篇
鮑國順	67	大學教師	中山大學	41篇
董忠司	67	大學教師	新竹教大	42篇
戴瑞坤	67	大學教師	文化、逢甲	12篇
邱衍文	67	大學教師	國北師	無
林慶勳	67	大學教師	高雄師大、中山、文化	57篇
林炯陽	68	大學教師	東吳大學	26篇
王三慶	68	大學教師	文化、成大	86篇
張子良	69	大學教師	淡江、高雄師大	26篇
傅兆寬	69	不明	不明	無
閻琴南	69	人事行政	中研院總辦公室	無
張高評	70	大學教師	成大	60篇
黎光蓮	70	社會服務	財團法人靈山文教基金會執行長	無
傅武光	70	大學教師	臺灣師大	31篇
柯淑齡	70	大學教師	文化大學	22篇
陳德昭	70	大學教師	文化、銘傳	31篇
王明通	71	大學教師	臺中師院、靜宜	2篇
姚榮松	71	大學教師	臺灣師大	55篇
陳弘昌	71	大學教師	臺中師院、玄奘大學	38篇
陳義成	71	大學教師	逢甲大學	2篇
曾榮汾	71	大學教師	中央警官	9篇

研究生	畢業學年	職業走向	任職單位	指導學位論文
黃孝先	71	大學教師	中原大學	無
鄭阿財	71	大學教師	文化、中興、中正、南華	80篇
譚明皁	71	不明	不明	無
王瑞生	72	大學教師	臺南大學	無
司仲敖	72	大學教師	臺北大學	2篇
陳松雄	72	大學教師	銘傳、中央警官、東吳	8篇
廖一瑾	72	大學教師	文化大學	19篇

林先生指導的臺灣本地82位研究生，共有10位未留在學界，選擇留在學界者72位。林先生指導的研究生離開學界者佔12.20%，留在學界者佔87.80%，相差7倍多，可見林先生指導的研究生持續在學界活動者佔絕對多數，這些研究生不僅具備學術傳播的條件，並積極履行學術傳播的責任，這是林先生對臺灣中文學界學術研究主要的影響貢獻。再者72位留在學界「接棒」的研究生中，並有55位持續指導研究生，如此則更進一步構成一個以林先生為起點，明顯可見的學術傳承關係網。截至105學年未曾指導研究生，無法明確見其學術傳承者僅16位，僅佔22.22%，可見林先生指導下畢業的研究生，絕對多數具備「薪傳」的條件，並積極履行「薪傳」的責任，這是林先生對臺灣學術第二層次的影響貢獻。

　　林尹先生自47學年度開始，即有指導的研究生獲得學位，一直到72學年度，每年均都有指導的研究生獲得學位，總共指導93位研究生，除韓國籍留學生和到香港服務者外，留在臺灣本地學術單位服務的研究生有72位，這些研究生持續學術傳播的「接棒」工作，其中更有55位繼續指導研究生，因而構成一個以章太炎、黃侃、林尹等為中心的學術傳承「薪傳網絡」。以上這些即是林先生留給臺灣學界在教育與

學術上的資產，這當然也就是林先生影響貢獻臺灣學界的實質表現。

三　臺灣學位論文徵引林尹先生著編成果考實

　　學者指導研究生完成學位論文，就學術傳播的角度而論，必然會因此而帶來某些學術傳承與學術傳播的影響功能，這也就是指導研究生帶來的學術貢獻，此種學術貢獻除該研究生外，其餘比較趨近於精神與思想的抽象層面，很難取得可以重複驗證的實據。比較可以提出實據的影響傳承等貢獻的證據，當該就是同代或後代學界對該學者學術成果的肯定、徵引一類「正面接受協助影響」；或否定、批判一類「負面接受協助影響」等的表現。本節正要藉由考察臺灣各大學研究生學位論文徵引林先生著編學術成果的實況，以做為林先生在臺灣學術傳播、學術影響等貢獻的有效證據。

　　臺灣各大學研究生徵引林尹先生的論著、選編、校正等學術研究成果者，根據前述各相關網站提供的訊息，除林先生指導的研究生不計外，最早當是輔仁大學圖書資訊學系86學年度畢業的吳介宇碩士之學位論文，徵引了林先生的《中國聲韻學通論》，此時距林先生逝世已有14年之遙。博士學位論文最早徵引林先生著編成果者，乃林先生辭世後15年，87學年畢業的5位博士：中山大學中文系黃順益徵引《中國學術思想大綱》；政治大學中文系都淑惠徵引《訓詁學概要》與《中國聲韻學通論》；臺灣師大國文系姜聲調和東吳大學中文系梁承德均徵引《新校正切宋本廣韻》；臺灣師大教育所李金連徵引《中文大辭典》。至於從86學年至105學年的20年間，臺灣各大學每學年的學位論文徵引林先生著編成果的情況，則如下表所述：

各學年學位論文徵引林先生著編成果數量表

學年	86	87	88	89	90	91	92	93	94	95	96	97	98	99	100	101	102	103	104	105	總計
博論	0	5	9	7	5	11	3	8	13	8	10	7	12	14	10	12	15	13	10	5	177
碩論	1	23	39	35	39	65	77	52	84	73	70	88	99	60	54	58	48	38	33	19	1055
總計	1	28	48	42	44	76	80	60	97	81	80	95	111	74	64	70	63	51	43	24	1232

從上表的統計數據，僅有1篇論文徵引的86學年暫時不計入，可以發現林先生的著編成果，受到臺灣各大學研究生關注徵引的全面性開展，當該自87學年（1998年7月）開始，從此以後研究生即持續徵引，截至105學年為止，每年均有超過20篇以上的學位論文徵引，其中博士論文177篇，碩士論文1054篇，合計1231篇。雖然缺乏第一代學者全面性徵引資料可供比較，無從得知林先生相對於其他學者的表現，然而從87學年到105學年（2017年6月）總共有來自1198位研究生的1231篇學位論文，[58]徵引林先生的著編成果，且每年均超過20篇，甚至超過100篇徵引的表現，從這些可見、可查的數據，應該可以有效的證明林先生對臺灣學界確實存在傳播、傳承、協助等學術影響貢獻的事實。臺灣各大學86學年到105學年的1199位研究生，學位論文徵引的林先生著編成果，即是林先生在指導研究生之外，另一項在學術上實質協助、影響而貢獻於臺灣學界的證據與表現。

林尹先生著編成果受到1199位研究生關注的論著是那些篇章呢？研究生對林先生這些著編成果內容關注程度的高低又如何呢？經由實

---

58 此因：王世中、王安碩、丘慶鈴、何昆益、吳文慧、李秀娟、李峰銘、李瑩娟、李鵑娟、周美慧、林秀珍、林協成、林郁屏、林素美、林雪雰、洪梅珍、孫永龍、商瑈、梁炯輝、連蔚勤、陳忠信、陳怡如、陳明彪、陳芝豪、陳慧娟、陳嚴坤、黃志煌、黃原華、楊義騰、趙恩挺、潘柏年、鄭琇文、錢拓等33位研究生的碩博士論文均有徵引，是以學位論文篇數與研究生人數不同。

際歸納1232篇學位論文徵引的實際表現後，可以大致將臺灣研究生學位論文徵引的林先生著編成果，區分為三大類型予以說明：一是林先生創發性的學術專著；二是林先生原創性的單篇學術論文；三是林先生整理與編選他人成果的編輯文獻。

首先，探討林先生單篇學術論文受研究生徵引的狀況，根據實際的觀察統計，林先生單篇學術論文，受到臺灣各大學研究生關注徵引者總共15篇，依出版時間先後排列，則如下表所述：

學位論文徵引林先生單篇論文實況表

篇名	出處	出版時間	徵引篇數
簡體字在中國文字學上所發生的問題	《實踐》206期	1954年8月	2篇[59]
我所體驗到的變革中國文字問題	《建設》3卷9-10期	1955年3月	1篇[60]
顧炎武之學術思想	《師大學報》1期	1956年6月	2篇[61]
切韻韻類考正	《師大學報》2期	1957年6月	2篇[62]
清代學術思想史引言[63]	《師大學報》7期	1962年6月	3篇[64]
影印十韻彙編後記	《學粹》7卷3期	1965年4月	1篇[65]
章太炎先生傳	《文藝復興》1卷2期	1970年2月	1篇[66]

---

59 莊君如（96）、全敏瑜（103）等的學位論文。括弧內數目字為該研究生畢業學年，以下皆同。

60 莊君如（96）的學位論文。

61 邱白麗（88）、楊義騰（94）等的學位論文。

62 翁瓊雅（87）、潘柏年（99）等的學位論文。

63 此文又刊登於《華岡文科學報》第11期（1978年1月），頁305-314。

64 陳怡青（90）、吳淑慧（93）、李昭慧（101）等的學位論文。

65 翁瓊雅（87）的學位論文。

66 賴金旺（97）的學位論文。

篇名	出處	出版時間	徵引篇數
形聲概說	《中華文化復興月刊》3卷4期	1970年4月	2篇[67]
中國聲韻學研究方法與效用[68]	《中國語文》27卷2期	1970年8月	6篇[69]
中國文字的條例及其特性	《中華文化復興月刊》6卷4期	1973年4月	1篇[70]
易經要略[71]	《孔孟學報》25期	1973年4月	66篇[72]
訓詁與治經	《孔孟月刊》12卷12期	1974年8月	1篇[73]
章炳麟之生平及其學術文章	《孔孟月刊》14卷11期	1976年7月	1篇[74]
形聲、轉注概說	《孔孟月刊》18卷11期	1980年7月	3篇[75]

---

67 丁國華（88）、許文獻（95）等的學位論文。

68 此文又刊登於《孔孟月刊》第13卷第12期（1975年8月），頁39-43；《孔孟月刊》第15卷第12期（1977年8月），頁37-41。

69 李春永（94）、李羽真（98）、辛芳薇（98）、廖棉儀（99）、蘇芷儀（100）等的學位論文。

70 李秀娟（94）的學位論文。

71 此文收入《易經論文集》（臺北：黎明文化事業公司，1981），頁1-12。

72 博士論文9篇：陳明彪（95）、洪梅珍、陳慧娟、商璩、侯雪娟、李威侃、戴碧燕、陳芝豪、林世賢（104）等。碩士論文57篇：周古陽（88）、林文莉、廖伯娥、劉馨潔、潘南霏、尹文廷、陳明彪、鄭馨、顏榮發、李梅鳳、劉昌佳、林超群、張耀龍、陳妙妘、黃志傑、楊恕人、鄭雅竹、李皇穎、吳淑慧、林妙璘、黃鎮華、江可欣、郭廷立、陳慧娟、羅元庸、林鴻翊、周仲賢、施泳忠、項世勳、賴惠姍、蘇佳怡、陳怡靜、陳芝豪、黃振崇、黃國憲、趙元薇、張家勝、陳柱言、黃輝馨、楊淑媛、潘亮君、詹至真、盧秀仁、蕭靜芝、閻耀棕、蘇玉珊、何寶猜、蕭佳琳、李添貴、甯寶華、陳淑姿、劉伯仁、謝宗憲、許智偉、劉幸瑜、曾勝雄、陸瑤佩（104）等。

73 邱秀春（88）的學位論文。

74 黃翠芬（93）的學位論文。

75 莊舒卉（88）、柯雅藍（89）、馬偉成（91）等的學位論文。

篇名	出處	出版時間	徵引篇數
《說文》與《釋名》聲訓比較研究	《木鐸》9期	1980 年 11 月	9篇[76]

除〈易經要略〉外，其他14篇論文徵引的學位論文篇數都在10篇以下，受到的關注度較低。不過這些論文無論是涉及清代學術思想史的4篇論文，或是涉及「傳統小學」的其他幾篇論文，內容與觀點都和林先生的學術專著關係密切，因此很可能是這些論文的主要觀點，可以在林先生的相關學術專著內獲得相近的訊息，是以導致徵引數量偏低。

其次，林先生整理編纂類文獻徵引的實況，符合此一性質者有4部：（一）1960年完成的《兩漢三國文彙》計有8篇學位論文徵引；[77]（二）1968年完成的《中文大辭典》有224篇學位論文徵引；[78]（三）

---

76 博士論文5篇：戴俊芬（94）、黃立楷（100）、王世豪（102）、黃婉甯（102）、魏鴻鈞（103）。碩士論文4篇：吳美珠（88）、柯響峰（93）、林美岑（96）、林靜怡（99）等。

77 博士論文1篇：方碧玉（94）。碩士倫文7篇：康育英（87）、劉國平（88）、李秀玲（93）、賴永大（96）、吳秉勳（97）、馬慧蘭（97）、張永慶（99）。

78 博士論文29篇：李金連（87）、范賢娟、陳忠信、陳育琳、許文獻、廖連喜、林素美、林榮森、孫翼華、石櫻櫻、李榮彬、呂佩珊、陳怡如、陳思穎、廖美蘭、林郁屏、楊婉萍、梁炯輝、顏秀珊、王偉忠、李憶含、戈思明、姬天予、李瑩娟、許峰旗、陳昭伶、竟成都、關芳芳、吳佳樺（104）等。碩士論文195篇：鄭建華（87）、王世哲、吳玫芳、高芷琳、張良鏗、陳麗雪、王志宏、梁炯輝、劉同誠、沈佩芳、許以奇、陳秀雯、吳澤民、呂晶晶、范韻青、徐震宇、常秀珍、陳美專、許幸華、傅聖明、謝靜瑩、王彥嵒、許心純、陳春玉、蘇美珠、李欣倫、沈錦發、韋又甄、陳昭鈞、陳惠玉、陳錦增、黃書益、韓孝輝、林盈秀、洪梅珍、陳怡如、高佩英、張禎宜、曾意中、黃信忠、鄭琇文、戴麗娟、王怡蘋、朴貞愛、李瑩娟、施鴻琳、蔡永豐、林佩怡、林怡君、侯淑菁、柯耀程、洪雪玲、洪銀娥、胡東三、張婉鈴、莊瓊貴、許采甄、陳明鴻、陳建中、陳益連、陳雅凡、曾文琪、曾燁傑、黃曼爵、黃曼爵、蔡孟嫻、蔡明星、賴威郡、顏琳堯、王惠娟、王華華、王詩娸、何欣姿、林小蓉、林郁菁、邱秋菊、柯世堡、洪正君、孫雯泇、張觀惠、塗慧娟、宋雨娟、林立涓、葉彥君、蔡孟芳、鄧美枝、謝舜翔、謝舜翔、王文傑、李大燮、

1973年完成的《大學字典》有3篇論文徵引；[79]（四）1976年完成的《新校正切宋本廣韻》共有229篇學位論文徵引。[80]林先生整理編纂類

李明勳、林美惠、洪慧玲、陳貞白、陳新瑜、曾郁棻、馮玉惠、劉興棟、鄧萃文、鄭雅端、李菁怡、周芃谷、林家如、陳招伶、陳彥志、陳彥志、連淑貞、郭麗蘋、陳思或、楊福展、陳淑君、黃碧萱、蔡家雯、鍾岳容、蘇曉玲、小室順敬、吳佩熏、李文政、林美吟、林漢奇、邱安宗、洪美嬋、呂佳玲、李育娟、許幸惠、許朝棟、陳俐陵、洪寶國、范家瑀、張慧利、陳怡靜、陳美娟、陳家蓁、黃雍婷、葉柏奕、劉郡妤、黎俊成、謝淑援、羅際鴻、王貴琪、江敏慧、李吟芬、李興娥、邱易斌、莊孟蓉、陳莉媖、廖璟瑜、劉麗雲、沈眉均、施昕承、胡貴月、梁雅婷、陳玉枝、陳雅芬、楊喻婷、廖妙婉、蔡金珀、賴育立、林雅萍、曾燕春、戴月祝、王燉淳、吳玉婷、許淑貞、廖宜忠、蔡青玉、蔡耿旻、賴泓安、謝家祥、江季蓁、李方君、邱建舜、邱淑梅、施馨媚、陳佳伶、陳德豪、黃秀琴、藍浩勻、夏秀蘭、陳思宏、黃仁柏、黃郁君、蕭文華、蕭采玲、謝何美雪、陶亮廷、趙偉婷、劉玉婷、鄭維中、張靖怡、吳濬頤、徐德恩、陳姵妏、黃詩涵、鄭育民（105）等。

79 博士論文2篇：呂瑞生（88）、吳豐成（93）。碩士論文1篇：張玉美（90）。

80 博士論文35篇：姜聲調（87）、梁承德、林晉士、陳美琪、文炳淳、王書輝、楊素姿、吳憶蘭、邱茂波、趙恩挺、陳星平、黃國清、陳伯適、孫亮球、許文獻、王世中、黃菊芳、連蔚勤、呂佩珊、楊寶蓮、劉若緹、潘柏年、李鴻玟、梁烱輝、陳昭昭、黃亮文、王世豪、何純惠、張榮焜、許瑞誠、鄭琇文、蕭淑惠、林協成、莊哲彥、詹金娘（105）等。碩士論文194篇：李秀娟（87）、林聖德、翁瓊雅、陳茂松、曾美純、楊明璋、趙恩挺、吳佳真、吳美珠、李知君、李淑婷、李富琪、李嶽儒、張慧珍、陳清仙、黃素芳、賴玫怡、何思慧、李昱穎、沈雅惠、柯雅藍、張美玲、梁烱輝、彭志宏、廉載雄、王麗雅、林素美、邱菊梅、高婉瑜、陳君慧、陳忠信、陳怡如、劉彩祥、顏靜馨、王榮正、王鴻儒、白金銑、李佩如、李香儀、邱永昌、陳文識、陳霖慶、黃婉甯、楊淑瓊、楊臺福、蔡玉滿、蔡秀敏、蕭凱文、鍾永發、簡嘉男、林婉瑜、林惠玲、洪文雄、陳姿羽、陳穩如、彭盛星、鄧明珠、謝慧綺、蘇秀娟、方柏琪、王勝忠、吳如蕙、周惠菁、林淑儀、林淑儀、徐明政、陳怡如、黃慧萍、鄭宇珊、謝沅毅、王嵩、吳佳穎、李長興、李雅文、張窈慈、陳玠妃、陳昱穎、陳曉薇、陳錕鍵、黃雲冠、楊義騰、劉巾英、蔡啟仲、鄭淑昭、黎采綝、龔于芬、王怡文、古佳峻、吳曉築、宋雨娟、林柏堅、張中典、曹琦、許淑慧、陳思婷、黃國倫、黃麗敏、林明真、徐淑娟、翁慧芳、許淑婷、黃姝毓、楊淑萍、廖素琴、劉永炎、練麗敏、王佳蘭、王湘茹、任育萱、余珊儀、呂欽翔、呂欽翔、郭麗蘋、陳丹玲、陳靜儀、游幸惠、黃郁棻、楊子儀、劉仲娟、劉彥宏、劉虹汝、江美儀、呂秋蓮、呂瑞清、李育娟、林永強、林秀菊、林佩怡、林雨蓁、林信

的這4部文獻，其中《兩漢三國文彙》和《大學字典》受到的關注度並不高；《中文大辭典》和《新校正切宋本廣韻》兩書在19年內，都有超過200篇以上的論文徵引，可見受到的關注度甚高。

其三，林先生創新性質的學術性專書，被各大學教師選作教科書者，無法有效地探討了解，僅能探討受到各大學研究生學位論文徵引的實況：（一）1937年初版的《中國聲韻學通論》，[81]總共有234篇學位論文徵引；[82]（二）1953年初版的《中國學術思想大綱》，[83]總計有80

呈、徐旻、徐國智、張珍華、許幸惠、連玲莉、郭榮芳、黃筱琦、鄭伊茜、賴妙姿、鍾佩衿、簡欣儀、簡泛純、何志男、林佳瑜、陳淑芳、陳富美、董家佩、王兆娟、呂婉甄、徐筱妍、陳苑玲、楊坤榮、李俊松、李俊松、洪家惠、徐貫臻、曾于娟、蕭順傑、羅月鳳、毛柔雲、王傳明、王祺雯、王燕燕、王薇茹、古家餘、余婉如、吳怡寬、呂佳怡、呂孟純、宋子江、李貴嬌、林安任、林義翔、邱昱臻、姜智仁、陳文鐸、陳世安、郭哲瑜、陳傑蓉、楊之帆、楊浚豪、林敬欽、黃憶婷、鄒雅婷、林玟君、孫永福、康芷榕、康芷榕、彭歲雲、陳依琳（105）等。

81 是書出版的狀況是：上海：中華書局，1937年初版；臺北：新興書局，1956年版；臺北：世界書局，1959年版；臺北：黎明文化事業公司，1981年林炯陽註釋版；臺北：黎明文化事業公司，1996年林炯陽修訂增注版。

82 博士論文36篇：都惠淑（87）、成玲、李淑萍、元鍾敏、崔秀貞、廖湘美、吳憶蘭、沈心慧、周美慧、林翠芬、黃國清、李春永、陳伯適、楊征祥、王淑嫻、丘彥遂、徐貴榮、何昆益、李鵑娟、呂佩珊、陳鳳秋、劉若緹、劉逸文、潘柏年、龔秀容、林繡亭、梁烱輝、曾瑞媛、林貝珊、林貝珊、錢拓、吳文慧、陳昱升、陳雅萍、趙詠寬、李峰銘（105）等。碩士論文198篇：吳介宇（86）、王世中、王家瑜、李秀娟、卓國浚、周美慧、林聖德、柳惠英、翁瓊雅、陳茂松、曾美純、謝佩慈、丁國華、王曉萍、吳佳真、李美慧、李淑婷、李雅雲、李鵑娟、翁敏修、莊舒卉、陳清仙、陳瓊琪、陳麗雪、黃素芳、賴慧玲、呂慧茹、李昱穎、周美華、林文政、林佳樺、林翠年、梁炯輝、陳洵慧、彭志宏、黃瀞瑩、廉載雄、賴金旺、何昆益、吳家宜、張娣明、梁玉青、陳欣儀、劉承修、潘柏年、賴昭吟、謝仁中、顏靜馨、王詠、王榮正、余志挺、李佩如、李香儀、周敏華、林協成、林義益、林麗敏、邱蕙婷、馬偉成、莊惠茹、彭美賢、黃詩惠、楊臺福、葉淑宜、穆虹嵐、簡嘉男、朱寄川、林森仁、姜千家、徐孟志、張淑萍、張嘉玲、莊淑如、陳春玉、陳穩如、葉秋鳳、廖瑞昌、蔡宗衛、盧鴻志、嚴立仁、蘇美珠、王勝忠、吳如蕙、柯辰青、郭懿儀、陳玉玲、陸慧玲、黃溫良、蔡盈任、鄭宇珊、鄭成益、鄭國成、鄭雅

篇學位論文徵引；[84]（三）1971年初版的《文字學概說》有278篇學
位論文徵引；[85]（四）1972年初版的《訓詁學概要》有97篇學位論文

方、吳文慧、吳佳穎、吳素音、李元貞、李來香、李金芳、林柏儀、金真姬、陳昌
靖、陳燕玉、楊名龍、楊義騰、蔡啟仲、蔡瑋玲、謝欣融、龔于芬、王文水、朱心
怡、宋雨娟、施惠婷、張中典、莊美琪、曾若涵、韋贈燕、劉心怡、劉佳佳、蔡郁
煮、王麗雅、李峰銘、南基弘、奚懋德、翁慧芳、黃姝毓、楊琪媜、管靜儀、王佳
蘭、任育萱、周美香、林麗秋、連淑貞、郭麗蘋、陳靜儀、陸穗珒、黃珊珊、黃淑
娟、劉彥宏、鄭雅玲、江美儀、江美儀、呂瑞清、李羽真、李羽真、辛芳薇、周育
如、林秀菊、林佩怡、倪惠珊、徐旻馨、張珍華、郭繼文、陳佑禎、陳秋萍、黃淑
玫、廖才儀、賴雅俐、簡雅慧、蘇嬿祺、王美心、李秀菁、侯吟璿、陳威遠、陳彥
文、陳致元、陳語唐、黃文芳、楊昱光、葉博榮、廖棉儀、劉文芳、蔡毓菁、王文
桂、曾燕春、楊坤榮、蘇芷儀、任偉榕、吳若華、林育旻、邵明理、莊茹蘭、許承
何、陳仕桓、陳偉捷、黃佩茹、葉淑瑱、林義翔、陳文鐸、陳世安、陳傑蓉、楊順
嬌、孔令元、吳琇梅、洪千惠、李語築、孫永福、張靖怡（104）。

83 是書出版的狀況是：臺北：著者發行，1953年初版；臺北：臺灣商務印書館，1979
年修訂版。

84 博士論文19篇：黃順益（87）、成玲、邱茂波、陳麗華、錢奕華、林翠芬、方俠
文、邱佳慧、侯羽種、林秀春、王世中、孫世民、陳嚴坤、蒲彥光、李鵬娟、黃志
煌、田若屏、喬家駿、黃原華（100）等。碩士論文61篇：陳嚴坤（87）、盧用章、
甘秉慧、林秀香、陳金信、許修嘉、黃秋薇、鄭淑娟、施秀貴、張芸芸、陳麗純、
蔡政翰、許淑美、黃瑞珠、侯慈暉、張景雅、陳琇敏、黃原華、丁鴻銘、吳瑞文、
張世昌、陳淑芬、楊佳霖、王雅暄、吳承德、李文媛、李佩珊、林瑞龍、孫永龍、
張晏菁、戚禎砡、陳育民、朱逸凱、吳松坡、李尚軒、紀喬蓓、陳忠滄、陳家毅、
陳書田、塗藍雲、葉靜謙、劉紫雲、吳政達、高幼蘋、陳景全、劉月卿、劉燕遂、
李凱雯、洪琪雯、林妏錡、許雪雯、陳政鴻、黃家揚、古家餘、宋子江、高茂鈞、
王炯權、王詩涵、黃慧娟、簡義銓、嚴志華（105）等。

85 博士論文27篇：呂瑞生（88）、李淑萍、方怡哲、吳憶蘭、陳紹慈、陳麗紅、林翠
芬、郭芳忠、魏素足、林玫玲、林儒、許文獻、許劍橋、呂佩珊、陳姞淨、劉逸
文、丘慶鈴、陳志峰、楊義騰、鍾哲宇、黃智明、王安碩、林協成、林雪雰、楊曉
菁、何儒育、李峰銘（105）等。碩士論文251篇：陳明道（87）、潘進福、丁國
華、吳美珠、李思慧、李瑋如、張智惟、張裕鑫、莊舒卉、陳清仙、黃素芳、賴慧
玲、李瑩玓、沈雅惠、周美華、林明正、柯雅藍、晏士信、崔在浚、張進明、郭紅
伶、陳洵慧、湯嘉明、黃志煌、宋鵬飛、李繡玲、張娣明、陳佩櫻、陳韻如、楊旭
堂、劉承修、王梅軒、王鴻儒、余志挺、周敏華、林雪雰、林義益、金朱慶、馬偉

徵引；[86]（五）1972年初版的《周禮今注今譯》有219篇學位論文徵

成、張秀嬌、張美玲、單宛君、賴淑韻、韓孟蓉、簡逸光、王思秦、丘慶鈴、朱寄川、李金燕、李美蓉、林立峰、林郁屏、林桂華、林森仁、邱明秀、連蔚勤、陳奕全、陳思嫻、薄雯霙、謝易霖、譚惠芸、蘇淑婷、王勝忠、王麗惠、吳慧聆、林怡慧、柯維盈、許育龍、郭怡雯、陳怡如、陳虹君、黃慧萍、劉健海、潘怡文、鄭成益、鄭國成、蘇雅婷、巫玉文、李玉春、周孟樺、周滿莉、金真姬、徐慧玲、黃雲冠、楊義騰、葉紘宙、葉雅雯、鄭淑昭、王致善、王瑞齡、史惠方、何蕙齡、吳鑒益、宋雨娟、李幸茹、林立涓、林宜蓁、邱佩瑜、張子強、莊美琪、陳思婷、陳淑花、楊閔閔、蔡書銘、鍾沛雲、簡美芳、龐貴聰、王安碩、巫明翰、林芳如、林雅熏、徐淑娟、張茂富、許惠思、郭美君、郭庭清、黃秀瑜、楊志團、廖素琴、劉欣榮、羅筠慧、余妙音、李靜華、李蘇和、沈佳融、周巍恩、林佳怡、洪昭蓉、許豔麗、陳思彧、楊秀鳳、楊麗雅、廖秀娟、廖隆振、趙茂男、趙慕鶴、劉欣惠、蔡淑芹、鍾哲宇、方維鴻、方慧芳、王慧珍、白明玉、朱國和、江秀卿、江淑娟、吳青儒、呂佳玲、呂瑞清、阮進立、林佑玫、林佳儂、柯懿芝、徐雲菁、張秀婷、許芳沂、許富陽、郭榮芳、陳芝光、陳冠佑、陳秋萍、彭玟瑜、馮元玫、蔡欣儒、謝淑玲、王雅欣、朱家慧、吳惠美、林佩君、林佳瑜、高振翔、曾琬淳、黃子春、塗福賜、楊小平、葉佩甄、葉雯琪、遊馥霞、鄭素珍、賴建富、鍾美娟、羅翊榛、王兆娟、王敍淳、王儷樺、李平平、沈曉芬、林佳蕙、林怡君、林明賢、林雅萍、高肇芝、張瀞文、許雅惠、陳德禧、楊青翰、楊愛娟、賴玉如、王惠佳、吳函豫、吳時春、林姵辰、林淑玫、陳柏睿、絲凱郁、楊曉逸、劉育玲、蔡立亭、蔡序美、賴詩婷、謝佩芳、尤文心、王薇茹、呂佳怡、李貴嬌、邱昱臻、姜智仁、康珍瑋、陳芊穎、黃耀松、鄭雅雯、鄭筱梅、韓瑞美、宋慧珍、林思伶、林家伶、林淑娟、翁瑞敏、翁瓊華、曹淑蕊、許佩鈴、許若芳、陳佩真、黃慕蘭、葉秀玲、蔡伍科、蔡侑芸、丁姝妝、張富翔、許智閔、陳耀銓、傅敏倪、黃音潔、黃鈺涵、董家豪、鍾明全、林雅萍、連沛琪、黃綉珊、詹琬如、廖水滋（105）等。

[86] 博士論文25篇：都惠淑（87）、成玲、李淑萍、陳紹慈、林明照、黃國清、鍾明彥、李秀娟、魏素足、李鵑娟、陳韻竹、賴金旺、鄭玉姍、王文傑、陳姞淨、劉逸文、陳志峰、鍾哲宇、黃婉甯、黃智明、蕭淑惠、李佩師、王安碩、林協成、殷正淯（104）等。碩士論文72篇：呂美琪（87）、李秀娟、陳茂松、吳美珠、莊舒卉、陳清仙、黃素芳、柯雅藍、洪伍雄、陳洵慧、李繡玲、林穎雀、張娣明、王鴻儒、白金銑、余志挺、林良如、金朱慶、張秀嬌、陳文玫、單宛君、潘澤黃、朱寄川、林秀珍、林詩娟、姜千家、陳春玉、鄒浚智、蔡孟翰、王勝忠、陳怡如、劉健海、鄭國成、金真姬、張佩慧、章正忠、黃雲冠、王文水、李幸茹、林鴻翊、莊美琪、陳思婷、陳健章、賴雁蓉、王安碩、黃靜宜、練麗敏、錢拓、王湘茹、姚宣仔、柯混瀚、陳美蓉、陳淑慧、鍾哲宇、林永強、許幸惠、陳冠佑、陳秋萍、曾銘賢、劉

引。[87]以上即是林先生著編成果受到研究生徵引的實際表現。

　　林尹先生著編成果被接受的程度，若根據學位論文徵引的篇數觀察，單篇論文以〈易經要略〉受到的關注度最高。學術專門論著與整理編纂類文獻受到的關注程度，依徵引篇數多寡排列，則《文字學概說》受到的關注度最高，以下依次為：《中國聲韻學通論》、《新校正切宋本廣韻》、《中文大辭典》、《周禮今注今譯》、《訓詁學概要》、《中

祖瑋、許育菁、何玉雲、楊淑瑛、何珍儀、楊曉逸、康珍瑋、李常君、林淑娟、郭怡君、董家豪、黃羿禎、詹琬如（105）等。

87 博士論文34篇：施忠賢（88）、蔣忠益、鄭愛蘭、盧圓華、王茵、江蓮碧、何美慧、王淑芬、楊翠、戴月芳、李如蘋、林明照、陳正平、黃淑基、林儒、郭國泰、陳佩君、黃志煌、諸葛俊元、邱達能、陳韋銓、孫永龍、王鳳雄、紀千惠、陳瓊霞、林秀珍、林雪雰、鍾志偉、嚴茹蕙、吳佳樺、呂佳真、孫祖芬、郭文雄、李慧仁（105）等。碩士論文185篇：黃智信（87）、楊凱雯、蔡宗憲、王超然、何榮亮、張金蘭、鄧詩豪、王瑞傑、杜京德、陳淑雲、盧詩青、周世欽、林勇成、林素美、倪連好、黃瑞珍、鍾岳勳、簡永宗、王真諦、李欣玲、柯佩怡、商琛、陳建義、曾麗丹、黃意靜、潘澤黃、蔡敏琳、顏素足、林心明、林秀珍、林怡君、林芝卿、林昭陽、林雅琪、林詩娟、范品蓁、張永鋐、陳志仁、曾唐鋒、黃麗玲、葉國杏、趙淑芬、戴鳳如、謝慧美、羅光志、吳宜臻、吳秉芝、呂兆歡、李永興、張史寶、張秋芬、楊貴玉、李宜芳、林怡君、侯配晴、施鴻琳、洪菁迎、陳玟璿、陸淑慧、黃蔚蓉、楊名聲、劉瑩真、蔡永豐、鍾淑婷、王乃俐、吳淑銘、辛曉芬、徐瑋琳、張敏慧、莊麗卿、陳玟琪、方玉芬、李瑞祥、張亮光、郭繡慧、陳怡汝、黃淑靜、黃靜宜、楊廣澤、蔡昀健、鄭雅端、賴宗煒、謝俐如、江雅茹、吳珊妮、辛慶福、林幸如、林怡君、林銘嬈、林瑩貴、徐寬傑、張淑鈺、許俊賢、陳雅雯、陳寬貞、黃輝聲、葉佐倫、熊品華、謝宜蓁、簡孝儒、林映芬、邱千芬、許朝棟、楊東憲、楊彬彬、葉眉伸、廖聖雲、劉月卿、劉怡君、劉怡秀、鄭恩賜、簡麗玲、江麗珠、吳升鴻、吳蕙英、林玟杏、林禹璿、張嘉顯、許華庭、曾郁芳、馮世綱、黃淑華、劉昆誠、王文桂、江怡蓁、呂曜暉、林佩祈、張偉恩、莊雅惠、陳鈺芬、楊佩玲、楊青翰、劉敏惠、鄧筱君、戴慧玲、蘇錦華、吳宜璿、吳詩興、邱麗靜、陳昱君、陳靜玉、黃玉芳、管淑芝、趙悅伶、蔡立亭、蔡伊琳、鄭婷雲、鄭舒雲、蕭怡君、蘇泓萌、王傳明、王祺雯、余婉如、吳怡寬、林安任、胡閔崴、康涵喻、張聿良、莊居福、廖秀倩、鄭幼婷、蘇蜂琪、王慧萍、翁瓊華、強美蘭、許秋紅、陳玉梅、曾祥茹、顏志成、吳榮一、周柏年、林玉娟、林婉婷、傅香頤、黃韋智、薛寶珠、顏承萱、譚文慧、方冠臻、李威、胡閔雄、黃珮甄、黃寶諭、蔡奇玲（105）等。

國學術思想大綱》等，受到的關注度也不低；至於《兩漢三國文彙》和《大學字典》受到的關注度相當低。前述這9部專書與15篇論文，即是林先生著編成果中，受到研究生實際關注徵引的對象。這也就是透過重複可驗證的統計數字，因而展現出林先生對臺灣學界影響貢獻的有效資訊。

林尹先生逝世14年之後，著編的學術研究成果，開始受到各大學研究生與指導教授的關注，[88]因而在學位論文中加以徵引立說，此一著編成果協助研究生完成論文而呈現的意義，即在於顯現林先生研究成果對臺灣學界實質的影響貢獻。統計86學年之後的19年間，實質受惠於林先生協助與影響的研究生總共1199位，這些研究生們在學習與寫作論文過程中，都受到林先生著編文獻及其內容思想的協助，因而獲得學習與研究上的益處。這種實質的表現，相當有效的證明了林先生對臺灣學界影響貢獻的事實。

四　臺灣學術視野下的林尹先生

林尹先生指導的93位研究生，72位畢業後繼續留在臺灣學界服務，雖然研究生學科專業有：經學、古典文學、聲韻學、學術史、思想（子學）、文字學、斠讎學、訓詁學、語言學和版本學等等學科範圍的不同，但服務的系所都不離中文學科的領域，是以林先生對臺灣中文領域學術傳承、傳播等的影響貢獻，當不容置疑。再者考察林先生指導而繼續在學術界服務的55位學者，固然有30位指導研究生完成

---

88 按照臺灣各大學教師指導研究生的一般性常規，研究生徵引的文獻，必須取得指導教授的同意，否則應會被要求刪除。是以學位論文徵引的文獻，自然是指導教授同意，至少是不反對的文獻。

的學位論文，[89]確實有徵引林先生著編成果的情況，但也有25位指導的學位論文，未見有徵引林先生著編成果者。[90]這30位指導研究生實際徵引林先生學術論著的篇數及比例表現的情形如下表：

再指導的學位論文徵引林先生著編成果實況比例表

姓名	指導論文篇數	徵引篇數	徵引百分比
王三慶	86	2	2.33%
王關仕	12	2	16.67%
李殿魁	70	1	1.43%
李鍌	22	1	4.55%
林平和	10	3	30%
林炯陽	26	1	3.85%
林慶勳	57	13	22.81%
姚榮松	55	9	16.36%
柯淑齡	22	17	77.27%
徐芹庭	6	1	16.67%
張建葆	11	8	72.73%
許老雍	17	2	11.76%
許錟輝	96	18	18.75%

---

89 包括：劉文起老師、林慶勳老師、曾昭旭老師、陳新雄老師、王三慶、王關仕、李殿魁、李鍌、林平和、林炯陽、姚榮松、柯淑齡、徐芹庭、張建葆、許老雍、許錟輝、陳弘昌、傅武光、曾榮汾、黃慶萱、董忠司、劉兆佑、蔡信發、鄭阿財、鮑國順、戴瑞坤、謝一民、簡翠貞、龔顯宗、廖一瑾等研究生。

90 包括：應裕康老師、賴明德老師、王熙元老師、左松超、謝雲飛、周何、賴炎元、王忠林、葉政欣、胡自逢、張文彬、莊萬壽、于大成、黃永武、王更生、邱燮鍚、張成秋、張仁青、張子良、張高評、陳德昭、王明通、陳義成、司仲敖、陳松雄等，總共指導完成523篇學位論文。

姓名	指導論文篇數	徵引篇數	徵引百分比
陳弘昌	38	1	2.63%
陳新雄	105	21	20%
傅武光	31	2	6.45%
曾昭旭	69	2	2.90%
曾榮汾	9	4	44.44%
黃慶萱	38	2	5.26%
董忠司	42	13	30.95%
劉文起	59	4	6.78%
劉兆佑	36	4	11.11%
蔡信發	29	4	13.80%
鄭阿財	80	2	2.5%
鮑國順	41	1	2.44%
戴瑞坤	12	2	16.67%
謝一民	6	2	33.33%
簡翠貞	23	3	13.04%
龔顯宗	188	2	1.06%
廖一瑾	19	2	10.53%
總計	1315	149	11.33%

這30位林先生指導畢業的研究生們，再指導研究生完成的學位論文總計有1315篇，但僅有149篇徵引林先生的著編成果。統合林先生指導而留在學界的55位研究生，他們再指導完成的學位論文總共1838篇，其中僅149篇徵引，徵引比例不足一成，雖然有可能因為學位論文研究內容的差異而無法徵引，然將近一半的25位學生，當其指導研究生之際，完全不注重徵引林先生的學術成果，例如以《周易》研究名家

的胡自逢，指導完成7篇《周易》相關的學位論文，沒有一篇徵引林
先生的〈易經要略〉，可知林先生指導畢業的研究生們，並沒有什麼
特別堅強的學術「門戶」或「家門」一類「學術門派」的意識形態，
否則就不可能出現此種徵引比例甚低，甚至全數均無徵引的狀況。[91]
再者歸納統計全數1232篇學位論文的指導教授，總共632位，若排除
林先生指導的30位研究生，以及這30位研究生再指導完成的149篇論
文，其餘1083篇學位論文，實際來自與林先生並無直接關係，甚至毫
無關係的602位指導教授。[92] 從而也就可以有效證明林先生對臺灣各大

---

91 當然也可能是後來出現比林先生更先進準確的研究成果，或有指導的學生修正林先
生研究的成果，因而乃徵引修正或較先進準確的研究成果。然而若真具備堅強「門
戶之見」，應該也會表彰林先生「起步開拓」之功，當不至於全不要求研究生徵引
林先生的相關研究成果。感謝東海大學中文系教授呂珍玉學姊的提點指正。

92 包括雙指導在內的602位指導教授為（依姓氏筆畫排列）：丁原植、丁煌、仇小屏、
孔仲溫、尤惠貞、尤雅姿、方俊吉、方麗娜、王大智、王友俊、王文顏、王木榮、
王以仁、王仲孚、王吉林、王次澄、王初慶、王松木、王金凌、王俊彥、王政彥、
王美秀、王美珠、王韋堯、王哲雄、王家通、王珩、王財貴、王偉勇、王國瓔、王
基倫、王敏銓、王晴薇、王智宗、王隆升、王雅玄、王頌梅、王德權、王曉波、王
樾、丘彥遂、包根弟、古國順、伍至學、朱歧祥、朱國能、朱雅琪、朱鳳玉、朱
鴻、江文巨、江明賢、江俊龍、江乾益、江惜美、江韶瑩、江澄祥、江聰平、江寶
釵、但昭偉、何永清、何明泉、何俊青、何淑貞、何廣棪、何懷碩、余金龍、余美
玲、余培林、余崇生、余嬪、吳中傑、吳伯曜、吳明果、吳玫瑛、吳長鵬、吳俊
德、吳彥良、吳訓生、吳彩娥、吳進安、吳聖雄、吳靖國、吳榮順、吳瑾瑋、呂光
華、呂武志、呂珍玉、呂凱、呂菁菁、呂嵩雁、呂翠華、呂燕卿、宋文里、宋光
宇、宋同正、宋建華、宋德喜、宋璽德、宋韻珊、岑溢成、巫俊勳、李丁文、李子
瑄、李日章、李正治、李永熾、李立信、李存智、李有豐、李志勇、李杉峯、李金
城、李金星、李威熊、李建昆、李紀祥、李美燕、李英明、李振明、李時銘、李國
俊、李國英、李淑萍、李添富、李惠珠、李惠瀅、李智仁、李朝津、李福源、李霖
生、李豐楙、李麗霞、李寶玲、杜正勝、杜明德、汪中文、汪文琦、汪治平、汪
娟、汪惠娟、沈秋雄、沈清松、沈謙、沈寶春、阮忠仁、卓清芬、周中理、周元
浙、周天令、周世箴、周立動、周全、周西波、周志文、周林靜、周虎林、周彥
文、周秋惠、周美慧、周益忠、周碧香、孟祥瀚、孟瑛如、季旭昇、官政能、房志
榮、承立平、林介鵬、林文彬、林文欽、林文慶、林右正、林安梧、林伯謙、林宏

明、林更盛、林礽乾、林秀蓉、林承緯、林明德、林俊良、林保淳、林保堯、林冠群、林品章、林建福、林紀慧、林美容、林茂賢、林晉士、林素玫、林素珍、林素卿、林素清、林啟屏、林清源、林惠美、林登順、林詠能、林進忠、林雯卿、林瑞欽、林葉連、林榮澤、林碧玲、林慶彰、林曉雯、林聰明、林麗真、竺家寧、邱上真、邱文彬、邱敏捷、邱榮裕、邱德修、邱燮友、邴尚白、金周生、侯道儒、姚威巨、姜允明、施正權、施隆民、施德玉、柯平順、柯志祥、柯明傑、柯金虎、柯耀程、柳立偉、洪國梁、洪惟助、洪清一、洪順隆、洪嘉永、洪燕梅、洪麗玫、洪儷瑜、洪顯超、梁炳琨、胡衍南、胡森永、胡楚生、胡瀚平、范文芳、郎亞琴、韋金滿、倪鳴香、夏長樸、孫全文、孫淑柔、孫劍秋、徐守濤、徐玫瑩、徐信義、徐照麗、徐聖心、徐漢昌、徐福全、徐綺穗、浦忠成、翁徐得、翁福元、耿志堅、耿慧玲、耿慶梅、袁建中、袁國華、袁頌西、馬銘浩、高明士、高柏園、高美華、高淑清、高莉芬、高瑋謙、高懷民、尉遲淦、崔成宗、康世昌、康敏嵐、張子樟、張才興、張升鵬、張玉燕、張全成、張屏生、張恬君、張英傑、張哲郎、張家麟、張純櫻、張素貞、張啟超、張淳淳、張清泉、張清榮、張勝彥、張惠貞、張新仁、張榮興、張碧如、張端穗、張蓓蓓、張慧美、張賢哲、張曉生、張麗珠、張寶三、張繼文、張蘭石、曹玉琥、梁秋國、梁茂森、梁麗玲、符逸群、莊千慧、莊吉發、莊明中、莊雅州、莊耀郎、許又方、許文獻、許育光、許和捷、許長謨、許進雄、許瑞坤、許學仁、許麗芳、許鶴齡、連金發、郭大玄、郭廷立、郭明堂、郭芳忠、郭金美、郭冠廷、洪國雄、郭梨華、陳文印、陳文華、陳兆南、陳光政、陳光憲、陳妙如、陳孝銘、陳宏銘、陳志明、陳秀琪、陳坤祥、陳怡良、陳旺城、陳昱志、陳昌明、陳泓易、陳金木、陳亮光、陳俊宏、陳政揚、陳美蘭、陳茂仁、陳郁夫、陳哲三、陳娟珠、陳弱水、陳桂霞、陳海泓、陳起行、陳啟明、陳梅香、陳章錫、陳惠邦、陳欽忠、陳殿禮、陳溫菊、陳葆文、陳裕剛、陳鼓應、陳廖安、陳榮波、陳滿銘、陳睿宏、陳劍鍠、陳德和、陳慧玲、陳慶煌、陳器文、陳熾彬、陳錦釗、陳錫勇、陳錫琦、陳繁興、陳鴻森、陶玉璞、陶陶、傅榮珂、傅錫王、喬健、單文經、彭欽清、彭維杰、曾金承、曾春海、曾美雲、曾啟雄、曾淑瑜、曾進豐、曾榮華、曾慧佳、游志誠、游秀雲、賀瑞麟、馮永敏、馮承芝、馮朝霖、黃人傑、黃文吉、黃水雲、黃世輝、黃冬富、黃志民、黃沛榮、黃宗義、黃忠天、黃忠慎、黃明理、黃金文、黃俊威、黃浩然、黃純敏、黃國清、黃景進、黃隆民、黃雅莉、黃敬欽、黃瑞珍、黃運喜、黃銘智、黃錦鋐、黃靜吟、黃聲儀、塗璨琳、楊文金、楊文廣、楊玉成、楊秀芳、楊幸真、楊晉龍、楊祖漢、楊素姿、楊清田、楊雅惠、楊裕富、楊裕貿、楊儒賓、楊龍立、楊聰賢、溫明麗、萬家春、葉宗和、葉素玲、葉國良、葉瑞娟、葉靖雲、葉德明、葉鍵得、詹玉豔、詹海雲、詹勳國、鄒哲宗、雷家驥、雷僑雲、廖宏昌、廖美玉、廖國棟、廖晨惠、廖湘美、熊婉君、熊琬、管幸生、臧汀生、裴元領、趙中偉、趙可式、趙林、趙金祁、劉天增、劉文英、劉文強、劉自強、劉秀雪、劉良佑、劉明宗、劉明松、劉泳倫、劉俊蘭、劉紀蕙、劉苑如、劉振

學研究生,在學術研究上的協助、影響等等的貢獻,並沒有侷限在自家的「學派家族圈」內,當然也就更沒有變成所謂學術的「自體繁殖系統」了。雖然林先生指導的第二代研究生學位論文徵引的比例如此之低,但這1838位研究生的學術確實淵源於林先生,是以將之歸入林先生對臺灣學界間接影響貢獻的表現,應該不能算是不合情理的附會。

臺灣各大學的研究生與指導教授選擇或接受林先生著編成果協助的1199位研究生,並非全屬中文學科領域的範圍,觀察分析這些研究生畢業的學校科系,乃來自66所公私立大學的261個科系,[93]依據科系

維、劉素真、劉榮賢、劉瑩、樊中原、潘美月、潘英海、潘清芳、潘禠、潘麗珠、蔡仁厚、蔡仁惠、蔡友、蔡奇林、蔡宗陽、蔡宗德、蔡幸娟、蔡忠道、蔡彥仁、蔡美智、蔡振念、蔡根祥、蔡崇名、蔡淑昭、蔡珊鑫、蔡鴻江、蔡豐琪、蔣義斌、蔣嘯琴、諸葛正、鄧守信、鄭卜五、鄭永常、鄭玉卿、鄭志明、鄭定國、鄭勝耀、鄭靖時、鄭榮興、鄭德淵、鄭憲仁、鄭紫、鄭蕤、鄭錦全、鄭耀男、黎惟東、盧國屏、盧荷生、盧圓華、蕭水順、蕭宇超、蕭振邦、蕭登福、賴志超、賴美惠、賴貴三、龔宇純、戴文鋒、謝大寧、謝君直、謝明勳、謝臥龍、謝省民、謝海平、謝菁玉、謝寶泰、鍾有輝、韓獻博、韓耀隆、簡上仁、簡良平、簡宗梧、簡政珍、簡恩定、簡淑真、簡貴雀、簡錦松、顏昆陽、顏美娟、顏瑞芳、魏元珪、魏仲佑、魏俊華、魏惠娟、魏德驥、魏慧美、羅凡晸、羅文玲、羅克洲、羅宗濤、羅明通、羅肇錦、羅麗容、邊國維、蘇伊文、蘇育令、蘇宜芬、蘇建洲、蘇珊玉、釋依空(張滿足)、釋慧開、顧盼、顧理等。

93 包括:大同大學、大葉大學、中山大學、中央大學、中正大學、中原大學、中國醫大、中華大學、中華科大中興大學、元智大學、文化大學、世新大學、玄奘大學、交通大學、成功大學、佛光大學、亞洲大學、明道大學、東吳大學、東海大學、東華大學、花蓮教大、南華大學、南臺科大、屏東大學、屏東科大、政治大學、真理大學、高雄師大、高雄醫大、國防大學、康寧大學、淡江大學、清華大學、逢甲大學、朝陽科大、華梵大學、開南大學、雲林科大、勤益科大、新竹教大、嘉義大學、實踐大學、彰化師大、暨南大學、臺中科大、臺中教大、臺北市大、臺北科大、臺北教大、臺北藝大、臺東大學、臺南大學、臺南藝大、臺灣大學、臺灣科大、臺灣師大、臺灣藝大、輔仁大學、銘傳大學、稻江科大、樹德科大、靜宜大學、嶺東科大、聯合大學等。臺北市立大學、屏東大學、佛光人文社會學院等一類升格為大學者視為一校,唯花蓮師院、教大;新竹師院、教大等這類被併入他校者另計。再者261個科系,請參閱下述19個學科領域所列系所。

的性質，大致可將其歸納為19個學科領域，依照徵引論文數量多寡排列：（一）中文學科領域有895篇，[94]佔72.65%；（二）教育學科領域有78篇，[95]佔6.33%；（三）哲學學科領域有63篇，[96]佔5.11%；（四）歷史學科領域有45篇，[97]佔3.65%；（五）設計學科領域有37篇，[98]佔3.00%；（六）藝術學科領域有32篇，[99]佔2.60%；（七）音樂學科領域有13篇，[100]佔1.06%；（八）管理學科領域有12篇，[101]佔0.97%；（九）外文學科領域有8篇，[102]佔0.65%；（十）工業學科領域有7篇，[103]佔

94　包括：中國文學系所、華語文學系所、中國語文系所、文學系所、語文教育系所、語文與創作系、國文學系所、應用語言文學系所、應用中文系所、國學所、客家語文所、客家語言與傳播、語言所、民間文學所、經學所、漢學資料整理所、國語文教學所、臺灣文學所、臺灣語言與語文所、臺灣文化及語言文學所、兒童文學所等。

95　包括：教育系所、特教系所、幼教所、政策行政系所、成人教育所、國民教育所、技術職業所、課程教學所、家庭教育所、教育統計所、美術教學所、藝術教學所、身障教育所、行政評鑑所等。

96　包括：哲學系所、東方人文思想所、宗教系所、宗教與文化系所、生命學所、生死學所等。

97　包括：歷史系所、史學所、客家研究所、族群關係與文化所、東亞所、民俗藝術所、建築與文化資產所、臺灣文化所、歷史與文物所、歷史與地理系等。

98　包括：設計所、設計暨藝術所、數位媒體設計系、文化創意產業系、視覺傳達設計系、商業設計所、建築與都市設計所、創新設計所、媒材與設計系、建築與環境設計所等。

99　包括：藝術所、美術系所、媒體藝術系所、應用藝術所、舞蹈所、視覺藝術系、造形藝術所、美勞所、藝術教育與創作所、傳統藝術所、表演藝術所、書畫藝術系等。

100　包括：音樂系所、民族音樂所等。

101　包括：企業管理系、運動事業管理系、土木防災與管理所、美學與藝術管理所、休閒事業管理系、宗教文化與組織管理系、科技管理所、經營管理所、非營利組織管理所、休閒遊憩與旅運管理系等。

102　包括：外語系所、應用外語系、日語系等。

103　包括：工業設計系、工業科技教育系、工業設計技術所、機械工程系、工業產品設計所等。

0.57%；（十一）法律學科領域有7篇，[104]佔0.57%；（十二）政治學科
領域有7篇，[105]佔0.57%；（十三）資訊學科領域有6篇；[106]佔0.49%；
（十四）心理學科領域有6篇，[107]佔0.49%；（十五）社會學科領域有5
篇，[108]佔0.41%；（十六）商學學科領域有3篇，[109]佔0.24%；（十七）
數學學科領域有3篇，[110]佔0.24%；（十八）醫護學科領域共有3篇，[111]
佔0.24%；（十九）建築學科領域有2篇，[112]佔0.16%。若以現代學術總
體分類的角度進行分類，仔細考察前述19個學科範圍，大致可以區分
為5個學術分類：（一）人文學研究類：包括：中文學科、哲學學科、
歷史學科、外文學科、音樂學科、藝術學科等，總共1056篇，佔
85.71%。（二）社會科學類：包括：教育學科、商學學科、社會學
科、政治學科、法律學科、管理學科等，總共112篇，佔9.09%。
（三）數理科學類：包括：數學學科、心理學科等，總共9篇，佔
0.73%。（四）工程科學類：包括：建築學科、資訊學科、工業學科、
設計學科等，總共52篇，佔4.22%。（五）生命科學類：醫護學科3
篇，佔0.24%。以上即是徵引林先生著編學術成果的1199位研究生，
在學科與學術類別上分佈的實況。

　　選擇接受林先生學術成果的研究生，中文學科領域的學位論文佔
了七成多，其他學科領域的總和佔不到三成。就學科領域而論，林先

---

104 包括：法律系所、犯罪防治所、科技法律所等。
105 包括：政治系所、國際事務與戰略所等。
106 包括：資訊工程系、資訊傳播所、數位應用所、資訊管理系、圖書資訊系等。
107 包括：心理系所、教育心理與諮商系、教育心理與輔導系、輔導與諮商系所、人
　　類性學所等。
108 包括：社會系、性別所、社會發展系、社會與區域發展系等。
109 包括：商學所、商業設計系、國際企業所等。
110 包括：應用數學系、數理教育所等。
111 包括：藥學所、健康照護科學所、生活應用科學所等。
112 包括：建築系、建築藝術所等。

生對臺灣學術協助、傳承、影響等貢獻的範圍，主要以中文學科相關領域的研究生為大宗，但同時也影響貢獻於其他18個學科領域的研究生，可見林先生學術成果協助、影響的對象，並未受到林先生中文專業學科的限制，是以並未侷限在中文相關科系領域之內。再者選擇徵引林先生著編成果的學位論文，人文學研究類佔有八成以上，是以就學術類別區分而論，林先生學術協助、影響的主要對象，固然是人文學類的研究生，但其他社會科學、數理科學、工程科學、生命科學等類別的論文，同樣也佔有二成多的比例，顯示林先生的學術協助、傳承與影響等的貢獻，並不侷限於人文學類的研究生，其他學術類別的研究生，同樣受惠於林先生著編的學術研究成果。總體而論，林先生對臺灣學界的貢獻廣泛而多元，遠遠超出中文學科領域的限制，這是從「臺灣學術視野」觀察林先生指導研究生及學術成果被選擇徵引的實際應用表現後，最終獲得的結論性答案。

五　結論

　　臺灣中文學界的現代學術研究，肪於大陸先後渡海來臺的兩批學者，第一批來臺學者主要立足於臺灣大學的中文系，第二批來臺學者主要紮根於臺灣師範大學的國文系，並進而擴及政治大學與中國文化大學的中文系，這也就是一般中文學界熟知的臺灣中文學界「第一代學者」。由於臺灣師大國文系率先成立博士班，培養許多具備大學教師資格的國家博士，對臺灣中文學界的影響較為深遠。曾經擔任臺灣師大國文所所長，生前至少培育72位持續為臺灣中文學界服務人才的林尹先生，截至105學年度為止，對臺灣學界的影響、協助等學術貢獻的實情，經由前述的歸納分析之後，大致可以獲得下述幾項比較明確的說明。

　　首先，林尹先生從47學年度開始有指導的研究生畢業，直到72學年度，每年都有指導的研究生畢業。林先生在臺灣總共指導93位研究生完成100篇學位論文，包括博士論文72篇，碩士論文28篇。研究生來自臺灣師大、政治大學和中國文化大學等3校。100篇學位論文研究議題的範圍，包括：傳統經學、古典文學、思想研究、學術史、聲韻學、文字學、斠讎學、訓詁學、語言學、版本學等10個學科範圍，這些學科可歸入傳統四部分類中的經部、子部和集部。其中以傳統經學、古典文學、聲韻學等3個學科範圍的論文最多，從林先生指導研究生論文呈現的議題觀之，可知林先生雖專精卻未侷限於聲韻學的研究而已。

　　其次，林尹先生指導的93位研究生，有9位韓國留學生，2位來自香港，臺灣本地生為82位。臺灣本地生中有72位繼續留在學界服務，並有55位繼續指導研究生。林先生指導的這72位研究生，共同承接林先生的學術思想與精神，擔負起「接棒」傳播林先生學術的工作，尤其55位繼續指導研究生的學生，更進而構成林先生學術「薪傳」的網絡。這也就是林先生對臺灣學術發展有形與無形的協助、影響等的貢獻。

　　其三，林尹先生逝世14年後的86學年度，開始有研究生關注選擇徵引林先生的學術研究成果。截至105學年（2017年6月）總共有來自66所公私立大學261個科系1199位研究生完成的1232篇學位論文，選擇徵引林先生5本學術專門著作、15篇單篇論文、4部編輯整理文獻等學術成果為說。這就是林先生協助、影響臺灣學術發展的實際貢獻。至於林先生學術研究成果較受學界重視者，單篇論文以〈易經要略〉為最；專著與編輯以《文字學概說》為最，另外《中國聲韻學通論》、《新校正切宋本廣韻》、《中文大辭典》、《周禮今注今譯》、《訓詁學概要》、《中國學術思想大綱》等，也受到較多研究生的青睞。

　　其四，林尹先生指導而留在臺灣學界且繼續指導研究生的55位學者，總共指導完成1838篇學位論文，然僅149篇徵引林先生研究成果。臺灣各大學研究生選擇徵引林先生成果的1232篇論文，指導教授為林先生指導學生者149篇，其餘1083篇來自與林先生無直接關係，甚至毫無關係的602位指導教授。選擇徵引林先生學術成果的研究生，除中文學科領域外，還有來自包括人文學科、社會科學、數理科學、工程科學、生命科學等18個學術範圍的科系。從而可見林先生指導的研究生，並沒有維護師門的門戶之見，更沒有形成所謂「學派家族圈」。選擇接受林先生學術成果的指導教授與研究生，並未侷限在中文相關的系所。整體而言，林先生對臺灣學術發展的協助、影響的層面相當廣泛，受惠於林先生的研究生，涉及多個學科範圍，並沒有侷限在中文學界之內。

　　其五，本文探討臺灣中文現代學術研究第一代學者林尹先生對臺灣學界的影響貢獻，透過「外部研究」的「量化」實證方式，提供比較真實有效的歸納統計資料，用以說明並證明林先生對臺灣學術發展協助、影響的實況。最終所得成果當有助於較真實的了解林先生對臺灣學術貢獻的實情，同時提供臺灣學術相關研究者參考。這對林先生學術及「臺灣學」等的研究學者，當有部分實質的助益。

引導與典範：

王叔岷先生論著在臺灣地區學位論文的引述及意義探論*

一　前言

　　臺灣自1895年中日戰爭敗績，被滿清皇朝割讓給日本之後，直到
1945年10月陳儀（1883-1950）代表國民政府在臺北公會堂（中山
堂）接受日軍投降，總共有50年時間在日本帝國的統治之下。日本統
治臺灣的這段期間，正是「明治維新」以後，日本各界大力推展各項
改革，進而達成現代化的重要時期，於是也為臺灣帶來許多與傳統中
國截然不同的新制度，其中尤其以國民義務教育學制的改變，以及專
科、學院與大學的設立，更是有別於傳統中國的教育制度，在這種源
於西方的教育制度之下，現代化的學術研究於焉展開。然而這些臺灣
早期的現代學術研究，卻在國民政府接收臺灣之後，由於日本學者回
國，使用語言文字的不同，以及社會和政治的動盪，因此無論學術研
究或學術人才的培養，都沒有能夠延續下去，民國以來臺灣的現代學
術研究與學術，尤其是人文方面的研究與人才，整體而言與日本時代
的教育和學術關係不大甚至無關，反而與中國大陸「新文化運動」以

---

* 此文發表於2014年5月24日臺灣大學中文系主辦的「王叔岷先生百歲冥誕國際學術
　研討會」，係科技單位通過的「二十世紀臺灣詩經學研究」（NSC 98-2410-H-001-
　079-MY3）專題研究計畫項下的成果，感謝科技單位提供經費與人力的協助。還有
　發表之前學長洪國樑教授的教導指正，發表之際與會學者及會後不具名審查學者提
　供的睿見，使本文得以免除某些認知上的訛誤，謹此致謝。

來培育的學術人才關係密切。[1]

　　在這些由大陸來臺開創臺灣現代學術研究與教育的諸多學者中，生長於四川成都龍泉驛洛帶鎮，幼習詩書，長而喜讀《莊子》、《史記》、《陶淵明集》等，1935年就讀四川大學中文系，1940年入北京大學文科研究所受教於傅斯年先生（1896-1950），1943年獲碩士學位，並留任史語所助理研究員，1948年跟隨中研院歷史語言研究所播遷臺灣，1949年起即任教於臺灣大學中文系，開創「斠讎學」和「莊子」等課程，1984年退休，直到1997年完全結束課堂教學工作，[2]引領臺灣斠讎學與《莊子》學研究與教學五十年，並在古籍斠讎上取得輝煌成就的王叔岷老師（1914-2008），自是其中非常值得重視的一員，王老師雖然中間有16年在新加坡與馬來亞的大學任教，然而論及二十世紀以來影響臺灣學術界，並對臺灣學術教育卓有貢獻的重要學者，相信多數人都會贊成王老師確實是其中的佼佼者，然而若問王老師對臺灣學術界實際的影響狀況如何？則對王老師教學上的貢獻，以及王老師在學術專業上的優質表現，中文學界的相關研究者應該都能侃侃而談；但若詢及王老師在學術研究上實質的影響，以及到底影響了哪些方面的研究者？恐怕很少人能夠確實且有效的回答清楚。筆者正是居於肯認王老師學術研究成果對臺灣學術貢獻及影響的事實，且有感於大家（包括我自己）對王老師的學術影響，多數都僅止於主觀感覺想像的狀態，竟無法舉出比較有效例證為說的遺憾，因而在科技單位研究計畫項下，設計了此一研究議題，希望可以有效揭露王老師影響臺

1　有關臺灣光復後學術的發展和大陸播遷臺灣學者之間的關聯，請參閱楊晉龍：〈臺灣近五十年詩經學研究概述（1949-1998）〉，《漢學研究通訊》第20卷第3期（2001年8月），頁28-50；楊晉龍：〈開關引導與典律：論屈萬里與臺灣詩經學研究環境的生成〉，本書頁1-48等兩文的相關討論。

2　臺灣大學中國文學系編：《臺灣大學中國文學系系史稿》（臺北：臺灣大學中國文學系，2002），頁14-頁152。僅說「結束課堂教學」，因為老師雖不到教室上課，卻依然可以到史語所傳圖二樓老師的研究室請教問題。

灣學術界的實情，讓大家（包括我自己）可以更深入了解王老師對臺灣學術界影響的真實狀況。

以王老師在學術研究上的地位，當然很早就有人注意王老師的學術成就與貢獻，國學大師錢穆先生（1895-1990）在1951年出版的《莊子纂箋》中，即謂王老師的《莊子校釋》與劉文典（1889-1958）《莊子補正》「為近人對莊書校勘之最詳備者」，且還比較兩書而有王老師之書「用力尤勤」的稱美；同時還實際引述61條王老師的研究成果，[3] 可見錢先生的稱美是根據事實的發言。其後除了祝賀王老師榮獲「行政院文化獎」召開學術會議而收錄發表論文的《王叔岷先生學術成就與薪傳研討會論文集》，[4] 必然有探討王老師學術成就的論文外，其他則還有劉德漢先生和陳恆嵩著作目錄的蒐輯，[5] 目的也都是

3　錢穆先生：《莊子纂箋》（香港：東南印務出版社，1955增訂版），〈序目〉頁6。引述王老師研究成果者，見正文：頁13、30、33、40、44、48、54、58、60、64、76、89（二例）、103、112、114、118、119、131、142、143、144、145、146、149、154、155、174、175、178、180、181、183、190、194、195、202、216、218、219、221、223、230（二例）、239、240（三例）、248、254（三例）、255、258、265、270、274、277（二例）、278、279（二例）等61處。

4　王老師由於在學術上的成就及對臺灣學術界的重大貢獻，在2001年榮獲「文化獎」，臺大中文系因此在90年6月和文建會合辦「王叔岷先生學術成就與薪傳研討會」，論文後來輯為《王叔岷先生學術成就與薪傳研討會論文集》（臺北：臺灣大學中國文學系，2001）一書。收文21篇加附錄共23篇，其中頁1-45收錄李隆獻學長：〈王叔岷先生的左傳研究〉、頁47-88收錄洪國樑學長：〈王叔岷先生古籍虛字廣義對經傳釋詞一系虛字研究著述的繼承和發展〉、頁349-366收錄陳昌明學長：〈感性與才性的論述脈絡──王叔岷先生鍾嶸詩品箋證稿申論〉、頁511-513收錄王靖宇老師：〈我和王叔岷先生〉、頁515-518收錄方瑜老師：〈王叔岷老師的「莊子」課〉等文，由於此書係專門探討王老師「學術成就與薪傳」而召開，其中收錄有探討王老師學術成就之文理所當然，故不列入討論。感謝學長洪國樑教授的提醒指正。還有更早為王老師祝壽而出版，王叔岷先生八十壽慶論文集編輯委員會主編：《王叔岷先生八十壽慶論文集》（臺北：大安出版社，1993）一書，收文49篇，頁1003-1025有陳恆嵩編：〈王叔岷教授著作目錄〉一文。

5　劉德漢：〈中華民國文史界學人著作目錄〉，《書目季刊》第6卷第1期（1971年9月），頁61-74及〈中華民國文史界學人著作目錄──王叔岷、弓英德〉，《中國書目

在稱揚推廣王老師學術前提下而做的工作。至如鍾彩鈞、馬德五、王爾敏，以及胡開全、鄭良樹老師或任繼愈、肖伊緋等的介紹或懷念文章，[6]不僅注意到王老師高尚的道德人格與純情的性格，同時也都述及王老師對學術界諸多方面的貢獻。除這些介紹與懷念性的文章外，李振興探討王老師在古書虛字上「尚無法找出第二人」的成就，以及王老師判定郭象《莊子注》「參以己見」且因「以自成其說」的事實，有效的駁正流俗所謂剽竊向秀之書的訛說；還有王老師在「假借」字研究上的貢獻，經由實證研究而肯定《列子》之價值等方面的成就與貢獻。[7]亞菁比較全面性的述及王老師斠讎學的內容及其發明及貢獻。[8]張健先生和王發國、曾明等則肯定王老師在鍾嶸《詩品》校

季刊》第15卷第1期（1981年6月），頁158-164；謂王老師「精研子書及斠讎學」，共整理收錄專書6部、單篇論文69篇。最後是陳恆嵩：〈王叔岷先生主要著作目錄〉，《中研院歷史語言研究所集刊》第74本第4分（2003年12月），頁765-781；收錄專書25部、詩集8部、單篇論文244篇。

6　鍾彩鈞：〈王叔岷先生學行簡述〉，《中國文哲研究通訊》第1卷第3期（1991年9月），頁79-100，介紹王老師的學行；馬德五：〈江河水廣自涓涓——悼念王叔岷恩師〉，《傳記文學》第94卷第1期（2009年1月），頁116-121，記錄和王老師的交往及感恩之情；王爾敏：〈悼念國學大師王叔岷夫子〉，《傳記文學》第95卷第2期（2009年8月），頁117-129，全面性介紹王老師的學行與學術成就；胡開全：〈校讎名家洛帶鄉賢——歷史語言學家王叔岷先生事略〉，《成都大學學報（社會科學版）》2012年第6期，頁40-43、頁67，介紹王老師的學經歷與學術成就；鄭良樹老師：〈王叔岷教授與新、馬〉，《書目季刊》第35卷第3期（2001年12月），頁1-7，介紹說明王老師在南洋的教學活動與著述；李靜採訪編寫：〈才性超逸校讎大家——任繼愈談王叔岷〉，《中華讀書報》第5版（2007年8月22日），任繼愈回憶追述王老師與傅斯年先生的關係及學術成就；肖伊緋：〈劉文典落選中研院始末——兼及王叔岷〈評劉文典《莊子補正》〉〉，《中華讀書報》第14版（2013年06月26日），評論比較王老師與劉文典在《莊子》校勘上功力的高下。

7　李振興：〈〔王叔岷著〕「古書虛字新義」評介〉，《書評書目》第84期（1980年4月），頁69-72；李振興：〈細說王叔岷教授的「郭象莊子注校記」——兼述他的「列子補正」〉，《孔孟月刊》第34卷第4期（1995年2月），頁47-49。

8　亞菁：〈談王叔岷教授的「斠讎學」〉，《東方雜誌》第23卷第4期（1989年10月），頁72-75。

勘上的收穫。[9]謝明陽、張百文、陳玟諭、羅彥民、包兆會、吳小玲、顧雯等等，[10]則或引述或評論而贊同王老師在《莊子》、斠讎與思想研究上的成果。楊之嫻述及王老師在《世說新語》評注上的貢獻。[11]姚蔓嬪探討王老師詩作表現的思想內容與意義。[12]這些研究討論當然都顯示了王老師在學術上的成就與某部分的影響，但並未能提供王老師在臺灣學術界實際「應用」上較全面性的了解，本文因此乃在吸收前述成果的基礎上，更進一步探討王老師在臺灣學術界實質「應用」影響的情況。

　　王老師除了學術專業成就受到相關學者的肯定之外，因為曾在臺灣大學中文系開課，也曾在馬來亞大學、新加坡南洋大學及國立新加坡大學等校任教，還到美國哈佛大學訪問研究一年，學生因此遍及海內外，這可以從臺灣《書目季刊》特別發行的「王叔岷教授八秩慶壽專號」中，書寫專文為王老師祝壽的學生輩，包括有臺灣、香港、新加坡、馬來亞的學者，以及美國的蘇德愷（Kidder Smith）等而獲得

9　張健：〈評介王叔岷先生《鍾嶸詩品箋證稿》〉，《中國文哲研究通訊》第2卷第2期（1992年6月），頁116-118；王發國、曾明：〈水流花放老樹春深──評王叔岷《鍾嶸詩品箋證稿》〉，《文學遺產》1996年3期，頁18-22。

10　謝明陽：〈王叔岷《莊子校詮》勝義舉隅〉，《臺大中文學報》第28期（2008年6月），頁197-229；張百文：《《莊子》和諧觀》（高雄：高雄師範大學經學研究所碩士論文，2009），頁29-33；陳玟諭：《《莊子》層遞修辭研究》（臺北：東吳大學中文研究所碩士論文，2013），頁33-34；羅彥民：〈莊學史上的里程碑──論王叔岷《莊子校詮》的學術價值〉，《內江師範學院學報》第25卷第5期（2010年），頁25-27；包兆會：〈二十世紀莊子研究的回顧與反思〉，《文藝理論研究》2003年第2期，頁30-39；吳小玲：《王叔岷《莊子校釋》訂補稿》（上海：華東師範大學中國語言文學系碩士論文，2006）；顧雯：《王叔岷莊學思想研究》（上海：華東師範大學中國語言文學系碩士論文，2013）等。

11　楊之嫻：《《世說新語》歷代重要評注的比較研究》（臺北：臺北大學古典文獻學研究所碩士論文，2011），頁320-342。

12　姚蔓嬪：《戰後臺灣古典詩發展考述》（臺北：臺灣師範大學國文研究所博士論文，2013），頁115-118。

證明。[13]可知王老師無論在學術上與教學上，原就屬於國際級的大學者，因此若要討論王老師的貢獻與影響，似乎應該擴及全世界，至少王老師曾經任教過的新加坡與馬來亞地區應納入考慮。不過基於篇幅的限制，以及實際操作的可能性，還有筆者主要關心的對象，故而此文僅選擇筆者生於斯長於斯的臺灣地區進行觀察，不僅南洋地區不納入考慮，甚至大陸和香港地區也排除在外，以便更集中探討王老師對臺灣地區學術實質的影響狀況，因而可以加深了解王老師對臺灣學術界貢獻的實情。

此文係立基於「外部研究」的角度，探討王叔岷老師實質影響臺灣學術界的狀況。[14]研究將透過筆者基於追求經學「致用」而以學術論著實際引述應用表現為根據，設計建構的「傳播研究」方式進行探討。[15]將以臺北（臺灣）圖書館「臺灣博碩士論文知識加值系統」為

---

13 王德毅：〈王叔岷教授八秩慶壽專號作者簡介〉，《書目季刊》第27卷第4期（1994年3月），頁3-7。再如美國著名漢學家海陶瑋（JamesRobert Hightower）在其《陶潛詩集》譯本的〈導言〉中，提到他翻譯陶淵明詩文時，得到王老師甚多的指點。見田晉芳：《中外現代陶淵明接受之研究》（上海：復旦大學比較文學與世界文學博士論文，2010），頁45所述。

14 誠如不具名審查學者所言，透過統計引述表現影響實情的「外部研究」，確實無法有效揭露「涉及對全篇文章思想觀念的影響」的實情，同時這部分也確實有深入探討的必要。不過筆者這個「外部研究」的設計，實際上是受到王叔岷老師「不要急著發表論文，要研究沒有爭議的問題」之教訓而有。當初的設計本就不以「可能具有爭議」的「思想觀念」的研究為對象，「外部研究」設計之初，實際上就已隱含有補充或確認「思想觀念」研究成果，或做為「內部研究」的基礎等目的，這也就是「外部研究」和「思想觀念」等一類「內部研究」的關係，謹此說明。「外部研究」存在的闕漏，果然瞞不過審查學者銳利的學術眼光。此文雖無法按照審查學者的提醒而增補，但特別感謝審查學者提出質疑的睿見，讓筆者有機會說明「外部研究」的內容與目的及存在的闕漏。

15 有關「傳播研究」的方式，請參閱楊晉龍：〈論《埤雅》及其在宋代《詩經》專著中的傳播〉，《中國學術年刊（春季號）》第35期（2013年03月），頁25-62的相關說明。

主，[16]同時參考「師範校院聯合博碩士論文系統」，[17]這兩個網站收錄的45學年度到101學年度（1956.07-2013.06）學位論文為對象，搜尋統計這段時間完成的學位論文，引述王老師論著為說的實況，並歸納分析引述王老師論著的表現狀況，藉以彰顯王叔岷老師在臺灣學術界的那些學科及那些研究科目中，受到重視且確實有所影響。學術界正式發表的研究成果，一般可以分為：會議論文、期刊論文、學位論文、升等論文、學術專著、學術論文集等六大類，照說若要探討王老師對臺灣整體學術的影響實況，當該統整分析前述六類研究成果引述的狀況，不過基於操作上實際存在的困難，因此僅能選擇其中較具指標性的項目做為研究分析的基準。筆者同意張高評教授「學位論文和開授課程，十分密切相關，這就左右了個別教師的研究領域和方向，期刊論文和專著的發表也就以個人專業為範疇。如果指導碩士博士論文，選題趨向，也不可能距離指導教授的專長太遠。因此，考察……研究的概況，執簡馭繁之道，鎖定碩士博士學位論文，則思過半矣」的觀點，[18]因而選擇學位論文做為研究分析的對象。研究進行的程序，除這一節說明研究緣由的「序言」之外，以下將分三節進行研究：首先搜尋歸納45-101學年度，總共57年臺灣研究生學位論文引述王老師論著的實際表現；接著歸納分析這些引述表現的內涵及其在學術影響上的狀況；最後則統合前述所得研究成果，分析探討這些成果背後的意義與研究上的價值。

---

16 網址為：http://ndltd.ncl.edu.tw/cgi-bin/gs32/gsweb.cgi/ccd=Gi.tic/webmge?Geticket=1。

17 網址為：http://140.122.127.247/cgi-bin/gs/gsweb.cgi?o=d1。

18 張高評：〈唐宋文學研究概況〉，龔鵬程師主編：《五十年來的中國文學研究》（臺北：臺灣學生書局，2001），頁180。

二　王老師論著與學位論文引述狀況考實

　　王老師一生勤於著述，除詩作及回憶性等可歸入文學創作的書籍9部之外，出版的學術性專書24部、單篇論文245篇，論文扣除非學術性及收入專書者外，實際出版的單篇學術論文有52篇。[19]歸納王老師論著涉及的學科屬性，若依《四庫全書總目》的分類，則屬「經部」者有：《尚書》、《左傳》、《論語》、《孟子》、斠讎學、「虛字研究」等。屬「史部」者有：《晏子春秋》、《史記》、《漢書》等。屬「子部」者有：《老子》、《莊子》、《列子》、《文子》、《管子》、《墨子》、《慎子》、《鶡冠子》、《荀子》、《韓非子》、《商君書》、《申子》、《呂氏春秋》、《淮南子》、《列仙傳》、《劉子》（北齊劉晝）、《顏氏家訓》、《世說新語》、《中說》（隋代王通）及先秦道法思想等。屬「集部」者有：陶淵明詩、《文心雕龍》、《詩品》、謝靈運詩、左思詩、曹植詩、林逋詩、《紅樓夢》等。[20]王老師論著涉及人物或著作的時間斷

19　參考陳恆嵩：〈王叔岷先生主要著作目錄〉；「〈中研院歷史語言研究所簡介〉」所列
　　著作目錄：http://www2.ihp.sinica.edu.tw/staffProfile.php?TM=3&M=1&uid=97；〈臺
　　灣大學中國文學系簡介〉：http://www.cl.ntu.edu.tw/people/bio.php?PID=146#personal_
　　writing等。若依《王叔岷著作集》（北京：中華書局，2007）之編排，則因將《斠
　　讎別錄》附入《斠讎學》；將《慕廬演講稿》、《慕廬雜著》、《慕廬雜稿》、《世說新
　　語補正》、《文心雕龍綴補》、《顏氏家訓斠注》、《呂氏春秋校補》等合編為《慕廬論
　　學集》一部，學術著作僅有13部。王老師另有〈讀《紅樓夢》札記一則〉，《（南
　　京）中央日報》，1947年5月5日第9版《文史週刊》第40期；〈讀《莊》論叢〉，《道
　　家文化研究》第10輯（1996）；〈《淮南子》引《莊》舉偶〉，《道家文化研究》第14
　　輯（1998）等三文，前述目錄皆漏收。
20　案：「古籍虛字」的研究屬「訓詁學」的內容，故列入「經部」。「思想」內容的研
　　究，固屬於「子部」的範圍。再者此文原據《四庫全書總目·通志提要》所謂「校
　　讎、圖譜、金石，乃藝文之子目」之文，見〔清〕永瑢等編，王伯祥斷句：《四庫
　　全書總目》（北京：中華書局，1965），卷50，頁448。將「斠讎學」列入「集部」，
　　然據審查者提供之睿見，此當係筆者誤解《四庫全書總目》之用意而出現的訛誤，

限，除宋代林逋和《紅樓夢》之外，研究的主要對象以隋朝以前之人
為主，故王老師論著研究的主要對象在時間上可歸納為「意在隋代以
前，不落唐朝之後」。這是王老師著作的內容屬性及研究對象所屬時
代狀況。

　　臺灣地區大學中文研究所最早獲頒碩士學位者，當是臺灣大學中
文研究所1955年畢業的羅錦堂和杜其容先生等兩位。至於王老師指導
的研究生，最早畢業的是1958年獲得碩士學位的施珂和王貴苓，最晚
畢業的是1995年獲得博士學位的趙飛鵬。王老師在臺灣總共指導碩士
生14位、博士生4位，唯其中于大成先生和鄭良樹老師博碩士論文均
請王老師指導，王老師實際指導的研究生因此為16位。[21] 討論學位論
文引述的實況時，這16位學生的引述理所當然，因而不列入分析討
論。然其中金嘉錫老師、周富美老師、于大成先生、丁邦新老師、劉
德漢先生、李正治、趙飛鵬等，均長期在臺灣的大學任教，同時也指
導研究生；鄭良樹老師曾短期在臺大客座；鄒麗燕曾在嘉義的吳鳳工
專任教，這應可歸入王老師為臺灣培育學術教育人才的部分，唯此非
本文探討之焦點，故略而不論。

「斠讎學」實應列入「經部」，今依審查者之意見改正，以下之統計亦因此而改
變，謹此致謝。

21 查考臺灣大學中文系和臺灣師範大學國文系等兩處的「歷年博碩士論文」目次，發
現王老師在臺灣指導的研究生，除于大成先生的博士學位在臺灣師大國文研究所取
得外，其他全在臺灣大學中文研究所取得。王老師指導的碩士生取得學位者有：施
珂（1958）、王貴苓（1958）、金嘉錫老師（1959）、周富美老師（1959）、麥文郁
（1959）、孫玨（1960）、于大成先生（1961）、丁邦新先生（1962）、田宗堯（1963）、
鄭良樹老師（1966）、劉德漢先生（1967）、倪瑞琪（1967）、楊衛中（1968）、鄒麗
燕（1983）等。指導的博士生取得學位者有：鄭良樹老師（1970）、于大成先生
（1970）、李正治學長（1989）、趙飛鵬（1995）等。臺大中文系「『博士』畢業論
文目錄」中，列林保淳學長博論的指導教授是王老師，當是誤列，保淳學長博論的
指導教授是吳宏一老師。

　　本文首先以「王叔岷」為詞，進入「臺灣博碩士論文加值系統」和「師範校院聯合博碩士論文系統」搜尋，發現除了王老師的著作外，另有掛名王老師編輯的書，[22]以及標列王老師名諱的書，[23]還有祝賀王老師壽慶與學術成就的論文集，[24]甚至有誤將他人著作掛在王老師名下者，[25]本文在剔除這類非王老師論著的書籍，以及將書名與篇名訛誤或不同書名者統一或糾正後，[26]根據前述兩個搜尋網站的收

22 這是指掛名王老師編輯：《類書薈編》（臺北：藝文印書館，1968）收錄的著作。許婷：《晏幾道離別詞研究》（臺北：臺灣師範大學國文研究所碩士論文，2003）、馬上雲：《澎湖法教普唵派儀式音樂之研究》（臺北：臺灣師範大學音樂學系碩士論文，2009）……等等，均將《太平廣記》歸入王老師名下。

23 王叔岷等著：《世說新語的文學價值》（臺北：天一出版社，1991）。引述者見：高幼蘋：《魏晉尚情風潮與名士之生死觀》（臺北：臺灣師範大學國文研究所碩士論文，2010）等。

24 這是指王叔岷先生八十壽慶論文集編輯委員會主編：《王叔岷先生八十壽慶論文集》；臺灣大學中國文學系編：《王叔岷先生學術成就與薪傳論文集》等兩書。引述者見：程俊源：《臺灣閩南語鼻音之共時性質與歷史演變研究》（臺北：臺灣師範大學國文研究所碩士論文，1999）、紀志昌：《兩晉佛教居士研究》（臺北：臺灣大學中文研究所博士論文，2004）等等。

25 例如誤將徐富昌學長的《睡虎地秦簡研究》歸入王老師名下，引述者見許秀霞：《《左傳》職官考述》（臺北：臺灣師範大學國文研究所碩士論文，1999）；洪欣怡：《元代漢人贅婚研究》（新竹：國立清華大學歷史研究所碩士論文，2009）等等。

26 引用王老師論著的書名、篇名不同或訛誤者：「陶淵明飲酒詩第五首箋證」作「陶淵明詩的飲酒詩第五集箋證」；「論司馬遷所了解之老子」中之「了解」作「瞭解」；「論司馬遷述慎到、申不害及韓非之學」或缺「及」字，或作「司馬遷論慎到、申不害與韓非之學」；「論莊子之齊物觀」或缺「之」字；「古籍虛字新義」或作「古書虛字新義」；「史記斠證」或作「史記斛證」；「左傳考校」或作「左傳校考」；「先秦道法思想講稿」或作「先秦道法講稿」、「先秦道家思想講義」、「先秦道法思想論稿」、「先秦道法思想講義」等；「列仙傳校箋」或作「列仙傳」、「列仙傳箋校」；「莊子校詮」或作「莊子校銓」、「莊子校註」、「莊子校證」、「莊子註」等；「莊學管闚」或作「莊學管見」、「莊子管闚」、「莊學管窺」、「莊子管窺」等；「郭象莊子注校記」或作「郭象莊子注校註」；「陶淵明詩箋證稿」或作「陶淵明詩箋証稿」；「慕廬憶往」或作「慕盧憶往」；「慕廬雜稿」或作「草廬雜稿」；「慕廬餘詠」

錄，獲得的初步結果如下：最早引述王老師論著的學位論文，係61學年度臺灣師範大學國文研究所許世瑛教授指導的余若昭碩士，論文是《列子語法探究》。其次是67學年度臺灣師範大學國文研究所高明老師和林尹先生指導的張文彬博士，論文是《高郵王氏父子學記》；以及中國文化大學中文研究所許錟輝教授指導的康全誠碩士，論文是：《史記五帝本紀輯證》。再其次是68學年度高雄師範學院國文研究所林耀曾先生指導的楊日出碩士，論文是《莊子天下篇研究》。接著是71學年度中國文化大學中文研究所金榮華先生指導的林志孟碩士，論文是《世說新語人物考》等，這五篇論文全出自中文相關系所的研究生，[27]這是最早期學位論文引述王老師論著的概況。

臺灣地區學位論文開始較大量引述王老師的論著，要從87學年度開始，相對於之前僅有五篇零星的引述，從87學年開始的引述顯得相當熱列，從此以後學位論文引述王老師論著變成常態性作為。根據搜尋統計學位論文實際引述的表現如下：（一）87學年度引述王老師論著者37篇，出自中文相關系所24篇、哲學相關系所10篇、[28]歷史所3篇。（二）88學年度引述王老師論著者39篇，出自中文相關系所29篇、哲學相關系所6篇、歷史所4篇。（三）89學年度引述王老師論著者31篇，出自中文相關系所25篇、哲學相關系所3篇、政治所2篇、教育所1篇。（四）90學年度引述王老師論著者29篇，出自中文相關系所25篇、哲學相關系所3篇、藝術相關系所1篇。[29]（五）91學年度引述王

或作「慕盧雜詠」；「諸子斠證」或作「諸子斠正」；「鍾嶸詩品箋證稿」或作「鍾嶸詩品箋証稿」、「鍾嶸詩品證稿」；「顏氏家訓斠注」或作「顏氏家訓斠補」等。

27 「中文相關系所」包括：中文所、國文所、文獻所、漢學資料所、經學所、文化資源所、民間文學所、臺文所、漢學所等。

28 「哲學相關系所」包括：哲研所、東方人文思想所、宗教所、佛教系、生死學研究所等。

29 「藝術相關系所」包括：藝術所、美術所、應用設計所等。

老師論著者42篇，出自中文相關系所33篇、哲學相關系所6篇、歷史所1篇、教育所1篇、藝術相關系所1篇。（六）92學年度引述王老師論著者41篇，出自中文相關系所33篇、哲學相關系所7篇、歷史所1篇。（七）93學年度引述王老師論著者60篇，出自中文相關系所48篇、哲學相關系所7篇、教育所2篇、藝術相關系所2篇、政治所1篇。（八）94學年度引述王老師論著者72篇，出自中文相關系所53篇、哲學相關系所15篇、歷史所3篇、藝術相關系所1篇。（九）95學年度引述王老師論著者55篇，出自中文相關系所46篇、哲學相關系所5篇、歷史所2篇、教育所1篇、藝術相關系所1篇。（十）96學年度引述王老師論著者81篇，出自中文相關系所57篇、哲學相關系所22篇、歷史所2篇。（十一）97學年度引述王老師論著者88篇，出自中文相關系所67篇、哲學相關系所13篇、歷史所6篇、教育所1篇、藝術相關系所1篇。（十二）98學年度引述王老師論著者92篇，出自中文相關系所80篇、哲學相關系所8篇、歷史所3篇、政治所1篇。（十三）99學年度引述王老師論著者59篇，出自中文相關系所44篇、哲學相關系所13篇、歷史所1篇、政治所1篇。（十四）100學年度引述王老師論著者88篇，出自中文相關系所66篇、哲學相關系所19篇、歷史所1篇、教育所1篇、藝術相關系所1篇。（十五）101學年度引述王老師論著者70篇，出自中文相關系所47篇、哲學相關系所14篇、歷史所3篇、[30]教育所2篇、政治所1篇、藝術相關系所3篇。基於方便觀察之故，因表列如下：

---

30 其中一篇來自「東亞系」，以其學科性質相近，故歸入「歷史所」。

45-101 學年度學位論文引述王老師著作統計表

系所＼學年度	中文相關系所	哲學相關系所	藝術相關系所	歷史所	教育所	政治所	總篇數
61	01	0	0	0	0	0	01
67	02	0	0	0	0	0	02
68	01	0	0	0	0	0	01
71	01	0	0	0	0	0	01
87	24	10	0	03	0	0	37
88	29	06	0	04	0	0	39
89	25	03	0	0	01	02	31
90	25	03	01	0	0	0	29
91	33	06	01	01	01	0	42
92	33	07	0	01	0	0	41
93	48	07	02	0	02	01	60
94	53	15	01	03	0	0	72
95	46	05	01	02	01	0	55
96	57	22	0	02	0	0	81
97	67	13	01	06	01	0	88
98	80	08	0	03	0	01	92
99	44	13	0	01	0	01	59
100	66	19	01	01	01	0	88
101	47	14	03	03	02	01	70
總數	682	151	11	30	09	06	889

經由實際的搜尋統計，可知臺灣自1972年開始即有學位論文引述王老師的論著，唯在1997年之前，引述的狀況較為少見，僅有5篇論文引

述。1998年開始即呈現較為熱烈的狀況，這種熱烈引述的情形且從此成為常態，截至2013年止的15年期間，總共有884位研究生引述王老師的論著，平均每年有將近60位研究生在學位論文中引述王老師的論著，這當然也就是表示這些研究生，在研究及寫作過程中受惠於王老師的論著。以下即探討受惠研究生的系所及其論文研究內容的概況，以見王老師論著對臺灣學術研究的實質影響。

三　學位論文內容與引述論著分析

　　王老師的學術對臺灣那些學科的研究產生實質的影響，大致可以根據王老師論著被引述應用的狀況獲得答案。根據前述實證性的歸納統計，可知臺灣地區大學研究生學位論文引述王老師論著的科系，至少有中文、哲學、歷史、教育、政治、藝術等六系所，這就表示王老師的學術影響的範圍，至少包含這六個系所。若依據引述的數量區分，則王老師對中文系所的影響貢獻最大，對哲學相關系所的影響與貢獻也相當大，對歷史系所的影響稍弱。至於藝術相關系所、教育系所和政治系所的影響較為普通。但由於傳統中國學術有文史哲不分家的基本認知，因此王老師對這三類系所有較大的學術影響，當可了解。但除此之外居然也對藝術相關系所、教育系所和政治系所等非文科的系所產生影響，從而可知王老師在學術上的影響與貢獻，已經跨越學科的限制，超出文學院系所的範圍，直接影響及於藝術與社會科學的研究者，這也就是王老師對臺灣地區大學學科研究影響貢獻的實質表現。

　　王老師對臺灣學術研究影響的範圍確定之後，接著探討王老師影響貢獻的是何種研究內容的論文。歸納前述889篇學位論文研究議題的內涵，大致可以分為：文學、哲學、經學、史學和其他等五大類。

以下即根據這五大類進行較為細部的分析。（一）文學類可以再細分為4類：（1）陶淵明研究25篇；[31]（2）《文心雕龍》研究12篇；[32]（3）蘇軾研究12篇；[33]（4）一般文學藝術研究239篇。[34]總共有288

---

31 涉及陶淵明研究者：（1）哲學所：鄭宜玫、陳毓譓。（2）教育所：廖宮凰。（3）中文所：游顯惠、黃菁芬、莊達特、王雅華、王維鈴、李珮慈、李嘉林、林瑞真、林靜美、陳萱蔓、江婉瑜、林昭毅、陳國恩、黃巧妮、梁貽婷、郭凱文、葉佩蓉、張仙娟、劉金菊、陳燕玲、李清筠、陳麗足等的學位論文。

32 涉及《文心雕龍》研究者：卓國浚（碩博論均是）、黃端陽、張裕鑫、林明生、簡良如、陳忠源、林家宏、黃承達、蘇忠誠、黃素卿、蔡琳琳等中文所的學位論文。

33 涉及蘇軾研究者：楊珮琪、辛佩芳、江佳芳、崔在赫、楊雅貴、吳建成、李百容、洪麟瑩、張曉月、陳敬雯、楊茹惠、李鴻玫等中文所的學位論文。

34 涉及一般文學研究者：（1）哲學所：廖曼盧、黃淑基、謝承恩、謝金安、黃偉倫（碩博均是）、王銘惠。（2）歷史所：易慶和。（3）藝術所：許瑞林、李婉甄、周起、陳政鴻、徐維沁、卓卿祐、姜映荷。（4）中文所：蔡欣純、張怡婷、蘇奕瑋、李欣錫、柳惠英（碩博均是）、徐亞萍、張美櫻、張森富、張紫君、曾守正、李宜涯、李賢珠、沈凡玉（碩博均是）、張明冠、陳思穎、黃捷榕、劉麗敏、蔡寶琴、黎滔泉、簡貴雀、李宜學（碩博均是）、林美清、林晉士、林國旭、涂佩鈴（碩博均是）、崔宇錫、張滿足、陳文生、陳俊生、陳啟仁、潘麗琳、魏君滿、方峻、何映涵、吳翊良、李紫琳、辛曉芬、林妙玲、唐維珍、張百裕、張俐盈、張家豪、曾昭榕、黃喬弘、賴信宏、王志中、成育瑩、何美諭、吳亞澤、李芳蓓、林秋蓉、張美鳳、張娣明、曹平佳、莊川輝、陳明群、陸穗璉、黃懷寧、劉素君、劉凱玲、歐天發、蕭淑芬、賴思妤、魏芝君、羅志仲、蘇晏玲、王秀如、吳星瑩、吳雅萍、李宗原、李東勳、卓淑惠、林威宇、林梅英、祁立峰（碩博均是）、胡雪紅、莊明鳳、許銘全、陳（竹靖）如、陳珈吟、傅仕欣、游瑟玟、葉柏奕、蔡淑溫、蕭慶春、蘇鴻彬、龔寶仁、王秋傑、張哲愿、張麗敏、郭姿秀、馮秀娟、楊淑美、葉淑慧、歐純純、賴靜玫、戴士媛、顏素足、王照華、朱錦雄、何維綱、吳美玲、杜郁文、周淑茹、林恬慧、姚蔓嬪、秋讚鎬、高明蕙、曾郁翔、黃馨卉、楊君儀、劉蓉櫻、蔡美端、鄭淑玲、賴恆毅、白以文、朱英勝、侯配晴、高莉莉、張麗琴、許雯喻、許聖和、陳玉妮、陳春滿、陳秋宏、陶玉璞、彭靖純、曾人口、童明昌、李知灝、金昭希、侯杰錩、賴文君、簡文志、顏芳美、石宜仙、余佳韻、邱志城、洪怡姿、張惠雯、張智昌、陳忠業、陳怡樺、陳恬儀、陳玲瑩、陳瑞成、曾雪梅、黃莘瑜、楊一中、詹蕙林、蕭家怡、蕭豐庭、吳品著、呂素端、李遠志、林育翠、徐千雯、張天錫、黃繼立、廖啟宏、蔣淨玉、鄭色幸、鄭垣玲（碩博均是）、吳晉安、李麗玲、林昀佑、武春白楊、邱昱錡、胡淑貞（碩博均是）、范凱婷、許瑜玫、陳

篇學位論文。（二）哲學類可以再細分為19類：（1）《吳子》研究1篇；（2）《鶡冠子》研究1篇；（3）《尹文子》研究1篇；（4）《慎子》研究1篇；（5）《顏氏家訓》研究3篇；（6）《劉子》研究3篇；（7）《列子》研究4篇；[35]（8）《管子》研究5篇；（9）《呂氏春秋》研究5篇；（10）《淮南子》研究5篇；（11）《荀子》研究6篇；（12）佛教相關研究8篇；[36]（13）黃老之學相關研究11篇；（14）道教相關研究14篇；[37]（15）《韓非子》研究16篇；（16）《世說新語》研究16篇；[38]（17）

秋宏、陳新怡、黃思萍、楊昇翰、廖千慧、廖怡雅、鄭榆纁、蕭聿孜、賴富娟、謝紫琳、蘇千懿、呂怡倫、林孜曄、張碧純、莊淳斌、郭穎宜、陳富美、曾彥玲、曾曼亘、黃鈺玲、楊寶蓮、劉若緹、劉麗雲、鄭育昀、簡誌宏、魏鈴珠、李文鈺、范玉君、黃明誠、黃婉甄、蔡宇蕙、蔡叔珍、盧鴻志、關曼君、周宜梅、施幸汝、紀千惠、孫中峰、孫雅芳、張正良、陳溫如、陳鈴美、陳蔚瑄、黃東陽、黃惠萍、朴成圭等的學位論文。

35 自《吳子》到《列子》的研究者：蔡昀華（教育所）。陳盈全（政治所）。陳日青（中文所）。陳淑筠（中文所）。哲學所：洪富吉、許月馨；中文所：李政勳。中文所：王薇寧、張雅華、莊淑萍。中文所：陳婉菡、黃翔、蔡政翰、余若昭等的學位論文。

36 自《管子》到「佛教」的研究者：（1）哲學所：李玫芳、馬耘；（2）政治所：林煒勛；（3）中文所：巫夢虹、劉智妙。（4）中文所：李如蘋、張芸芸、陳建竹、陳一弘、黃靖媛。（5）哲學所：黃玉麟。（6）中文所：王進長、邱美慧、楊婉羚、王璟。（7）哲學所：范家榮；（8）中文所：田富美、伍振勳、李瑩瑜、楊涵茹、劉育秀。（9）哲學所：王興煥、載綉娟（釋如圓）；（10）歷史所：何亞宜；（11）中文所：林美伶（釋堅融）、林紫榆、張晉閣、鍾慧如、韓子峰等學位論文。

37 「黃老之學」研究者：（1）哲學所：蘇明輝、陳政揚。（2）歷史所：劉文星。（3）中文所：王璟、李慶豪、朱麒璋、陳俊龍、楊芳華、楊宗哲、鄭國瑞、鍾宗憲。「道教」研究者：（1）哲所所：阮正霖、張栩芳、陳榮子。（2）歷史所：蔡宗憲、李龢書。（3）中文所：徐育敏、許鴻傳、林慧真、張億平、陳麗華、陳峻誌、傅苡嫙、張超然、林庭宇等的學位論文。

38 涉及《韓非子》研究者：（1）哲學所：邱黃海。（2）中文所：吳天玓、林敬倫、許薾君、管力吾、吳益祥、林淑琪、張靜雯、許嫚真、郭名浚、陳伯适、陳玲玉、陳容韶、陳穎萱、曾叔瓊、黃信彰。涉及《世說新語》研究者：中文所：楊之嫻、吳牧雲、劉智文、吳郁音、許國賓、彭建平、吳勝男、李佳玲、施易汝、鄭嵐心、洪芸青、詹靜怡、曾文樑、溫鈺芬、蔡美蘭、林志孟等的學位論文。

《老子》研究27篇；[39]（18）一般性思想研究82篇；[40]（19）《莊子》相關研究235篇，[41]以上總共444篇學位論文。（三）經學類研究，包

---

39 涉及《老子》研究者：（1）哲學所：何聰明、汪翠梅、林怡妏、馮秀瑛、莊曉蓉、林士哲。（2）政治所：張盈秋。（3）中文所：陳俊名、白曉儒、陳彥廷、孫德瓊、陳慧娟、陳裕蘭、陳慧娟、沈智偉、張仕帆、張禹鴻、董立民、林瑤伶、陳育民、黃昱章、張琬瑩、龍熙平、林婉菁、張鴻愷、卓伯翰、楊翠玲等的學位論文。

40 涉及一般性思想研究者：（1）哲學所：李建興、鍾隆琛、陳德興、黃冠禎、吳玓瑾、張榮洲、陳佩君、李韶堯、蔡宗叡、劉振維、林明照、王照坤、陳維浩。（2）歷史所：林郁翔、黃申如、趙潤昌、沈曉柔、劉芝慶、游逸飛。（3）中文所：孔令宜、吳聯益、陳柏光、曾黃英娣、黃筱君、方俠文、林妘鴻、林勝彩、陳昭銘、黃美樺、黃森茂、蘇秋旭、金貞姬、紀志昌、王龍風、蔡金昌、白崢勇（碩博均是）、張瑞麟、許尤娜、沈素因、張江潘、許惠敏、陳弘學、陳姿夬、陳財能、陳麒仰、黃繼立、蔡文彥、朱介國、何戚萱、洪然升、紀喬蓓、陳建全、陳靜容、黃士恆、羅千蕙、何家仁、涂月珍、許棋淵、陳宏怡、陳姿吟、黃南競、謝志祥、蘇達明、吳肇嘉、卓伯翰、彭婉蕙、謝文琪、李忠達、張筑婷、陳嬿卉、洪景潭、曾敬宗、鄭富春、易天任、林耀椿、郭啟傳、楊翠玲、馬行誼、陳錦湧、鄭文僑、楊靜宜、林妏錡、高翊軒等的學位論文。

41 涉及《莊子》研究者：（1）哲學所：江培詩、李信宮、周詠盛、邱芫婷、涂宜伶、陳香錡、黃子春、黃鴻達、趙敏芝、鄧新恭、鄭云嘉、巴喬、汪淑麗、田若屏、姚天瑜、洪嘉琳、洪榮燦、黃嘉正、王寶惠、徐千洲、歐崇敬、沈佳靜、倪淑娟、馬耘、許雅芳、楊智惠、劉香蓉、林明照、王秀蕙、李元耀、李彥邦、李惠菁、李慧敏、戚禎砡、陳美珠、陳惠敏、陳靜美、陶中強、馮鳳儀、楊家榮、楊燕玲、廖秀惠、潘寧馨、蔣淑珍、魏家豪、林淑文、蕭美齡、張哲挺、楊子翱、鍾倍祺、謝章義、韓京惠、王采淇、王淑姿、沈雅惠、林元通、林芸年、陳文彬、陳月嬌、楊秀士、鄭媛心、鄭鈞瑋、賴美鳳、王秋月、張金枝、張修文、張景明、郭月貴、陳美枒、黃朝和、黃雅岑、蔡影娜、鄭宜玟、賴慧娟、簡淑惠、吳松坡、王敘安、李菊英、沈麗娟、林修德、柯鳳仙、張開昭、傅瑩鈞、鍾芳姿、鍾耀寧、釋會雲、吳建明、柳桂粉、徐舜彥、陳奕孜、謝煥良、韓京、林鈺清、邱茂波、張云瑛、張妙兒、陳政揚、高君和、鄭鈞瑋、施維禮、張木生、郭芳如、蔡妙坤、蘇何誠、方連祥、李寶龍。（2）歷史所：林學儀。（3）藝術所：黃巧惠、黃潔莉。（4）教育所：劉一靜、陳貴珍、陳淑君、田若屏、吳皇毅、李崗、詹皓宇。（5）政治所：金登懋、洪巳軒、李宜航。（6）中文所：陳慧君、陳逸珊、陳毅綸、李雅嵐、周翊雯、蕭慧雯、錢炤穎、余姒倩、吳雅琳、呂軼倫、林世賢、林柏宏、林鈞桓、胡筱嵐、徐思琦、張郁涵、張尉聖、莊敦榮、陸怡蒨、廖怡嘉、劉燕遂、蔡岳璋、鄭雅文、

括：（1）《十三經》及「緯書」等專書研究有36篇；[42]（2）「斠讎研究」有22篇。[43]經學類研究總共58篇。（四）史學類研究可細分為：（1）《晏子春秋》研究4篇；（2）一般歷史研究27篇；[44]（3）《史記》研究34篇。[45]史學類的研究總共65篇。（五）其他類研究可分為5小

蘇韋菱、李宗蓓、林育慶、劉原池、謝明陽、鍾竹連、方雅慧、戎谷裕美子、李介立、李忠一、許嫚佳、陳琇敏、曾家麒、塗淑珠、聶雅婷、王雅暄、沈明謙、林瑞龍、柳學芳、袁崇晏、張晏菁、張慧英、彭啟峰、劉芷瑋、李博威、林宜蓉、張伯宇、許雪雯、許雅淇、楊穎詩、溫彥南、王萬得、李懿純、沈婉霖、梁欣凱、陳玟諭、陳奕靜、覃友群、黃美琦、江毓奇、吳肇嘉、李佳諭、李杰憲、林蘭育、張百文、許明珠、劉書羽、潘嘉卿、蔡嘉云、王櫻芬、周昊秋、姜聲調、陳錦湧、董錦燕、朱玉玲、李懿純、姚彥淇、張瑋儀、鄭柏彰、曾紫萍、曾馨儀、黃瑞珠、鄭雪花、蕭裕民、吳曉珊、林秀春、黃素嬌、楊鳳燕、蕭安佐、戴碧燕、謝君萍、龔玫瑾、沈素因、施依吾、陳盈慧、陳達昌、蕭世楓、賴麗玉、錢奕華、林文淑、林秀香、邱惠聆、孫吉志、許明珠、陳琪薇、陳雅真、黃憶佳、蘇慧萍、尤富生、周雅清、柯雪華、張恪華、楊日出等的學位論文。

42 涉及經學研究者：（1）哲學所：劉冠良、陳秀美。（2）藝術所：曾麗丹。（3）中文所：何柏崧、余其濬、李美娟、吳佩薰、洪博昇、黃千純、吳傑夫、劉玉華、朴榮雨、李瑋如、林家如、陳致宏、葉純芳、林惟仁、鄭雯馨、鍾哲宇、魏千鈞、邱惠芬、洪春音、劉定頤、謝明憲、高佩菁、陳秀玉、蔣宜倫、蘇琬鈞、張于忻、許書齊、劉秀蘭、張書豪、陳撫耕、謝奇懿、郭雅婷、陳仕侗等的學位論文。

43 中文所：王麗雅、李盈萱、李蘇和、林啟新、邱麗玟、唐嘉蓮、翁敏修、張文彬、張晏瑞、許育菁、陳怡如、陳姞淨（博碩士皆是）、陳茂松、陳逸軒、黃秀燕、黃怡慈、黃書益、劉健海、劉雅芬、鍾哲宇、顏世鉉等。

44 涉及《晏子春秋》研究者：（1）中文所：林心欣、林怡伶、郭欣怡、薛淑英。涉及一般歷史研究者：（1）哲學所：傅幼冲；（2）歷史所：廖宜方、羅士傑、譚傳賢、金仕起、陳金城、呂允在、呂世浩、徐雅琳、施威宇、楊典岳、方碧玉；（3）中文所：蘇德昌、施穗鈺、李玉珍、李姍瑾、陳炫瑋、傅美蓉、孫懿凡、羅大維、林建聰、侯建州、林慧雲、沈宗霖、徐彩琪、黃偉修、吳心怡等的學位論文。

45 涉及《史記》研究者：（1）歷史所：莊宇清、劉俊男、李鎮倫。（2）中文所：金利湜、王玉潔、郭瓊瑜、王越、林慧君、麻愛琪、周淑真、廖信全、李孟緯、吳璧如、陳雅萍、李敏瑋、林宗昱、林淑真、林靜妮、金春燕、楊庭懿、林冠嫻、林雅琪、姚柏丞、郭世明、黃羽詵、蔡佩如、黃家揚、林雅真、紀漢民、張智欣、魏聰祺、鄧金城、金利湜、康全誠等的學位論文。

類：（1）書法研究4篇；（2）教育教學研究5篇；（3）醫療研究5篇；
（4）藏書出版研究5篇；[46]（5）目錄研究15篇。[47]其他類總共有34篇。

　　歸納前述五大類的論文篇數，若依據數量多寡排列，則「思想類」444篇最多，其次「文學類」288篇，接著「史學類」65篇、「經學類」58篇、「其他類」34篇。前述的統計顯示了王老師在學術研究範圍內影響與貢獻的強弱之別，思想類的論文影響最強，經學類的影響則較弱。若再根據細部的分類，觀察專門人物、學科與書籍的研究，則超過20篇論文引述者的狀況如下：《莊子》235篇、《史記》34篇、《老子》27篇、「陶淵明」25篇、「斠讎」22篇等；超過10篇者有《韓非子》16篇、《世說新語》16篇、「道教」14篇、《文心雕龍》12篇、「蘇軾」12篇、「黃老之學」11篇等。細部分類下的論文篇數，顯示王老師在特定學科內容上的影響與貢獻，很明顯王老師在《莊子》學、《史記》、《老子》、「陶淵明」、「斠讎學」等的研究上，具有較高的影響與貢獻。

　　王老師論著對專門學科影響的深度，可以統計45-101學年度在特定學科的學位論文，引述王老師論著篇數所佔比例的高低而了解，若依前述《四庫全書總目》四部分類的排列方式觀察：（一）史部：（1）研究《晏子春秋》的學位論文總共6篇，引述王老師論著者佔67%（弱）；（2）以「史記」為標題者總共165篇，引述王老師論著者佔20%（弱）。（二）子部；（1）研究《劉子》者總共3篇，引述王老

46　涉及「書法」研究者：（1）藝術所：蔡佩融；（2）中文所：洪然升、陳重羽、黃智溶。涉及「教育教學」研究者：中文所：許幸惠、陳錦雲、黃瓊真、林姿君、柯志宏。涉及「醫療」研究者：（1）歷史所：皮國立、李建民；（2）中文所：劉孝聖、孫世民、謝慧芬。涉及「藏書出版」研究者：（1）歷史所：陳冠至（碩博均是）；（2）中文所：陳靜怡、黃千修、許媛婷等學位論文。

47　中文所：丁吉茂、林錦榮、施璇蓉、孫守真、高佑仁、張佩慧、陳仕華、陳立安、陳志峰、陳英梅、陳茂仁、黃育翎、黃武智、楊志圍、詹吉翔等。

師論著者佔100%；（2）研究《尹文子》者僅1篇，引述王老師論著者佔100%；（3）以「莊子」和「莊周」為學位論文標題者總共有432篇，引述王老師論著的論文佔全部論文的54%（強）；（4）研究《顏氏家訓》者總共6篇，引述王老師論著者佔50%；（5）以「黃老之學」為標題者總共29篇，引述王老師論著者佔38%（弱）；（6）研究《鶡冠子》者總共3篇，引述王老師論著者佔33%（強）；（7）研究《慎子》者總共3篇，引述王老師論著者佔33%（強）；（8）研究《吳子》者總共4篇，引述王老師論著者佔25%；（9）以「世說新語」為標題者總共65篇，引述王老師論著者佔25%（弱）；（10）研究《呂氏春秋》者總共21篇，引述王老師論著者佔24%（弱）；（11）研究《淮南子》者總共25篇，引述王老師論著者佔20%；（12）研究《列子》者總共23篇，引述王老師論著者佔17%（強）；（13）研究《管子》者總共35篇，引述王老師論著者佔14%（強）；（14）以「韓非」為標題者總共118篇，引述王老師論著者佔14%（弱）；（15）以「老子」為標題者總共244篇，引述王老師論著者佔11%（強）；（16）研究《荀子》者總共155篇，引述王老師論著者佔4%（弱）。（三）集部：（1）以「陶淵明」或「陶潛」為標題者總共42篇，引述王老師論著者佔60%（弱）；（2）以「文心雕龍」為標題者總共55篇，引述王老師論著者佔22%（弱）；（3）以「蘇軾」或「蘇東坡」為標題者總共160篇，引述王老師論著者佔8%（弱）。若依照比例多寡的狀況而論，則依次排列當為：《劉子》、《尹文子》、《晏子春秋》、「陶淵明」、《莊子》、《顏氏家訓》、「黃老之學」、《慎子》、《鶡冠子》、《吳子》、《世說新語》、《呂氏春秋》、《文心雕龍》、《史記》、《淮南子》、《列子》、《管子》、《韓非子》、《老子》、「蘇軾」、《荀子》等範圍的研究。

依據研究範圍與內容分成5大類32小類的學位論文，觀察研究生隸屬的系所狀況，除「中文相關系所」32小類均有涉及之外，其他四

個研究所涉及的狀況如下：（一）哲學相關系所涉及的研究內容：「一般文學藝術研究」6篇、「陶淵明研究」2篇、《莊子》學研究107篇、「一般性思想研究」13篇、「經學類研究」2篇、「一般歷史研究」1篇、《老子》研究6篇、「黃老之學研究」2篇、《韓非子》研究1篇、《荀子》研究1篇、《管子》研究2篇、《淮南子》研究1篇、《顏氏家訓》研究2篇、「佛教研究」2篇、「道教研究」3篇等。（二）歷史所涉及的研究內容：「一般文學藝術研究」1篇、《莊子》學研究1篇、「一般性思想研究」6篇、《史記》研究3篇、「一般歷史研究」11篇、「黃老之學研究」1篇、「佛教研究」1篇、「道教研究」2篇、「藏書出版」2篇、「醫療研究」2篇等。（三）藝術相關系所涉及的研究內容：「一般文學藝術研究」7篇、《莊子》學研究2篇、「經學類研究」1篇、「書法研究」1篇等。（四）教育所涉及的研究內容：「陶淵明研究」1篇、《莊子》學研究7篇、《吳子》研究1篇等。（五）政治所涉及的研究內容：《莊子》學研究3篇、《老子》研究1篇、《管子》研究1篇、《鶡冠子》研究1篇等。

　　綜合本小節前述歸納分析的結果，依據六個不同學科研究所學位論文引述王老師論著篇數實況，以及相對於專門學科全部論文所佔比例，製成下表：

不同系所的引述明細表

名稱	中文所	哲學所	歷史所	藝術所	教育所	政治所	45-101	87-101
尹文子	01	0	0	0	0	0	100%	100%
劉子	03	0	0	0	0	0	100%	100%
晏子春秋	04	0	0	0	0	0	67%	80%
陶淵明	22	02	0	0	01	0	60%	76%
莊子	115	107	01	02	07	03	54%	74%

名稱	中文所	哲學所	歷史所	藝術所	教育所	政治所	45-101	87-101
顏氏家訓	01	02	0	0	0	0	50%	60%
黃老之學	08	02	01	0	0	0	38%	48%
慎子	01	0	0	0	0	0	33%	50%
鶡冠子	0	0	0	0	0	01	33%	50%
吳子	0	0	0	0	01	0	25%	25%
世說新語	16	0	0	0	0	0	25%	32%
呂氏春秋	05	0	0	0	0	0	24%	36%
文心雕龍	12	0	0	0	0	0	22%	33%
淮南子	04	01	0	0	0	0	20%	45%
史記	31	0	03	0	0	0	20%	25%
列子	04	0	0	0	0	0	17%	22%
管子	02	02	0	0	0	01	14%	23%
韓非子	15	01	0	0	0	0	14%	22%
老子	20	06	0	0	0	01	11%	15%
蘇軾	12	0	0	0	0	0	8%	10%
荀子	05	01	0	0	0	0	4%	6%
經學類	55	02	0	01	0	0	★	★
書法類	03	0	0	01	0	0	★	★
醫療類	03	0	02	0	0	0	★	★
藏書出版類	03	0	02	0	0	0	★	★
佛教類	05	02	01	0	0	0	★	★
道教類	09	03	02	0	0	0	★	★
一般思想類	63	13	06	0	0	0	★	★
一般歷史類	15	01	11	0	0	0	★	★

名稱	中文所	哲學所	歷史所	藝術所	教育所	政治所	45-101	87-101
文學藝術類	225	06	01	07	0	0	★	★
教育教學類	05	0	0	0	0	0	★	★
目錄類	15	0	0	0	0	0	★	★
總數	682	151	30	11	09	06	889	★

根據此表顯示的狀況，若依照《四庫全書總目》四部的分類觀之，則可見王老師在「子部」（思想類）研究上的影響與貢獻最大，至少有十一項研究內容的學位論文，五分之一以上研究生引述王老師的論著為說，較冷門的研究對象不計，即使像《莊子》這類頗受重視的熱門研究對象，竟也有高達一半以上的學位論文引述王老師的研究成果為證，王老師在《莊子》學上的地位由此可知。「史部」（歷史類）中探討《史記》和《晏子春秋》的研究生，亦有超過五分之一的論文受惠於王老師的論著；「集部」（文學類）涉及「陶淵明」、《文心雕龍》與《世說新語》等三項內容的研究，同樣有高達五分之一以上的論文引述王老師論著，尤其研究「陶淵明」的論文，竟有高達六成引述王老師的論著，由此可見王老師在臺灣「陶淵明研究」上的學術地位了。以上比例係從45學年開始算起的論文總數，然而王老師論著真正被臺灣研究生習慣性引入學位論文，實際是在87學年度以後，若僅計算87學年度以後，則其比例相對提昇如另一格所見，其中「陶淵明研究」與《莊子》研究的論文，受惠於王老師論著者更高達七成以上。透過前述實際觀察的整理分析，當能更深入了解王老師對臺灣學術研究實質影響與貢獻的狀況了。

　　然則45-101學年度引述王老師論著的889篇學位論文，到底引述了哪些王老師的論著？王老師的論著中何者最受臺灣學術界的青睞呢？根據實際的閱讀統計，這些學位論文的「參考引用書目」總共出

現王老師論著1212篇次，平均每本學位論文引述王老師論著1.4篇次。引述的單篇論文35篇103次、學術專著25種1097次、詩文創作9部12次。唯單篇論文有25篇已收入專書，扣除這些收入專書的論文，則單篇論文實際引述有10篇30次，學術專書依然是25種，但引述次數增為1170次，詩文創作則未變。以下即根據引述的實況製成表格，以方便觀察，首先是單篇論文引述的情況：

引述王老師單篇論文狀況

篇名	發表時間	引述篇數
論校古書之方法與態度	1951	01
司馬遷與黃老	1981	15
論莊子所了解的孔子	1987	01
論「今本莊子乃魏晉間人觀念所定」	1988	04
鍾嶸《詩品》概論	1991	02
鍾嶸《詩品箋證稿・小序》	1991	01
八斗才	1992	01
《呂氏春秋》引用《莊子》舉正	1996	02
讀《莊》論叢	1996	01
《淮南子》引《莊》舉偶	1998	02

就研究的內容而論，這10篇論文中有5篇與《莊子》相關，3篇與六朝文學相關，1篇與「黃老之學」相關，1篇和「斠讎學」相關。就學位論文引述的篇數而論，則引述「黃老之學」者最多，《莊子》學者其次。再者引述學術專書的狀況如下：

引述王老師學術專著狀況

書名	初版時間	引述篇數
莊子校釋	1947	52
列子補正	1948	04
呂氏春秋校補	1950	04
郭象莊子注校記	1950	24
斠讎學	1959	33
劉子集證	1961	06
顏氏家訓斠注	1964	09
諸子斠證	1964	33
陶淵明詩箋證稿	1975	61
世說新語補正	1975	19
文心雕龍綴補	1975	10
莊學管闚	1978	165
古籍虛字新義	1978	06
慕廬演講稿	1981	02
史記斠證	1983	39
校讎別錄	1987	06
慕廬雜著	1988	15
莊子校詮	1988	274
古籍虛字廣義	1990	08
鍾嶸詩品箋證稿	1992	155
先秦道法思想講稿	1992	123
列仙傳校箋	1995	76
左傳考校	1998	11

書名	初版時間	引述篇數
慕廬雜稿	2001	34
慕廬論學集	2007	01

就學位論文引述書籍的表現而論，雖然引述的篇數多寡不一，但王老師出版的學術專書，每部都有引述者，可見王老師學術專書受到全面性注意的狀況。若就引述專著涉及的內容而論，王老師研究《莊子》相關的書籍，被515篇學位論文引述數量最多。除了較早期出版的《莊子校釋》、《陶淵明詩箋證稿》和《莊學管闚》等書，受到較多的關注外；像《莊子校詮》、《鍾嶸詩品箋證稿》、《先秦道法思想講稿》和《列仙傳校箋》等，出版的時間雖較後，但顯然受到研究生的特別關注，引述的篇數因此也特別多。

　　王老師的文學創作，雖與此文影響臺灣學術研究的關係不大，但卻是了解王老師思想的重要證據，學位論文引述的實際表現如下：

引述王老師詩文創作狀況

書名	初版時間	引述篇數
南園雜詠	1981	01
舊莊新詠	1985	01
寄情吟	1990	01
倚紅小詠	1992	01
論詩別錄	1993	01
落落吟	1993	01
慕廬憶往	1993	02
隨感吟	1997	01
慕廬餘詠	2001	03

學位論文中以姚蔓嬪的《戰後臺灣古典詩發展考述》的引述最多，主要是因為研究主題之故，該文引述了《南園雜詠》、《舊莊新詠》、《寄情吟》、《倚紅小詠》、《落落吟》、《論詩別錄》、《隨感吟》，《慕廬餘詠》等8部書，藉以探討王老師的文學寫作技巧及其中表現的思想，最後以「至情疏淡」總括性的評論了王老師的詩作。

　　觀察以上的引述實情，王老師文學創作的部分不計，僅就王老師的學術論著而論，則學位論文總共有1200篇次的引述，若以前文依《四庫全書總目》的四部分類觀之，則「經部」有64篇次的引述；「史部」有39篇次的引述；「子部」有791篇次的引述；「集部」有306篇次的引述。則可知王老師對45-101學年度學位論文的影響與貢獻程度，以「子部」為最大，「集部」次之，「經部」再次之，對「史部」的影響較小。

四　結論

　　研究生或學者等研究者引述他人論著為說的積極性或消極性標準，至今為止並沒有相關的研究成果可資參考，故而研究者隱藏在心中的引述篩選標準確實無法得知，但可以合理的進行推測。就一般性的狀況而論，能夠進入研究者選擇引述的選項中，論文性質具有相關性當然是個絕對必要的條件，另外也必然是研究者熟悉且認為需要甚至是重要到非要不可的論著，這兩個引述的前提要件，就牽涉到控制出版論著與研究者寫作論文時選擇引述連結功能的條件，這些具備連結出版論著與研究者論文寫作連結的條件，就研究生而言至少可以包括：教師的提示、同學的提供、研究者的閱聽蒐集（專業出版目錄、相關論著引述、學術會議聽聞）等等，不過這些具備橋樑位置功能的條件，主要僅是把相關訊息傳達給研究生，將本來不相干的雙方建立

起連結關係，並不必然成為研究生選擇引述的對象。研究生在選擇引述之先，當然還會以是否符合論文需要？是否能提高或增強論文品質？這些有助於提昇論文學術價值的條件為優先考慮。在正常情況下研究生的引述，必然會以是否屬於最恰當、最合宜的學術表現，做為論文引述選擇考慮的要件，這個「恰當合宜」選擇的背後，當然隱含著研究生或同意引述的教師們對該被引述論著的評價與期待，甚至還可能是學術界典範價值的期待。[48]

　　綜合學界的一般性共識，以及閱讀「慣習」的作用，則影響研究者引述篩選的考慮，大致可以歸納為下述五項：（一）文化的內容：是否為學術史上公認經典權威的典範論著？（二）文本的內容：是否與研究議題內容直接相關的論著？（三）歷史的內容：是否為當代學術界共認且流行，因而具有一般閱讀共識的論著？即某個學科客觀上必然會介紹或規定修課學生閱讀的論著。（四）經驗的內容：是否符合研究者認定需要的論著？即研究者主觀認定有價值的重要論著。（五）敘述的內容：是否符合論文敘述需要的論著？即合乎論文在表述某個觀點時需要的引述。[49]這五項條件大約是一般研究者引述對象是否「恰當合宜」時，隱藏在心中的主要考慮條件。符合這五項條件者，研究者在寫作行文之際，即有可能加以引述。引述行為在學術上的意義，主要涉及的是對引述對象學術地位與該引述論著學術價值的肯定與信任，就學術論文引述功能與對象而論，除一般「歷史性」文獻回顧的介紹說明之外，在正文中增強論文品質或加強證據效力的引

---

48 以上分析借助「婚配模式」中「介紹人」腳色的討論。此分析觀點受惠於巫麗雪、葉秀珍、蔡瑞明等：〈遇見另一半：教育婚配過程中的介紹人與接觸場合〉，《臺灣社會學》第26期（2013年12月），頁147-190的討論，不敢掠美，謹此致謝。

49 較詳細的論述，請參閱楊晉龍：〈經學對通俗文學的滲透：論《西遊記》的「引經據典」〉，《漢學研究》第28卷第3期（2010年9月），頁87所言。

述對象，理想上應該都是屬於在學術上有一定地位與價值的作者或論著，[50]因此學術引述對寫作者而言，當然就具有鞏固並提昇論文品質與價值的功能。

王老師的學術論著會被不同科系的889篇學位論文引述，當然是因為具備有前述五項條件的某些需求之故。即使沒有完全符合前述的五項條件，引述王老師論著的研究生，至少也必須聽聞過王老師這位學者及其研究的專業；同時還得經其指導教授和口考教師的承認，就是說學位論文引述王老師的論著，必須是研究生與該學科的教師們一致同意王老師在某類學科研究上的權威地位，否則研究生就不可能選擇和被允許引述王老師的論著進入其論文中，從而可知王老師在臺灣學術界確實聲名卓著，否則也就不可能除了任教的中文系所學位論文外，還擴及哲學所、歷史所、藝術所、教育所，甚至政治所的學位論文。這些不同科系學位論文的實際引述，顯示了王老師某方面學術權威的地位，此一學術權威地位至少受到臺灣地區大學中六個系所師生的共同承認。

然則王老師在這六個系所師生的心目中，到底在哪方面具備學術權威的地位呢？經由前述實際引述表現的實證式考察，應該已經提供了較為具體的證據。除了開創「斠讎學」（校勘學）課程無所置疑的

---

50 就論文寫作過程必然存在的引述網絡中，誰引述誰或多或少是一種學術地位（status）的展現，學者的德行、才能及關係，雖能加深研究者的印象，但學術引述考慮的主要還是研究成果和學術地位，學術地位高、成果優異的研究者，自然較具學術引述的吸引力，因此在學術引述的選擇上，較高的「學術權威」與較優的「學術成果」仍舊是學術界最受讚揚與最被彰顯的價值，一般研究生在整個學術體系的共同形塑下，自然會認同這種價值，並以這個認同的價值內涵做為選擇引述最重要的標準，學術引述因此必然是一種「階層式」的配對關係，反映了被引述者居於學術上較高階層的地位。這個分析觀點受惠於張明宜、吳齊般：〈友誼網絡中誰的獲益更多：青少年友誼網絡與學業成就的動態分析〉，《臺灣社會學》第26期（2013年12月），頁97-146的討論，尤其頁130-137的相關分析，謹此致謝。

貢獻之外，若以前述《四庫全書總目》的傳統學術分類為準，則根據
前述分析探討的結果，確實有效證明了王老師在「子部」與「集部」
的研究上，具有絕對重要的權威地位。若就單一專門學科的研究來
看，那麼《莊子》的研究成果和「陶淵明」的研究成果，應該是臺灣
學術界公認的學術權威，這當然也就是王老師對臺灣學術影響貢獻最
大的部分，這是根據前述學位論文引述實際表現獲得的最後結果，雖
然並沒有超出學界一般性的共同認知，但經由這樣實證性研究的證
實，則從此以後即使是同樣的讚美，當然也就具有不同的意義與價
值，這應該是個無庸置疑的事實。

　　此文原初設計的目的，乃是基於對王叔岷老師學術成就一般印象
式稱美可能較缺乏說服力之故，因而想要以實證的方式，證明王老師
對臺灣學術界的實質性影響與貢獻之處，經由前述較為微觀式的論證
分析與說明，王老師對臺灣學術界實質影響與貢獻的情況，應該已經
非常明朗，此文當已達成原初設計研究的要求目標。至於此文的研究
成果，相信對於關心王老師學術成就與貢獻，以及關心臺灣學術發展
的研究者，可以提供某些比較可信而具有實證價值的答案；同時對於
「臺灣學」的研究者，應該也具有相同的意義與價值，這或者也是此
文寫作的意義與價值所在。

皓首窮經的陳槃庵先生
與臺灣地區學術關係簡論[*]

一 前言

　　臺灣地區的傳統學術自是從十七世紀的明鄭時代方才開始，接受歐美學界現代式的學術研究，當是從二十世紀的1928年日本時代設立臺北帝國大學開始。不過在二戰結束後，國民黨政府接收臺灣的1945年以後，這兩方面的成果並未能延續。當今臺灣現代式的傳統學術研究，實際上是由大陸渡臺學者所建立，尤其是1949年以後，隨國民黨敗退而遷居臺灣的學者，更是建構現代臺灣傳統學術研究的主力軍。

　　大陸渡臺學者對臺灣中文學術研究的創建與引導，具有無可爭議的地位，龔鵬程師曾將在大學系統內教導學生的渡臺學者，稱之為「中文第一代學者」，並將之區分為兩個系統。[1]不過陳槃先生（1905-1999）在大學任教的時間短暫，因之並未成為教育學界關注的對象。雖然先生學術活動主要都在於中研院，但先生的學術研究成果，確實對學界具有相當重大的貢獻，且1939年以後先生的學術活動與研究成

*　本文初稿〈皓首窮經：陳槃庵先生介述〉之撰寫及書目彙整過程中，渥蒙　中研院歷史語言研究所兼任研究員陳鴻森學長多方協助，並提供甚多寶貴資料，謹此誌謝。

1　龔鵬程師：〈學會運作概況〉，龔鵬程師主編：《五十年來的中國文學研究（1950-2000）》（臺北：臺灣學生書局，2001），頁363；龔鵬程師：《四十自述》（臺北：印刻出版公司，2002），頁35。

果，都係於臺灣完成，因此將先生歸入「中文第一代學者」，並探討先
生與臺灣學界的關聯，了解先生對臺灣學術的影響，當非魯莽之舉。

　　本文探討先生與臺灣地區學界的關聯，主要是透過臺灣地區大學
研究生，[2]徵引先生論著為說的實況，進行歸納分析，以見先生受到
研究生及其指導教授關注重視的實情。進行的程序，除〈前言〉外，
首先，簡介先生的生平經歷；其次，探究先生與臺灣地區學術的關
聯；其三，詳考臺灣地區大學研究生學位論文，徵引先生論著為說的
實際表現；其四，統合前述諸項所得後，結束本文的研究。

二　陳槃先生簡歷

　　陳槃先生，字槃庵，號澗莊，譜名宏才。廣東省五華縣人，生於
光緒31年3月2日（1905年3月7日），1999年2月7日辭世，享壽九十有
六。1925年夏，畢業於廣東梅縣省立第五中學（後改名梅州中學）；
隨即考入國立廣東大學（後改國立中山大學）文科就讀，從傅斯年
（1986-1950）、顧頡剛（1893-1980）、陳洵（1871-1942）、古直
（1885-1959）等諸先生學。初因陳洵、古直兩先生而治中國文學；
1927年，顧頡剛主編之《古史辨》出版，影響所及，先生乃轉治古
史。1931年夏卒業大學，奉師命至北平，為中研院歷史語言研究所助
理研究員；1937年抗日戰爭爆發後，曾返鄉任教於五華縣立二中，
1938年返回研究院；1941年秋，改聘副研究員；1946年秋晉升為研究
員；1949年隨中研院遷臺，因陳寅恪（1890-1969）滯留大陸，暫代
史語所第一組主任職；1960年聘為終身職研究員；1962年秋，膺選中
研院第四屆人文組院士；1970年秋陳寅恪逝世，遂應聘兼史語所第一

2　本文涉及的研究生學位論文，包括福建省金門縣的「金門大學」，故統稱為「臺灣
　　地區」。

組主任；1975年秋辭主任職，專事研究。其間除1956年秋至1959年夏共三年，一度兼任臺灣大學文學院教授，講授「左傳研究」等課程外，因自認口才不佳，即未再從事教學工作。[3]

先生治古史，初從《春秋》入手，首成《左氏春秋義例辨》五巨冊，詳考《左傳》義例之歷史與來源，並辨其是非正訛，奠定其學術地位。因研究《春秋》，涉及漢人「受命」及讖緯觀念，遂旁及讖緯研究，總共完成《古讖緯書錄解題》等相關論著數十篇。研究範圍大致可分二途：一是緯書之來源和演變及存佚情形之考察；一是與緯書相關之神話、思想、社會、風俗等外緣之探索。自有讖緯研究以來，能為客觀系統之學術研究者，實由先生開其首功。

研究讖緯之際，同時有春秋史地考證之研究。先生榮獲1972年「中山學術著作獎」之《春秋大事表列國爵姓及存滅表譔異》及《不見於春秋大事表之春秋方國稿》二書，即先生以十多年光陰與精力，查考五百餘種資料，補充糾正清人顧棟高《春秋大事表》多至二、三千條；同時考證春秋時期兩百多個方國爵姓後之研究成果，洵為研究《春秋》的經典之作。此後，又以此嚴密翔實之研究為基礎，陸續完成甚多有關春秋之際風俗與文化等之論文。以春秋史地一門之研究言，至今尚無人能出其右，謂為先生獨門之學，誰曰不宜？《春秋》和讖緯之研究，固為先生之專門，然亦間為出土文獻，如先秦兩漢簡牘、帛書、繒書和敦煌木簡、貨幣等之考釋，雖以餘暇為之，成績亦自可觀。

3　臺灣地區報導槃庵先生的生平經歷事蹟者，尚有：楊承祖老師：〈故中研院院士陳槃庵先生事略〉，《書目季刊》第32卷第4期（1999年3月），頁1-4；陳鴻森學長：〈師門識略：槃庵先生側記〉，《書目季刊》第32卷第4期（1999年3月），頁5-6；治喪委員會：〈陳槃庵先生事略〉，「國史館館刊」第26期（1999年6月），頁264-267；萬紹章：〈陳槃（一九○五-一九九九）〉，《中外雜誌》第65卷第5期（1999年5月），頁85-87、頁96等。

先生著述不輟，自1928年於《中山大學語言歷史研究所週刊》首次發表〈黃帝事蹟演變考〉一文始，終生未嘗稍有懈怠。晚年更著手將平生論述，集結成書，如《春秋大事表列國爵姓及存滅表譔異》、《古讖緯研討及其書錄解題》二書，係將以往陸續發表於學術刊物中有關針對清人顧棟高《春秋大事表》之補充糾謬與古讖緯研究之系列論文，彙集而成。此外，尚有《舊學舊史說叢》與《澗莊文錄》二書，前者係發表於中研院歷史語言研究所各刊物之論文集；後者則為發表於史語所以外刊物或未經發表之論文集。[4]

先生雖專治古史，卻未離棄文學，於文學仍有濃烈之喜好。平日除例行之專門學術研究外，必勻出閱讀古詩詞之時間。張魯恂輯刻之《嶺南四家誠鈔》、余祖明之《廣東歷代詩鈔》，均曾多次翻閱，並校出《四家詩鈔》之訛誤字，達四百多字；更因《廣東歷代詩鈔》別輯成《廣東歷代詩鈔別錄》一書，此見先生治學「不苟」之本色，不愧為考據學之大家也。再則，一冊《疏桐高館詩》，不以堆垛賣弄為長，純係詩人之詩，正見先生文學上不凡之造詣。情感與理智之諧和，此即先生畢生學術研究之質素乎！

三　陳槃先生與臺灣學術

先生為大陸渡臺第一代學者，然因個性關係，僅在臺灣大學任教

4　筆者〈皓首窮經：陳槃庵先生介述〉一文，曾附錄有〈陳槃庵先生著作目錄〉共226種，先生見後自刪為101種，見先生：〈陳槃譔著刪定本目錄〉，《中國文哲研究通訊》第2卷第3期（1992年9月），頁59-63。其後陳鴻森學長：〈陳槃先生學術譔著要目〉，《書目季刊》第32卷第4期（1999年3月），頁9-22，重新修訂為12部專著，202篇論文。大陸研究生于弘洋：《陳槃簡牘研究述評》（長春：東北師範大學中國古代史碩士論文，2018）學位論文附錄〈陳槃主要論著要目〉，頁55-67，再統整為10部專著，207篇論文。鴻森學長之蒐錄最為齊全，遠勝筆者不全之文，欲了解先生論著者，自以鴻森學長之鴻文為是，是以將此文原本之附錄刪除。

三年，亦僅指導陳錦忠、耿慧玲兩位研究生取得博士學位而已。[5]陳錦忠博士畢業後於東海大學歷史系任教，唯研究興趣與方向已經轉移。耿慧玲博士任職於朝陽科技大學通識教育中心，並為中正大學兼任教授，主要依循博士論文的研究方向，特別關注碑刻的研究，尤以越南之碑刻為勝，為當今研究越南碑刻之重要學者。耿博士自94學年至108學年（2006-2020）共指導10位研究生完成13篇學位論文（博士3篇、碩士10篇）取得學位。指導完成的13篇學位論文，分別為雲林科技大學漢學資料整理研究所4篇；中正大學臺文所4篇；中正大學歷史系2篇；中正大學中文系2篇；朝陽科技大學休閒事業管理系1篇，對教育傳播有一定的貢獻。這是先生與臺灣地區學術傳播方面的關聯。

先生與臺灣地區學術研究的關係，除學術教育的傳播之外，最主要的當是先生學術研究成果與臺灣地區學界的關聯。依據陳鴻森學長較為精確的統計，先生的論著為12部專著，202篇論文，唯先生多數論文，後來均彙集為專書，出版較晚的《陳槃著作集》，收錄有先生的《春秋大事表列國爵姓及存滅表譔異》、《不見於春秋大事表之春秋方國稿（三訂本）》、《左氏春秋義例辨（重訂本）》、《舊學舊史說叢》、《漢晉遺簡識小七種》、《澗莊文錄》、《五華詩苑》、《古讖緯研討及其書錄解題》等8部專著。[6]若要徹底了解先生與臺灣地區學界的關聯，最佳的探討方式，自以筆者設計的「外部研究」方法為是，此法關注的層面，包括著作的出版、學者的評論與論著的徵引。方法雖然比較有效，實際執行則有實質的困難，因為很難窮禁臺灣地區所有出

5　陳錦忠：《先秦史官制度的形成與演變》（臺北：臺灣大學歷史研究所博士論文，1980）；耿慧玲：《金石學歷史析論》（臺北：中國文化大學歷史研究所博士論文，1997）。

6　陳槃：《陳槃著作集》（上海：上海古籍出版社，2009-2010）。

版的專書與論文，本文因此以最具學術代表性的學位論文進行觀察，以見先生學術研究成果與臺灣地區學界關聯性的一班。實際的操作，則以臺北（臺灣）圖書館〈臺灣博碩士論文知識加值系統〉網站收錄的學位論文為對象，探討這些學位論文徵引先生論著的實際表現，如此則應該可以大致了解先生學術成果與臺灣地區學術研究之間的實際關係。根據實際搜尋統計的結果：自86學年至108學年（1997年7月-2020年6月）的24年間，臺灣地區的研究生學位論文徵引先生論著的共有545篇，平均每年有25篇多的學位論文徵引先生的論著，這是先生學術成果與臺灣地區學術研究的實際關係。

先生在臺灣地區學界教學傳播與學術成果被接受等與臺灣地區學界的關係，總的來說，因為先生僅在大學任教三年，且指導的研究生僅有兩位，因此在教育傳播方面的表現，比較一般。但先生著作等身，且論著專精質優，故而受到許多相關研究領域的研究生與指導教授的重視關注，總計24年間就有545篇學位論文徵引，此即先生在學術成就上與臺灣地區學術界的積極關係。

四　學位論文徵引陳槃先生論著的實際分析

依據陳鴻森學長的統計，先生論著總共有214種之多，由於先生的學術研究以春秋史及讖緯之相關研究為最，是以相關學術研究領域者多會加以關注，統合先生論著受到臺灣地區諸大學的研究生及其指導教授關注重視，並徵引進入學位論文者，經由實際的搜尋、歸納與統計，截至108學年度，這545篇學位論文，徵引先生論著的詳細徵引實況，大致如下表所述：

學位論文徵引先生論著實情表

先生論著及編輯著作篇題名	徵引學年	徵引篇數
《傅斯年全集》[7]	86-108	172
《新金門志》[8]	87-108	64
《春秋大事表列國爵姓及存滅表撰異》	89-108	60
《古讖緯研討及其書錄解題》	88-108	48
《大學中庸今釋》	88-108	32
《左氏春秋義例辨》[9]	97-100	31
《不見於《春秋大事表》之春秋方國稿》	89-108	22
《舊學舊史說叢》	87-108	20
〈戰國秦漢間方士考論〉	91-104	11
〈秦漢間之所謂「符應」論略〉	89-106	11
《漢晉遺簡識小七種》	94-108	10

7　同書名者，另有歐陽哲生主編：《傅斯年全集》（長沙：湖南教育出版社，2003）者。標出先生名諱者為：張東揚（87）、翁稷安（93）、劉怡伶（95）、林景翰（96）、林秀樺（105）、韓承樺（105）、劉論汝（106）、鄭如婷（107）等8篇論文；另有164篇未標出先生名諱者，如：劉瓊雯（89）、李欣玲（91）、王仁祥（93）、林勝彩（94）白依璇（108）……等等。誤作《傅孟真先生全集》者，翁菁苓：《從韓劇「家門的榮光」看朱子婚喪禮俗的生命禮儀》（新竹：玄奘大學宗教學系碩士論文，2014）。

8　標出先生名諱者8篇（94-106學年）：鄭沛文（94）、劉寶城（96）、倪致儒（97）、蔡珮君（97）、楊天厚（99）、林一琳（100）、林麗寬（100）、吳焉昇（106）等；其他56篇則未標出先生名諱，如：蔡慧敏：《島嶼環境變遷研究：金門島地景型塑與轉化分析》（臺北：臺灣大學地理學研究所博士論文，1999）；劉宜長：《金門李、蔡、陳宗祠之探討》（臺北：中國文化大學史學研究所碩士論文，2001）；吳啟騰：《金門地區環境綠美化管理策略研究》（桃園：銘傳大學管理科學研究所碩士論文，2002）；呂郁慧：《金門蓮庵里呂氏聚落空間變遷之研究》（金門：金門大學建築學系碩士論文，2020）……等等。

9　誤作《左傳春秋義例辨》者，如：張柏恩：《甲午戰爭詩諷諭性詩用之研究》（臺北：政治大學中文系博士論文，2015）。

先生論著及編輯著作篇題名	徵引學年	徵引篇數
〈先秦兩漢帛書考〉	95-101	9
〈讖緯釋名〉	90-106	9
〈論早期讖緯及其與鄒衍書說之關係〉	89-108	9
〈古社會田狩與祭祀之關係〉	88-104	7
〈春秋列國風俗考論〉	88-108	7
〈春秋公羊傳辨義〉	89-97	6
〈春秋時代的教育〉	95-106	6
〈讖緯命名及其相關之諸問題〉	93-102	6
〈讖緯溯源〉	89-98	6
〈春秋列國的交通〉	90-107	5
〈泰山主生亦主死說〉	94-105	5
〈春秋齊秦鄭三國別紀〉	88-91	4
〈春秋晉楚兩國別紀〉	90-96	3
〈寫在〈五德終始說下的政治和歷史〉之後〉	93-101	3
《中國歷史地理（春秋篇）》	88、94	2
〈漢晉遺簡偶述〉	97、108	2
《潤莊文錄》	95、103	2
〈〈正名主義之語言與訓詁〉附記〉	94、98	2
〈「侯」與「射侯」〉	88-98	2
〈古讖緯書錄解題〉	97、106	2
〈大學今釋別記〉	96、97	2
〈由漢簡中之軍吏名籍說起〉	89、93	2
〈於歷史與民俗之間看所謂「瘞錢」與「地券」：附論所謂「鎮墓券」與「造墓告神文」〉	94、104	2
〈漢簡遺簡綴小〉	87	1

先生論著及編輯著作篇題名	徵引學年	徵引篇數
〈先秦兩漢簡牘考〉	90	1
〈春秋秦晉兩國別紀〉	90	1
〈田祭歧說釋義〉	91	1
〈屋上種戒火草〉	93	1
〈漢晉遺簡偶述之續〉	94	1
〈漢晉遺簡偶述續編〉	94	1
〈楚繒書疏證跋〉	95	1
〈讀《散原精社詩》偶記〉	95	1
〈中庸今釋別記〉	96	1
〈春秋大事表列國爵姓及存滅表補表〉	96	1
〈重歷史是非與真才實學〉	96	1
〈懷故恩師傅孟真先生有述〉	96	1
〈詩三百篇之採集與刪定問題〉	98	1
〈從左傳中所見到的四夷的文化教育〉	98	1
〈論讖緯及其分目〉	99	1
〈春秋列國的兼併遷徙與民族混同和落後地區的開發〉	100	1
〈「論國風非民間歌謠的本來面目」跋〉	103	1
〈中國古史論稿商榷〉	103	1
〈中國古史論稿商榷別錄〉	103	1
〈史記吳太伯世家補注〉	103	1
〈客家為中原舊姓〉	103	1
〈春秋時代的鄉校〉	103	1
〈球王李惠堂六秩華誕祝辭〉	104	1
〈中庸今釋敘說〉	108	1

歸納上表實際徵引表現的結果，臺灣地區研究生學位論文徵引先生的論著總共有59種，並有609次的徵引。[10]徵引的59種先生論著，可以區分為三類，第一類是編輯類的著作，如：《傅斯年全集》、《新金門志》等2書，總共有236次的徵引；第二類是經書注釋類的著作，如：《大學中庸今釋》，總共有36次的徵引；第三類是創發性的研究著作，即春秋史與讖緯的研究，如：《春秋大事表列國爵姓及存滅表撰異》、《左氏春秋義例辨》、《不見於〈春秋大事表〉之春秋方國稿》、《中國歷史地理（春秋篇）》，以及《古讖緯研討及其書錄解題》、《舊學舊史說叢》等等，總共有338次的徵引。這三類著作中，編輯類著作的徵引，主要表現的是該書本身受學界關注重視的情況，先生在這部分僅是間接的貢獻而已，並不能有效的表現先生學術論著受學界重視的情況，較能夠呈現先生學術受到臺灣地區學界關注重視者，自以第二類與第三類論著為是。

詳細考察先生受徵引的59論著內，除去編輯類《傅斯年全集》、《新金門志》等2種，則臺灣地區研究生總共徵引先生的論著為57種，這57種論著即是先生對臺灣地區學術界直接的貢獻。在這57種論著中，總共的徵引次數為374次，其中與《大學中庸今釋》相關者有36次的徵引，與讖緯研究相關者有106次的徵引，與春秋史相關者有185次的徵引，與簡帛相關者有28次的徵引，其他則有19次的徵引。

---

10 根據實際的統計，臺灣研究生徵引先生的論著為609次，然曾家瑩：《〈禮記·內則〉倫理思想研究》（桃園：元智大學中國語文學系碩士論文，2013），徵引中華書局編輯部編：《中研院歷史語言研究所集刊論文類編（歷史篇·先秦卷）》（北京：中華書局，2009），但該書收錄先生論文有：〈春秋「公矢魚於棠」說〉、〈戰國秦漢間方士考論〉、〈古社會田狩與祭祀之關系〉、〈「侯」與「射侯」——附勞氏後記〉、〈春秋大事表列國爵姓及存滅表贊異〉、〈春秋大事表列國爵姓及存滅表贊異續編〉、〈古社會田狩與祭祀之關系〉、〈春秋列國的交通〉、〈春秋時代之穑、孤竹、忿由、義渠〉等9篇。曾家瑩論文未見，不知實際徵引何篇？加入此篇的徵引，則總共為610次的徵引。

從而可見臺灣地區學術界對先生的春秋史研究最為關注重視，其次則是讖緯研究的成果，再其次則是有關《大學》、《中庸》的詮釋，以及簡帛的相關研究。反過來說，則先生對臺灣地區學術界的主要貢獻乃在春秋史和讖緯的研究；儒家經典的詮釋及簡帛的相關研究，同樣也對臺灣地區學界具有不小的貢獻。

再考察徵引先生學術論著的研究生，主要則以中文相關系所、歷史相關系所、哲學相關系所、宗教相關系所、藝術相關系所、教育相關系所、建築相關係所、社會所、外交所、設計所、政治所等等科系，其中尤其以中文、歷史、哲學等相關系所的研究生為大宗。這是先生論著與大學科系研究所關聯的實際情況，同時也是先生對臺灣地區大學科系影響的表現。

五　結語

先生1949年隨中研院遷臺，然遷臺前在大陸即有不少論著出版，如：1928年〈黃帝事蹟演變考〉、〈周召二南與文王之化〉；1947年《左氏春秋義例辨》等；遷臺後的次年，即有論文發表於《歷史語言研究所集刊》及《大陸雜誌》；1954年出版《大學中庸今釋》，最晚的論著出版於1994年。臺灣地區的大學在1956年開始設研究所招收碩士生，1957年更進一步而有博士班的設置，但臺灣地區各大學研究所的研究生，卻遲至1997年方才有徵引先生論著的案例，這應該與臺北（臺灣）圖書館〈臺灣博碩士論文知識加值系統〉收錄的論文，雖自1956年開始，然早期有某些論文，則並未提供「參考文獻」，[11]是以透

11　如：黃耀能：《左氏春秋婚俗考》（臺北：臺灣大學中國文學系碩士論文，1967）；宋鼎宗：《春秋左氏傳賓禮嘉禮考》（臺北：臺灣師範大學國文學系碩士論文，1971）；程南洲：《東漢時代之春秋左氏學》（臺北：政治大學中國文學研究所博士論文，1978）等等之類。

過此網頁搜尋所得，並未能精確呈現實際徵引的情況，或者更早時間出現的論文，即有徵引先生論著為說的情況，但無論如何，前述實證性的統計歸納，應該也具有相當值得信任的可靠性，因而可以大致了解先生與臺灣地區學術研究的關聯性。經由前述簡略的討論，大致可以獲得下述幾項的結果：

首先，先生的學術研究以春秋史與讖緯研究最為專精，同時對簡帛與儒家經典注釋，也有不少創獲；編輯的書籍，也受到研究生等的關注重視。根據臺灣地區諸大學研究所學位論文徵引先生論著的實際表現，除編輯類之外，徵引最多者依次是：春秋史與讖緯研究等兩類，正與先生的學術創穫吻合，可見臺灣地區學界的學術眼光，相當精準，因而關注重視者確實是先生學術研究的菁華所在。

其次，先生學術論著影響的學科，包括：中文相關系所、歷史相關系所、哲學相關系所、宗教相關系所、藝術相關系所、教育相關系所、建築相關係所、社會所、外交所、設計所、政治所等科系，其中以中文、歷史與宗教等科系的影響較大，這種科系的影響表現，確實與先生論著研究的議題內容吻合，從而可見先生對臺灣地區學界的影響，主要作用在中文、歷史與宗教等研究的範圍。

其三，本文透過以實證為守則的「外部研究」方法，以臺灣地區研究生學位論文「參考文獻」徵引的表現，探究先生與臺灣地區學界的關係與影響，研究所得的結果，除可以比較確實的了解先生與臺灣地區學界的關係之外，同時對於探討臺灣文史教育史，以及研究大陸渡臺學者與臺灣地區學術發展關係的研究者，應該都可以提供部分可信的有效答案。

廿載傳經口卒瘏，寂寞身後其誰知？：何定生教授生平及學術年表

一　小傳

　　何定生先生，筆名更生、定生。清宣統三年（1911）四月廿二日生於廣東省揭陽市榕城西門何家祠。母何邱氏；父何子因，為晚清秀才，同盟會會員，曾任揭陽縣保衛團總局局長，高雷鎮守使署秘書。先生1926年入廣州中山大學國文系就讀，與中研院陳槃院士（1905-1999）同學於顧頡剛等；1928年因發表〈尚書的文法及其年代〉表現優異，顧頡剛（1893-1980）因此極力向學校爭取獎學金，雖獲通過但相忌者風言四起，因於次年（1929）二月自動退學，追隨顧頡剛從香港乘船北上，先到上海，再經由陸路至北平。後因藉顧頡剛之名出版《治學的方法與材料及其他》批評胡適（1891-1962），不獲顧頡剛諒解，十月返回廣州，短暫居留後再回北平，唯依然與顧頡剛保持密切聯繫。先生雖暫時離開學校，但向學之心未歇，故於1936年入齊魯大學就讀；1938年轉至燕京大學歷史系就讀，1941年大學部畢業，以〈宣統政紀考證〉榮獲哈佛燕京學社獎金。續入研究院歷史部就讀，時與中研院何炳棣院士（1917-2012）同寢室，夜中常相詰難切磋以為樂，唯因參與抗日地下工作而未能卒業。1945年日本投降，先生獲聘為山東濟南齊魯中學教務主任。1946年先後獲聘為山東濟南齊魯大學史地系講師及河北監察使署監察使常務秘書。1948年與夫人王淑儀

女士在北平結婚，並受浸為基督徒，此後遂以傳播基督福音為終生職志，七月偕夫人抵臺灣，獲聘為臺灣省林務局局長秘書。1949年獲聘為臺灣大學中文學講師，其後均任職於臺大中文系，前後二十二年（1949-1970），講授《詩經》、《左傳》、《論語》、《孟子》、《史記》等課，1954年升任副教授，1966年升任教授，明年（1967）發現罹患胰臟癌，1970年逝世，享年六十歲，育有一女二子。

先生就讀中山大學時，曾受教於傅斯年（1896-1950）、魯迅（1881-1936）、顧頡剛等著名學者。選修過顧頡剛「書目指南」、「上古史」、「尚書研究」、「詩經」等課時，為學態度認真投入，常將上課與課外之讀書心得，或當面或寫信或寫成論文請教顧頡剛，顧氏對先生之見解頗為賞識，故也不吝於指導，嘗稱先生「天分絕高，為一班首」，且稱許為其在中山大學任教時「最能集中精神以治學之一人。」因之常將先生之信函與論文於期刊上刊登發表。這段期間發表的論文有：〈山海經成書之年代〉、〈漢以前文法研究〉、〈詩經之在今日〉、〈尚書的文法及其年代〉、〈關於詩經通論及詩的起興〉、〈讀《論衡》〉、〈王充及其學說〉等諸文，後來（1946）完成發表的有〈婦女在文化上的地位〉。先生因英文造詣頗佳，故亦注意翻譯問題，因有〈譯詩的討論〉之文，並翻譯〈國際辭林〉、〈英國的襲擊隊——大戰史話之一〉等文；以及〈不屈〉、〈我何能離你〉、〈愛的祕密〉、〈德芬的姑娘——寄給 B R. Haydon 的詩〉等外語文藝作品。先生除專心於學術與翻譯外，亦曾用心於創作，發表有〈一朵美麗的青花〉、〈我的心〉、〈母親的淚——心的創痕之一〉等諸文，可見先生之多才。其中〈關於詩經通論〉、〈詩經之在今日〉、〈關於詩的起興〉等三文，編入《古史辨》第三冊。此外顧頡剛因先生〈讀《論衡》〉與〈王充及其學說〉之文，嘗謂先生專業在《論衡》，而與自身專業在《詩經》及陳槃院士專業在《春秋左傳》者並稱。另外〈尚書的文法及其年代〉更受到胡適、錢

玄同（1887-1939）和黎錦熙（1890-1978）等的注意，蓋因此文實為中國有史以來第一篇古代專書語法之論文。胡適曾謂該文「方法很細緻，結論可信」。顧頡剛稱許為「（中山大學）自有研究所以來之第一篇成績」，即使在二十幾年後（1951）依舊認為該文雖稍有瑕疵，然先生「指出的路是正確的。」故當時即視先生為入室弟子，離開中山大學時遂攜之同行，經上海、杭州、蘇州而抵北平，一路將先生介紹給當時學界友朋，如：鄭振鐸（1898-1958）、周予同（1898-1981）、葉聖陶（1894-1988）、徐調孚（1901-1981）、胡適、梁實秋（1903-1987）、徐中舒（1898-1991）、陸侃如（1903-1978）、馮沅君（1900-1974）、徐旭生（1890-1976）、斯文赫定（Sven Anders Hedin, 1865-1952）、郭紹虞（1893-1984）、朱自清（1898-1948）、俞平伯（1900-1990）、趙元任（1892-1982）、董作賓（1895-1963）等等學者，後因出書批評胡適而與顧頡剛逐漸疏離。先生此後則進入沉潛期，主要為繼續未完之學業，並暗中參與抗日地下工作，抗日勝利後，先後服務於學界、政界，後遷居臺灣，遂入臺灣大學中文系，於是專意於教學與學術研究。

　　先生進入臺灣大學中文系後，主要的研究重心在《詩經》，並偶涉及孔子的相關問題。先後發表的論文有：〈評介《詩經釋義》〉、〈六經與孔子的關係〉、〈孔子言學篇〉、〈從言教到諫書看詩經面貌〉、〈關於《論語》的若干解釋〉及〈詩經與樂歌的原始關係〉等文，另有未刊稿〈再論《論語・佛肸章》的匏瓜問題〉一文。接受長科會與科技單位補助完成的另有：〈《詩經》的復古解放問題〉、〈詩經的解釋問題〉、〈從儀禮的樂歌分類覘三百篇的原始解題〉等文。這些研究成果和上課的講稿經整理後，大致均已收錄在生前出版的《詩經新論》（1968），以及過世後由學生香港中文大學曾志雄教授編輯的《定生論學集——詩經與孔學研究》（1978）二本專書中。先生逝世幾年後

（1978）顧頡剛見到《定生論學集》，以為先生「所論《詩經》與孔學，實為我論學諸文之發展。」隔年評論〈詩經與樂歌的原始關係〉一文曰：「將《詩經》與《儀禮》詳細關係鉤索而出，以駁正余倉卒所為之〈論詩經所錄全為樂歌〉之說，使我心服。」此可見先生學術的淵源及研究論證之詳密。

　　先生以為研究古書的目的在使古書現代化，必須使古書讓現代人可讀懂，如此研究纔有實際的意義。先生認為《詩經》是中國古典文學的第一部書，因此期望由《詩經》的研究開始，以開拓古書現代化新的研究途徑。先生論《詩經》研究之程序與預期之結果曰：「今日研究《詩經》工作，皆破碎片段，最好從字義（包括詞彙、成語辭句等）作徹底研究，然後詩可貫通。若做字典編排，從字、詞、片語、成語的關係，以尋求章句的特徵，必可窺詩旨的消息，然後可及詩人的意志也，如此則《詩經》可讀矣！」於是擬訂議題，準備進行研究的有：「《詩經》字典」、「詩經學黎明運動的夭折」、「《詩經》復古解放運動史」等三項內容。其中編纂《詩經》字典更是首要的工作，先生於是預備在長科會補助計畫〈從言教觀點看《詩經》〉完稿後，即致力於《詩經辭典》的編纂。再者先生又以為孔子與《六經》之關係，所以至今依然難以有效釐清，實因後代附會〈孔子世家〉之故，如欲徹底解決此一問題，則唯有從〈孔子世家〉的考證探源上入手。先生的看法是：「和《史記》之成為中國第一部正史一樣，〈孔子世家〉也是中國第一部孔子傳。《史記》出而中國史奠定了中國史學的根基，但自有〈孔子世家〉而中國三千年前的古典文學（六經）成了混沌局面，至今仍不可究詰。故欲從根認識此問題，務須從〈世家〉探源入手不為功。」因此遂有「孔子世家探源」專題研究計畫之構思，希望藉此研究以澄清「二千年來《六經》渾沌之局」。考先生讓現代人讀懂古書的「《詩經》現代化」構思，以及探討釐清「孔子與

《六經》關係」的研究計畫，無論在當時或今日，確實都有值得研究探討的價值，以先生之學識，若能如願依計畫執行，或當有可觀之成績，奈何天不假年，先生之計畫終不獲執行，壯志未酬身先死。顧頡剛曰：「惜哉此人，如此早逝！傷哉！未盡其壽也！」

二　年表

1911（辛亥，清朝宣統三年）　先生一歲

四月，廿二日先生出生於廣東揭陽市榕城西門何家祠。母何邱氏。父何子因，又名紹棠、簡秋、孟雄，晚清秀才，同盟會會員。曾任揭陽縣保衛團總局局長，高雷鎮守使署秘書。

1912（壬子，中華民國元年）　先生二歲

元月，中華民國成立，孫中山為總統，黎元洪為副總統。

1926（丙寅，民國十五年）　先生十六歲

十月，傅斯年先生（下稱傅先生）應聘為廣州中山大學文學院長暨國文系、史學系主任。

今年，先生考入廣州中山大學國文系，從學於傅先生、魯迅等。

1927（丁卯，民國十六年）　先生十七歲

四月，顧頡剛先生（下稱顧先生）應聘為廣州中山大學史學系教授兼系主任。

十月，先生選修顧先生「書目指南」、「上古史」、「尚書研究」、「詩經」等課，與同系一年級學弟陳槃先生同班。

1928（戊辰，民國十七年）　先生十八歲

三月，信函：八日先生發函請教顧先生《山海經》事，該信顧先生加

「按語」後，刊於《國立中山大學語言歷史學研究所週刊》第
1集第20期。

論文：〈山海經成書之年代〉《國立中山大學語言歷史學研究所
週刊》第1集第20期。

四月，十四日先生第一次至顧先生家拜謁。

五月，信函：先生去函請教顧先生論古代文法事，該信顧先生加「按
語」後，刊於《國立中山大學語言歷史學研究所週刊》第3集
第30期。

論文：〈漢以前文法研究〉《國立中山大學語言歷史學研究所週
刊》第3集第31期。

六月，論文：〈漢以前文法研究（續）〉《國立中山大學語言歷史學研
究所週刊》第3集第32期。

信函：〈致顧頡剛先生〉《國立中山大學語言歷史學研究所週
刊》第3集第32期。

論文：〈漢以前的文法研究（續）〉《國立中山大學語言歷史學
研究所週刊》第3集第33期。

信函：〈致余永梁〉《國立中山大學語言歷史學研究所週刊》第
3集第33期。

信函：六月一日先生以為《尚書・盤庚》出於西周，故發函顧
先生商榷其出於西周與東周間之論。（顧潮編《顧頡剛
年譜》，下稱《年譜》）

七月，論文：〈詩經之在今日〉，廣州《民國日報》副刊。（先生自寫
〈簡歷〉，下稱〈簡歷〉）

信函：九日先生發函確認顧先生《尚書・盤庚》出西周與東周
間之論較是。（《年譜》）

信函：〈致余永梁〉《國立中山大學語言歷史學研究所週刊》第

4集第39期。

七月，三日據顧先生《日記》，先生第二次謁顧先生並長談，爾後則
　　經常拜謁，或談學問、或用餐、或同遊看戲、或通信等等。
　　（下文涉及先生與顧先生來往諸事，多據顧先生《日記》為
　　言）。

八月，信函：〈致顧頡剛先生〉《國立中山大學語言歷史學研究所週
　　刊》第4集第40期。

十月，論文：〈尚書的文法及其年代〉《國立中山大學語言歷史學研究
　　所週刊（《尚書》的文法及其年代專號）》第5集第49、50、51
　　期合刊。顧先生十一月六號《日記》云：「定生之《尚書文法
　　研究專號》今日出版，此自有研究所以來之第一篇成績也！」
　　　信函：〈致顧頡剛先生〉《國立中山大學語言歷史學研究所週
　　　　刊》第5集第49、50、51期合刊。
　　廿一日胡適之先生稱先生〈尚書的文法及其年代〉方法細緻，
　　是篇很有價值的文章。胡先生云：「今天看見兩篇很有價值的
　　文章。（1）孫佳訊的〈鏡花緣補考〉，很可修正我的引論的一
　　些小錯誤。……（2）何定生的〈尚書的文法及其年代〉（《中
　　山大學語言歷史學研究所週刊》第49-51）。何君是顧頡剛的學
　　生，方法很細緻。他的結論如下：……他只認西周的正確作品
　　只有〈大誥〉，東周的正確作品只有〈費誓〉、〈秦誓〉，其餘都
　　是湊上去的。何君有〈漢以前文法的研究〉一文，見《週刊》
　　第31-33期，〈尚書文法〉一篇乃是其中的一部分，而變為長
　　篇。」（《胡適日記全集》第五冊）

十一月，信函：〈答衛聚賢先生〉《國立中山大學語言歷史學研究所週
　　刊》第5集第53、54期合刊。

十一月，三十日先生偕三姊何峻機女士首次拜訪顧先生。

本月，因先生《尚書》文法論文之優異表現，顧先生極力向學校爭取
　　獎學金，後雖獲通過，然忌者風言四起，先生亦因而難安於
　　位。

十二月，顧先生接任傅先生辭卸之語言歷史學研究所主任之職。

　　十六日先生奉顧先生命代作〈研究所年報序〉。

1929（己巳，民國十八年）　先生十九歲

元月，四日先生首次陪顧先生看戲，為女京班碧艷芳《天女散花》、
　　汪鳴廬《南洋關》。

二月，先生退學。廿四日隨顧先生抵香港，廿六日乘船北上。

三月，一日先生陪侍顧先生抵上海，顧先生攜先生拜訪鄭振鐸、周予
　　同、葉聖陶、徐調孚、胡適、梁實秋等諸先生。

　　三日顧先生攜先生赴宴，見徐中舒、陸侃如與馮沅君夫婦。

　　六日先生陪侍顧先生到杭州。

　　十四日先生陪侍顧先生到蘇州。

　　卅一日顧先生攜先生訪徐旭生，回飯店晤斯文赫定，先生太過
　　勞累致在客廳癲癇症發作。

四月，廿五日顧先生鼓勵先生備至，囑先生「勿消極」。

　　廿九日先生陪侍顧先生離開蘇州北上。

五月，一日先生陪侍顧先生抵達北平。（以上行程據《年譜》）

　　四日顧先生攜先生赴邀宴，見郭紹虞、朱自清、俞平伯等。

　　六日顧先生攜先生拜訪趙元任先生。

六月，廿四日顧先生攜先生拜訪傅先生、董作賓先生。

七月，信函：〈致楊筠如〉《國立中山大學語言歷史學研究所週刊》第
　　8集第91期合刊。

八月，專書：《詩的聽入》（北京：樸社）。

編輯：奉顧先生命編成《元雜劇選》十二萬字，後佚失。顧先
生八月廿九號《日記》云：「六年前，王雲五先生交我《元曲
選》一部，囑作曲選，久無暇為之。此次在平，請定生代為
之，今日取其稿看，錯誤甚多，一一為之改正，恐未盡也。此
書共十二萬字。」

九月，編著：《治學的方法與材料及其他》（北京：樸社）。

論文：〈關於詩經通論及詩的起興〉《國立中山大學語言歷史學
研究所週刊》第9集第97期。

十月，先生因出版《治學的方法與材料及其他》不獲顧先生諒解，於
是隨三姊何峻機女士回廣州。顧先生十月三號《日記》云：
「定生出了一冊《關於胡適之與顧頡剛》（案：即《治學的方
法與材料及其他》），趁予在蘇時印成。此次予來，見之大駭，
恐小人藉此挑撥，或造謠言，即請樸社停止發行，且函告適之
先生，請其勿疑及我。」

十二月，廿六日顧先生發長信給在廣州的先生，鼓勵先生繼續學術研
究的道路。

今年，論文：〈讀《論衡》〉廣州《民國日報》副刊。（〈簡歷〉）

1930（庚午，民國十九年）　先生二十歲

二月，先生在北京，十六日顧先生親至先生處。

四月，廿一日顧先生《日記》云：「前年在粵，光明、定生、毅卿，
都是最好的學生，於學術上甚有希望者。過了一年多，定生墮
入愛河了，毅卿要革命了，光明又以孟真之壓逼而失去學問之
樂了。」

七月，九日顧先生發信給先生。

十月，二日顧先生發信給先生。

1931（辛未，民國二十年） 先生二十一歲

元月，廿九日顧先生發信給先生。

二月，先生在北京，九日顧先生親至先生處並長談。

三月，二日顧先生發信給先生。

七月，七日顧先生發信給先生。

　　　　十九日顧先生親至先生處，未遇。

八月，十七日顧先生發信給先生。

九月，四日顧先生發信給先生。

十月，九日顧先生發信給先生。

　　　　十一日先生赴顧先生之宴，同席者有：陳槃先生、羅根澤等。

十一月，論文：〈關於詩經通論〉《古史辨》第三冊（北京：樸社）。

　　　　論文：〈詩經之在今日〉《古史辨》第三冊（北京：樸社）。

　　　　論文：〈關於詩的起興〉《古史辨》第三冊下編（北京：樸
　　　　社）。

　　　　三十日先生偕三姊謁顧先生並長談。

十二月，二十日先生偕三姊及陳遠生謁顧先生並長談。

1932（壬申，民國二十一年） 先生二十二歲

元月，先生在北京，十日先生謁顧先生並長談。顧先生《日記》云：
　　　　「定生勸予接受唯物史觀。」

　　　　十五日顧先生發信給先生。

六月，十四日先生偕三姊謁顧先生。

九月，廿一日先生謁顧先生，長談，後先生三姊亦來。

十月，三日顧先生約先生長談。

十二月，卅一日顧先生《日記》記載其分析當時學者之學術專業，先
　　　　生專業在《論衡》。《詩經》則顧先生、張壽林、鄭振鐸。《春
　　　　秋左傳》為陳槃先生與張西堂。

1933（癸酉，民國二十二年） 先生二十三歲

五月，廿三日先生偕三姊、鄧（樂華）女士謁顧先生。

十二月，六日顧先生發信給先生。

1934（甲戌，民國二十三年） 先生二十四歲

二月，十一日先生謁顧先生，顧先生邀同遊朗潤園，並送先生乘車。

　　　　十二日顧先生發信給先生。

　　　　廿五日顧先生發信給先生。

三月，五日顧先生發信給先生。

　　　　十九日顧先生發信給先生。

七月，廿七日先生應顧先生之邀參加「通俗讀書會」，與會者另有：
　　　　徐旭生、范文瀾、謝國楨等。顧先生《日記》云：「是為讀物
　　　　社正式成立之第一幕。」

八月，三日顧先生發信給先生。

1935（乙亥，民國二十四年） 先生二十五歲

四月，十二日顧先生《日記》「自廿四年七月至廿五年六月希望出版
　　　　之書」列有先生《元雜劇選》（亞東圖書館印）一條。

　　　　廿一日顧先生發信給先生。

五月，十二日顧先生親訪先生，未晤面。

六月，八日顧先生親至先生處，與談時事。

1936（丙子，民國二十五年） 先生二十六歲

十二月，廿八日先生偕鄧樂華女士至燕京大學拜謁顧先生，顧先生在
　　　　「長順和餐廳」宴請先生與鄧女士，並同遊燕京大學校園及蔚
　　　　秀園，後又送先生與鄧女士至車站。

今年，先生在齊魯大學就讀。顧先生《日記》（1979年10月9日）云：
　　　　「我在燕大時，定生曾偕其夫人來訪，知其肄業齊魯大學。」

1937（丁丑，民國二十六年） 先生二十七歲

元月，三日先生偕鄧樂華女士謁顧先生，共餐；餐後，顧先生與先生
　　長談。

五月，廿四日先生謁顧先生。顧先生《日記》云：「何定生來訪問予
　　生活思想甚久，備報告中央。」

六月，五日先生偕鄧樂華女士謁顧先生。

　　　十二日先生偕鄧樂華女士及張蓮塘、何梅志女士謁顧先生。

七月，七日蘆溝橋事變，全面對日抗戰開始。

　　　廿八日北平失守，日軍佔領北平城。

1938（戊寅，民國二十七年） 先生二十八歲

今年，先生入燕京大學歷史系就讀。據先生向弟子曾志雄學長及家人
　　口述：先生與專修西洋史之何炳棣先生同寢室，每於夜中熄燈
　　後，以中西歷史相互切磋詰難，以勝對方為樂。（〈簡歷〉、〈訪
　　問稿〉）

1941（辛巳，民國三十年） 先生三十一歲

今年，先生畢業於燕京大學歷史系，獲文學士學位。續入研究院歷史
　　部就讀。（〈簡歷〉）

今年，先生以〈宣統政紀考證〉榮獲哈佛燕京學社獎金，擬刊於燕京
　　大學《史學年報》。（〈簡歷〉）

1945（乙酉，民國三十四年） 先生三十五歲

八月，日本投降，抗戰結束。

九月，一日臺灣省行政長官公署於四川重慶成立，陳儀為行政長官。

十月，廿五日國民政府代表在臺北中山堂接受日本投降。臺灣省行政
　　長官公署同日在臺灣正式運作。

今年，先生獲聘為山東濟南齊魯中學教務主任。（〈訪問稿〉）

1946（丙戌，民國三十五年） 先生三十六歲

二月，先生獲聘為山東濟南齊魯大學史地系講師，教授英文。（〈簡
　　歷〉、〈訪問稿〉）

九月，先生獲聘為河北監察使署李嗣璁監察使常務秘書。（〈簡歷〉、
　　〈訪問稿〉）

今年，譯著：〈國際新辭〉天津《益世報・國際週刊》。（〈簡歷〉）

今年，譯著：〈大戰故事〉天津《益世報・國際週刊》。（〈簡歷〉）

1947（丁亥，民國三十六年） 先生三十七歲

二月，二二八事件發生，全臺動盪。

三月，八日劉雨卿率國軍二十一師從基隆與高雄兩地登岸，展開全臺
　　鎮壓。

五月，十六日臺灣省行政長官公署廢除，臺灣省政府成立，魏道明為
　　省主席。

1948（戊子，民國三十七年） 先生三十八歲

三月，廿九日國民大會在南京開會，選出蔣中正為中華民國第一任總
　　統，李宗仁為副總統。

今年，先生與夫人王淑儀女士結婚。因先生燕京大學同學王美蘭女士
　　之帶領，在北平寬街小群聚會所受浸為基督徒。（〈訪問稿〉）

七月，先生與夫人至臺灣，先生獲聘為臺灣省林務管理局李順卿局長
　　秘書。（〈簡歷〉、〈訪問稿〉）

1949（己丑，民國三十八年） 先生三十九歲

元月，十日傅斯年先生接任臺灣大學校長。

　　廿一日總統蔣中正引退，由副總統李宗仁代理總統。

八月，先生獲聘為臺灣大學中國文學系講師。（〈簡歷〉）

　　長子光慈生。淡江大學化學系畢業，臺北市長安國中教師退
　　休，今在美國德州 Plano 召會全時間服務，育有一子一女。
　　（〈訪問稿〉）

十月，一日中華人民共和國成立。

十一月，二日先生遺存《日記》自今日始，至一九七〇年六月廿三日
　　止。本日「日記」云：「晚參加看書聚會歸來途中為二人傳福
　　音，都是說福建話（或臺灣話）的。雖然彼此言語不甚通曉，
　　但我已能反複告以信耶穌有平安，並以手作勢幫助說明。」
　　（以下先生事及引言多以《日記》為據）

十一月，五日（星期六）細雨濛濛，先生舉家搬入臺灣大學教職員宿
　　舍。（臺北市和平東路230巷教職員宿舍左7號）

　　十日先生辦妥臺灣省林務管理局離職手續。

　　十六日晚上先生謁傅先生，巧遇郝更生。

十二月，七日國民政府退守臺灣，中央政府設於臺北市。

1950（庚寅，民國三十九年）　先生四十歲

元月，三日十一時先生謁傅先生，報告信仰基督與教會事，後及教學
　　事，先生遂發揮孟子心學之說，以為帶有宗教意味，舉「充實
　　之謂美」一章為富於宗教氣息之證。傅先生謂孟子受墨子影
　　響，並肯定儒家思想亦為一種宗教，並贈先生《新約新譯》一
　　冊。先生大受鼓舞，歸家即開始為傅先生禱告。

二月，十六日先生拜訪沈剛伯先生，相談一小時，因及信仰諸事，故
　　離開時沈先生稱先生為「有道之士」。先生稱沈先生「思想很
　　細密，所發問題，均極扼要，真積學之士也。」唯以無法回答
　　沈先生有關八世紀時「偶像的爭論」一事，甚感慚愧。

三月，一日蔣中正在臺北復視總統事。

二日先生至臺大圖書館借書閱書，發現中文書殊少，甚為失望，乃閱1946年美國印刷的《大英百科全書》。

三日晚先生謁傅先生，報告近況。

四月，七日先生閱《荀子・性惡篇》，以為「並不精」。

十二日先生閱馮友蘭《中國哲學史》，謂馮氏知孟子「頗有神秘主義之傾向」，而不知與宇宙論相連為言。

五月，五日先生因屈萬里先生嘗言讀過《聖經》，且問及信仰與《創世紀》的問題，故今日思往談論，因身體不舒服未果往。

十七日，先生出席由校長主持的「大一國文課程會」，決定下學期仍講授《孟子》及《史記》。

十二月，二十日傅斯年校長逝世，由教務長沈剛伯先生代理校長。

廿一日先生晨間驚聞傅先生過世，知遇之感頓時盈胸，至靈堂痛哭失聲，賴王叔岷老師之牽扶方能立。

長女念貽生。世界新聞專科學校廣電科畢業，今定居美國紐澤西州，於報社擔任會計，育有一女。（〈訪問稿〉）

1951（辛卯，民國四十年）　先生四十一歲

三月，錢思亮先生接任臺灣大學校長。

四月，顧先生《讀書筆記・何定生論尚書的文法及其年代》一條，引述先生〈尚書的文法及其年代〉「從前的《尚書》問題，係以今古文為討論的基點。然今古文已不成為問題矣，則移其爭點於今文的自身，如〈虞・夏書〉之真假是。……從〈夏書〉剝起，而至於〈商書〉或竟至於西周書，其痕跡宛然。這種有趣的事情，豈是偶然」之論後，云：「這話也未免說得早。偽《古文尚書》的問題固然解決，但〈虞・夏書〉的真假還當在討論階段而不是決定階段。至〈商・周書〉的決定，現在最好

的工具固然是文法，但文法以外也尚有許多條件，現在不易取得，故〈商‧周書〉的討論只是一個起點。惟定生指出的路則是正確的。定生久不通信，不知已到哪裡去？渠有美材而不能自珍，二十年來不聞有所成就，可惜極了。」

1953（癸巳，民國四十二年）　先生四十三歲

九月，書評：〈「詩經釋義」評介〉《學術季刊》第2卷第1期。

1954（甲午，民國四十三年）　先生四十四歲

八月，先生升任國立臺灣大學中國文學系副教授。（〈簡歷〉）

1955（乙未，民國四十四年）　先生四十五歲

今年，先生自香港接三姊到臺灣。（〈訪問稿〉）

1956（丙申，民國四十五年）　先生四十六歲

今年，先生三姊夫抵臺灣，遂與其姊至臺南定居。兩人退休後，已返回廣東家鄉。（〈訪問稿〉）

1959（己亥，民國四十八年）　先生四十九歲

二月，一日長期科學發展委員會（長科會）成立。

四月，論文：〈六經與孔子的關係〉臺北《中央日報》廿八日第3版。

九月，次男光久（Kuangchiu Joseph Ho）生。臺灣科技大學化工系學士，美國新墨西哥州大學（University of New Mexico）生化學博士，今為該校生化學系（Department of Chemistry and Chemical Biology）教授兼系主任。（〈訪問稿〉）

1961（辛丑，民國五十年）　先生五十一歲

三月，十日先生為論文寫作而苦。云：「近年來執筆作文，擬題不下數十個，而無一當意，綴文不下十章矣，而無一成篇，旋作旋

棄，旋寫旋改，必至不成文而後已，直至精神疲憊，不能不擲筆喪志，悄然而慼，直至掩面哭泣。自謂已失去智能，成廢物也。……皆庸人自擾，……如實出之，作為生活一經歷也。」

1962（壬寅，民國五十一年）　先生五十二歲

九月，十日先生寫作論文受阻。云「為孔子之『學』與『學』字諸書之歧義所苦。故文章又擱淺不能寫下。」

十月，一日先生續作論文。云：「孔子之『學』的問題，已然想通。所不能完全釋然者，則文筆之安排尚有問題。」

1963（癸卯，民國五十二年）　先生五十三歲

二月，二日先生完成論文一篇。云：「今日成孔子言學義『讀書篇』第一章。究『讀書』一語源委，頗自謂發前人所未言，心殊自慰，恨孟真師、胡適之先生不及見耳！」

三日先生參加孔孟學會在臺北（臺灣）圖書館講堂舉行的第二次「論語研究會」，程天放為主席，陳大齊教授講〈里仁篇〉「人之過也，各於其黨」章。先生曰：「大意謂『觀過』應作『自觀無過』，蓋為朱《注》翻案，真不知是什麼頭腦，如此而欲發揚孔孟，亦只見孔孟學之『貧困矣』！陳氏講後起而發表意見者頗多，約皆在五十（？）以上，幾於無一見處，可笑也！……陳大齊方音重，辭亦不流暢，又容色枯虛，亦所謂孔孟之學的象徵歟！」

十一日先生自述寫〈孔子言學義〉有如「玩命」。云：「我寫〈孔子言學義〉此文，真如俗語所謂『玩命』，寫了三年，有底稿二兼寫，而修改至今，當不足五千字，此猶可說也。最悲慘的乃易稿即一二百次不止，……我由衷相信，這三年來我也老了二十年！……半月來為修改二千字，我已易了不止四十次

稿，自看所寫蠅頭細書，真該放聲痛哭。」

四月，一日先生郵寄〈孔子言學篇〉原稿至南港中研院，請陳槃先生
　　　審閱。

六月，十九日先生因接陳槃先生之意見，且自覺不夠完善，二個多月
　　　來持續修改〈孔子言學篇〉，並反省寫作論文「一再挨迫」，卻
　　　「遲遲下筆」，應放鬆精神為之的問題。

九月，論文：〈孔子言學篇〉《孔孟學報》第6期。

十二月，十一日先生接獲王叔岷老師自新加坡寄來之信，中有閱讀
　　　〈孔子言學篇〉：「覃思細裁，匠心獨運，可見其大，所識甚
　　　深，一篇可抵人數十篇，洵傑構也」之評論。

1964（甲辰，民國五十三年）　先生五十四歲

八月，廿一日先生擬為文批評瓊瑤《煙雨濛濛》及廣播劇，並論及臺
　　　灣文壇；並擬於完成此文後即動手寫「《詩經》今論」，以作五
　　　十三學年度《詩經》課程講義。然因精神極不佳，心不寧貼，
　　　故不能下筆。

十月，一日先生為美國耶魯大學博士生 Refer. M. Bear（熊培法）上
　　　《詩經》課。云：「美國 Refer. M. Bear（華名熊培法）來學
　　　《詩經》。伊在美國已修完碩士學位，續攻博士，來華研究文
　　　學，攻詩、詞、曲。《詩經》為詩祖，予適在臺大開《詩經》
　　　課，故因史學系某教授之介紹，來校旁聽，並至余家專修，今
　　　日為第一課。培法現在耶魯大學，嘗聽周法高在耶大所講《詩
　　　經》課。」

　　　廿三日先生接受長期科學發展委員會（長科會）研究補助合
　　　約。云：「臺大送長期科學發展委員會研究補助合約，（甲方為
　　　中研院長王世杰，乙方為本人，乙方證人為錢思亮）並臺大撥

款第一期研究補助六千元通知書，日期為十月廿一日。」先生
後加「按語」云：「此為第一次接受長期科學會補助。——五
十五年十月十五日追記。」

十二月，十二日先生接獲新加坡王叔岷老師、美國何炳棣先生、美國
洪煨蓮先生賀年卡。先生發函南港陳槃先生，詢問劉子健美國
地址。

廿四日先生擬訂爾後研究《詩經》之計畫。云：「俟從言教觀
點看《詩經》完稿後，我將致力於《詩經辭典》的編纂。今日
研究《詩經》工作，皆破碎片段，最好從字義（包括詞彙、成
語辭句等）作徹底研究，然後詩可貫通。若做字典編排，從
字、詞、片語、成語的關係，以尋求章句的特徵，必可窺詩旨
的消息，然後可及詩人的意志也，如此則《詩經》可讀矣。我
以為今日研究古書，必能使之現代化——即使現代人可讀，才
是有意義的工作。《詩經》乃古典文學的第一部書，我欲為此
闢一新途徑，以為拓展之始。」

廿七日擬定研究議題，並接獲王叔岷老師信函。云：「《詩經》
研究工作擬題：1.《詩經》字典。2.詩經學黎明運動的夭折。3.
《詩經》復古解放運動史。」又云：「今日開始作研究工作期
中報告書——行長期科學委員會合約之義務也，預定於年底或
年初送出。」又云：「收王叔岷兄自新大來航信，語多質實，
孤寂中得此亦彌喜慰。又云在彼亦處境不佳，心情惡劣，聘約
滿後，決辭去回臺或赴港，又因長男陷大陸，為營救則以在港
為便云。」

1965（乙巳，民國五十四年）　先生五十五歲

元月，一日先生完成「長科會」期中報告書初稿。云：「今得《詩

經》半年研究報告書稿紙等約三千餘字，預計於下星期二送出。」

八日先生「長科會」報告書成稿。云：「研究工作報告因多次修改謄繕，直至今日始行正式繕就，計三千五百子左右，用六百字稿紙七頁。此即正文底子，名『材料解題』。」

九日先生繳交「長科會」研究報告。又喜今年《詩經》課教學進度超前，云：「授《詩經》已至〈杕杜〉（〈唐風〉）即第一百十九篇。較去歲進度高，依此進度，今年或可授二百篇以上。」

十五日先生至臺灣銀行繳交「臺北市五十四年腳踏車使用牌照稅」，新臺幣壹拾捌元正。

二月，廿四日先生因文思泉湧而大樂。云：「究研論文又寫不下了，易稿不止五十次，而思路閉塞，終日不成一字，悲慚失望，殆瀕絕境！百無聊奈中，取某前所書一稿首讀之，覺當有路可通，因賡續之，而文思澎湧，汨汨然如水之至，心境頓舒，日來陰霾為之一掃，知我靈當不窘塞也，則又樂不可支。」又云：「今日上第二學期的《詩經》第一課。」

四月，十八日先生發現口講優於筆述。云：「對《詩經》問題，覺胸中歷然，如有成竹，但一執筆，渺不成綴，數日一字，但用口宣之，卻又毫無困難。月前從何蝶處借來錄音機一架，錄余所口講有關《詩經》問題二段，全不屬稿卻條理天成，不假修飾，若加謄錄又失原來神氣，此何故爾？」

七月，二十日先生校畢「長科會」研究報告全文。云：「今日研究文全稿打字打完並校畢。惟篇首中英文摘要則才交打，云明晨打出。中文約九百字。英文約六百字，由我自屬稿，經趙麗蓮女教授修改，所易不多，大致她所改處常在語法及用字上，此予我不少英文上的啟示。惟因趙氏不知中國古典文學，故所改亦

不極慊。又研究報告全文為四十八葉（九十六面）約四萬字
（每頁九百六十字打字費十二元），自信其中頗多為前人所未
至的看法，故覺彌足珍貴云。」

十二月，廿三日先生完成「《詩經》的復古解放問題」寫作綱要。
云：「今日將『《詩經》的復古解放問題』的寫作綱領寫出，作
為五十五年度『長科會』的半年研究報告，共六頁，約為三千
五百字。」

1966（丙午，民國五十五年）　先生五十六歲

元月，十日先生親送「從言教到諫書看《詩經》」全稿七十一葉（共
一百四十一頁）至孔孟學會。

四月，論文：〈從言教到諫書看詩經面貌〉《孔孟學報》第11期（長科
會1964年研究獎助論文）。

六月，卅一日先生完成長科會1965年研究獎助論文〈詩經的復古解放
問題〉的打字稿。

八月，先生升任臺灣大學中國文學系教授。（九月二十六日接獲聘
書）
論文：〈關於《論語》的若干解釋〉臺北《中央日報》十八日
副刊。先生用「更生」筆名發表。云：「今（八）月十八日用
『更生』筆在《中副》發表一文曰：〈關於《論語》的若干解
釋〉，專批評林語堂八月一日在《中副》發表之〈論孔子的幽
默〉一文中引孔子〈群居終日章〉的『好行小慧』和〈陽貨
篇・佛肸篇〉的『吾豈匏瓜也哉？焉能繫而不食』的解釋而
發。林解『小慧』為『小惠』（恩惠），釋『焉能繫而不食』的
『繫』為『不吃飯』。吾文約二千四百字，論林文『小惠』之
義的錯誤固無論，即『不食』也不通，因匏瓜只有『被食』的

份（或不能吃─即吃不及），決不能解作吃飯，且孔子也不為
吃飯致赴中牟也。八月廿九日《中副》又載林氏〈再論孔子通
情〉反駁我匏瓜說法，謂為『硬改孔子的話』，語多失態。我
又作一文曰〈再論《論語・佛肸章》的匏瓜問題〉，但《中
副》不發表，則亦聽之。蓋我為文已曲為言之，此文專申前
言，亦無必要也。」

九月，十日先生參加中文系在悅賓樓的宴會。云：「今日與叔岷同車
至中正路悅賓樓參加歡迎屈萬里、鄭騫兩夫婦及送楊承祖赴南
大宴會。」

十月，廿八日先生接受「長科會」五十六年度研究補助費合約。並出
席中文系會議，結論是本學期教授《史記》。

十一月，七日先生感嘆長科會的補助一年不到三萬元，費一年心血，
所得還趕不上坊間所謂文藝獎。

1967（丁未，民國五十六年）　先生五十七歲

六月，廿六日先生繳交五十五年「長科會」研究報告論文〈詩經的解
釋問題〉，全文（約四萬餘字）及摘要等。云：「此次報告乃竭
一月多之力所完成，真『玩兒命』也。謄寫印刷等費約七百
元。」又云：「此次稿件，為節省費用，故《詩經》解說論述
部分僅辨明〈國風〉一百六十篇，〈二雅〉均未涉及，將來如
發表，仍當補入也。」

八月，十七日先生接獲臺灣商務印書館考慮出版《詩經今論》之函。
云：「今日收到商務印書館編輯部代主任傅宗懋一雙掛號信，
略以『奉本館董事長（案即王雲五）交下八月九日大函云云』
請即寄文稿，以便閱讀，『合則簽訂契約』云云。案七月下
旬，曾於某日致函王氏，問及將《詩經今論》之文稿（約十五

萬字）是否可藉《人人文庫》篇幅發表，至十日無復書，疑王
氏嫌平時簡慢，故不置答，因又作一信詳為解釋，並亦放棄投
稿企圖矣。今乃忽收覆書，實出意外，故亦不興奮，亦不欣
喜。惟王氏（代編輯主任代言）謂前信『實未收到』，故無論
是否屬實，亦已足表示王氏好意，則投稿自仍無妨考慮也。」

十月，廿六日先生請廖蔚卿老師代為出席文學院課程委員會。

三十日先生繳交申請科技單位五十七年研究補助文件，申報專題為
「《詩經》的樂歌關係的檢討」。今日先生與商務印書館簽訂出
書合約，書名「詩經今論」，約十五萬字。

今年，先生因胰臟癌入臺灣大學醫學院附屬醫院開刀，故休病假一學
年。（〈訪問稿〉）

1968（戊申，民國五十七年）　先生五十八歲

元月，廿五日先生請廖蔚卿老師代為繳交科技單位研究工作半年報
告。

三十日為春節，金祥恆先生至先生處拜年並視疾。

二月，十一日先生接獲商務印書館傅宗懋君寄回《詩經今論》原稿。
云：「案：農曆年前曾託臺大博士班學生鄭良樹君代表到該館
接洽關于《詩經今論》之出版事宜。傅君告知鄭君謂該書須至
四月間纔能付印云。」

四月，八日先生致函程元敏老師借書。

十二日程元敏老師送來《皇清經解》本邵懿辰《禮經通論》；
莊存與《周官記》、《周官說》等書。

十四日陳槃先生來訪，適先生至聚會處而未晤。程元敏老師告
知代為查詢《詩經今論》的出版狀況。

十八日先生接獲中研院中美合作委員會送來之調查卡片，請填

　　　　寫五十六年七月至五十七年六月研究專題「《詩經》的樂歌關
　　　　係的檢討」以外的研究專題及計畫內容，並於四月三十日前寄
　　　　回，先生甚感困惑，不知如何填寫。

五月，十三日先生向科技單位提出研究補助專題：「孔子的傳記問題
　　　　與六經」。

六月，五日先生接獲臺灣大學人事室通知領取教育部頒發的教授證
　　　　書。
　　　　十二日先生寄出《詩經今論》三校稿。云：「今日將《詩經今
　　　　論》三校稿校畢。因程元敏不預整本校對（曾於六月八日有函
　　　　邀約，未見復音），故於〈卷頭語〉中將原寫致謝語鉤去。」
　　　　專書：《詩經今論》（臺北：臺灣商務印書館）。

八月，十三日先生以水路郵寄《詩經今論》贈新加坡的王叔岷老師。

九月，十四日先生今年上課擬續講《詩經》，擬逐漸完成《詩經今
　　　　注》稿後出版。科技單位1967年研究獎助論文〈詩經的樂歌關
　　　　係的檢討〉，先生以為付《文史哲學報》為佳。

十月，三日先生病假結束後，開講本學期第一次《詩經》課，聽者甚
　　　　多，至普13教室容納不下，改至普12大教室上課，先生甚為欣
　　　　慰。
　　　　六日科技單位公布補助名單，先生列名，先生則訝張敬老師、
　　　　裴溥言老師等未列名。
　　　　十八日先生之師趙元任先生抵臺。
　　　　廿三日趙元任先生應臺大中文系之邀，在研究圖書館三樓做學
　　　　術演講，講題是關於翻譯的問題。先生趁機請教若干古音譯的
　　　　問題。趙先生廿六日離臺赴日本講學，先生當日有課，不克前
　　　　往送行。

十一月，七日先生繳交科技單位五十七年同意研究補助合約。

1969（己酉，民國五十八年）　先生五十九歲

二月，二日先生接獲商務印書館通知，《詩經今論》五十七年下半年
　　　銷售五五六冊，扣稅後實得版稅為新臺幣九百四十九元九角。

四月，二十日先生因〈詩經的樂歌關係的檢討〉刊登事致函金祥恆先
　　　生。云：「今日致一函給金祥恆先生，表示放棄盼〈詩經的樂
　　　歌關係的檢討〉一稿在《臺大文史哲學報》發表的幻想，並要
　　　求退稿。案：自去歲八月間，我便有言此該稿送《臺大文史哲
　　　學報》發表，因令小女念貽將原稿重繕一份（用《文史哲
　　　報》稿紙）。全稿三萬餘字，大約至去歲十一月間繕畢，於是
　　　託程元敏君（臺大國文研究所博士班學生）轉送金祥恆君。嗣
　　　金君來云稿轉屈萬里先生看過，俟開會後即可決定付印事宜。
　　　惟其中似有若干疑問請斟酌云？問何處？曰：如題目『詩經的
　　　樂歌關係』云云『的』字是否為『和』字或『與』字之誤？又
　　　云：關於資料問題中，尚有若干意見，似應採入等語。我答金
　　　先生此篇本科學會所通過，今若欲修改，亦無不可。惟所須加
　　　入資料，請即交下，正當補入，或俟校印時在校稿中加入亦
　　　可。金先生允諾而去。嗣後多次遇金先生，問事情進行如何，
　　　皆謂『未開會』。」

五月，論文：〈詩經與樂歌的原始關係〉《臺大文史哲學報》第18期。
　　　五日先生送五十八年度科技單位申請研究補助計畫書，附送的
　　　著作為〈詩經與樂歌的原始關係〉，研究專題為：「從儀禮的樂
　　　歌分類覘三百篇的原始解題」。

七月，十一日先生憂心難以完成科技單位研究計畫，蓋先生五日因病
　　　住院，至今已七日矣。云：「繕寫稿至三、四千字，完成《論
　　　語》部全文之主要部分。令小更（案：先生長男小名）將稿送
　　　至趙先生處，接洽繕寫事宜。趙先生云尚有為他人繕稿未完，

恐不能代寫，時日已迫，僅有半月時間，而全稿尚未完，可怕
也。」

廿九日先生繳交科技單位研究報告「孔子的傳記問題與六
經」，全文四萬餘字。

八月，四日先生接獲商務印書館五十八年上半年版稅，《詩經今論》
售出二百五十本。

十四日先生擬作「孔子世家探源」之專題研究。云：「今日忽
想起〈孔子世家〉於孔子傳的取材，除《論語》《左傳》外，
採之其他傳記者正多，此事可作一專題加以細考，茲擬題云：
『孔子世家探源』。和《史記》之成為中國第一部正史一樣，
〈孔子世家〉也是中國第一部孔子傳。《史記》出而中國史奠
定了中國史學的根基，但自有〈孔子世家〉而中國三千年前的
古典文學（六經）成了混沌局面，至今仍不可究詰。故欲從根
認識此問題，務須從〈世家〉探源入手不為功。此乃余於「孔
子傳記問題與六經」一文中已略為發凡論略，茲為此問題以徹
底解決起見，擬就〈世家〉作一徹底考證，如此則後人繼〈世
家〉而起之附會由來可以詳見，而二千年來六經渾沌之局，乃
可以有澄清之實矣。」

廿四日先生因中華少棒隊獲冠軍而發之感慨。云：「今日上午
二時若干分，中華少年棒球隊以三賽三勝，最後是以五 Ａ 比
〇的紀錄擊敗美國西區隊而獲少年棒球賽的世界冠軍。這無疑
的是我國使日本挖心刻骨的大勝利，同時也給點顏色給美國人
人看，讓老油條的尼克森不要太藐視─甚至於無視自由中國
了！美國自杜魯門以來，最狡猾油條的總統可以說無過於今日
的尼克森的了！但尼氏是無能的，油條並不能就把牠那狐狸尾
巴被遮去，這不是弄巧反拙麼？」

九月，十五日先生接獲〈詩經與樂歌的原始關係〉抽印本，請中文系
助教邵紅老師代為轉贈周法高先生、陳槃先生、屈萬里先生、
戴君仁先生、臺靜農先生。同時郵寄一冊贈程元敏老師。
廿六日為中秋節，強烈颱風艾爾西晚上於東北部登陸，晚上七
點停電至上午，為數十年來第一次中秋節遇颱風。
廿八日中午先生與沈剛伯、姚從吾、屈萬里、劉崇銘、毛子水
等諸先生至陽明山中山樓，參加總統府舉辦的教師節餐會，蔣
中正與會。認識成舍我先生與包德明校長，包校長並邀先生至
銘傳兼課，先生以健康不佳婉拒之。

十月，六日先生因程元敏老師來晤，甚喜。云：「今日程元敏來晤，
半年來之沉悶為之一掃。蓋因上學期末，元敏即不覿面，恐我
請其吃飯也。前些日子，我又作一書，謂我已裝上十六枚義
齒，且能勉強吃飯，心中喜樂，盼來共進午餐云云。想元敏又
不來，乃傍晚時倏然而至，雖然未吃飯，然已心為一舒。歡談
之下，妻餉以麻豆文旦一枚，並問其女朋友問題，云可作冰
人。元敏遜謝，余仍欲其為吃飯之約，亦未有成議云。」

十一月，六日先生接獲科技單位通過五十八年度研究補助案專函。
云：「今日收到臺大文學院（58）校人字第六五七二號函轉科
技單位十月卅一日（58）科會字第二四八四號函送『五十八學
年度』研究補助審定案檢附合約請轉受領該項補助先生妥簽。」
十五日先生發函邀約程元敏老師、薛曉青、楊天錫、文榮光、
呂振端等五人來家晚餐，呂振端未到。席間詳述二年前開刀經
過及「基督徒身體與外邦人不同」的奧秘。

1970（庚戌，民國五十九年） 先生六十歲

元月，卅一日先生覆王叔岷老師一九七〇年十月廿日馬來亞大學之來

信，先生發揮考證精神，因辨此信日期之誤云：「此恐有誤。今方一九七〇之一月，焉乃有十月廿日耶？若七〇為六九之誤，則一航空信又安能歷時三月餘始寄達？此理之所必無也。然則此七〇為五九之誤耶？則59年亦才一個月，不應有十月。然則十月當為一月之誤無疑也。」

三月，序跋：〈古史辨序〉，《古史辨》（臺北：明倫出版社）。

五月，十九日先生覆馬來亞大學王叔岷老師信，略述因惡性貧血而住醫院。廿七日收到王老師回覆之信。

二十日先生繳送申請五十九年度科技單位專題研究計畫書。

六月，閻振興先生接任臺灣大學校長。

一日先生因無法寫作而焦慮。云：「夜腹部疼痛，似末日將屆，似此情形，雖然延長一日生命都將成問題。周身乏力，終日躺臥外，對報告今日未著一字。」

十三日屈萬里先生離職赴南洋大學講學。

十四日臺靜農先生代中文系主任。中文系送來《詩經》試卷21份，係委請金祥恆先生監考，先生甚為感激。先生夜夢與父親相見。云：「夜夢父親，甚和悅，惟已忘夢中言動。只覺心中喜樂而已。」

廿三日先生「日記」至此結束。先生云：「二十三日晨六時探體溫為36.1℃甚怪之。然腹脹竟覺頓減。早餐時牙床亦更佳。然後知昨晚之腹脹與此牙床發炎有關。體中發炎發為牙痛，腹脹遂不受壓迫，是知此與水腫有關也。」

今年，論文：〈從儀禮的樂歌分類覘三百篇的原始解題〉（科技單位1969年研究獎助論文）。

八月，三日先生因胰臟癌逝世於臺灣大學醫學院附屬醫院。（〈訪問稿〉）

1978（戊午，民國六十七年）　先生逝世後八年

七月，專書：《定生論學集：詩經與孔學研究》（臺北：幼獅文化事業
　　　公司）。此書系由曾志雄學長整理錄音稿後，由何寄澎老師幫
　　　忙接洽出版。

1979（己未，民國六十八年）　先生逝世後九年

十月，九日顧先生接獲先生在臺灣大學中文系學生，時為香港中文大
　　　學中國語言及文學系導師的曾志雄學長，從香港奉寄之《定生
　　　論學集》。顧先生《日記》云：「我在燕大時，定生曾偕其夫人
　　　來訪，知其肄業齊魯大學，自此五十年，杳不知其所在。今日
　　　得九龍寄來臺灣出版之《論學集》，乃知大陸解放後渠在臺北
　　　大學任教，且已逝世十餘年。其所論《詩經》與孔學，實為我
　　　論學諸文之發展。惜哉此人，如此早逝，真可悲也。」

十月，十日顧先生《日記》云：「今日在定生文中，知我在杭州所抄
　　　之姚際恆《儀禮通論》實在臺灣，不知其在臺大歟？中研院史
　　　語所歟？抑臺北（臺灣）圖書館歟？茫茫天壤，有此二部，而
　　　一在日本，一在臺北，都不能見，恨之何似！」

　　　廿五日顧先生《日記》云：「何定生君多年不見，不知其何往？
　　　今得其弟子曾志雄寄其遺著《定生論學集》來，乃知其大革命
　　　設教於臺北大學，且病癌症死已十年矣，傷哉！此係余中山大
　　　學中最能集中精神以治學之一人也！書中有〈詩經與樂歌的原
　　　始關係〉長文，將《詩經》與《儀禮》詳細關係鉤索而出，以
　　　駁正余倉卒所為之〈論詩經所錄全為樂歌〉之說，使我心服。」

1980（庚申，民國六十九年）　先生逝世後十年

五月，十八日顧先生續看《定生論學集》，《日記》云：「何定生，廣
　　　東潮州人。學於中山大學，天分絕高，為一班首。曾以半年之

力作〈尚書各篇之時代分析〉。予為之請於校當局，給以獎金二
百元。一時忌者蜂起，謠諑紛來（可指名者為伍俶、羅庸、羅
常培等）。渠不安於位，遂請退學，隨予至蘇、至京，又以做
文批評胡適，激起北大方面之口舌，遂捨予而試入齊魯大學。
曾到燕京大學視予，匆匆而去。此後僅一見面耳。病前接其弟
子曾志雄寄來《定生論學集》一冊，研究《詩經》與孔學，知
其在臺灣大學任課。然已死十年矣，傷哉！未盡其壽也！」
二十日顧先生續看《定生論學集》，《日記》云：「看《定生論
學集》，仍未畢，足見其工作之細。」

1983（癸亥，民國七十二年）　先生逝世後十三年

十一月，論文：〈宋儒對於詩經的解釋態度〉、〈清儒對於詩經的見
　　解〉林慶彰編《詩經研究論集》（臺北：臺灣學生書局）。

1987（丁卯，民國七十六年）　先生逝世後十七年

九月，論文：〈關於詩經通論〉林慶彰主編《詩經研究論集（二）》
　　（臺北：臺灣學生書局）。

1990（庚子，民國七十九年）　先生逝世後二十年

元月，資料：顧先生《顧頡剛讀書筆記》（臺北：聯經出版事業公
　　司）。是書錄先生相關資料一條。

1993（癸酉，民國八十二年）　先生逝世後二十三年

三月，資料：顧潮編《顧頡剛年譜》（北京：中國社會科學出版社）。
　　是書錄先生相關資料十三條。

1999（己卯，民國八十八年）　先生逝世後二十九年

六月：評論：張慧美〈評介「詩經今論」〉《興大中文學報》第12期。

2000（庚辰，民國八十九年）　先生逝世後三十年

七月，評述：〈始於愛而終於離：顧頡剛與何定生〉王學典、孫延傑
　　　《顧頡剛和他的弟子們》（濟南：山東畫報出版社）。

2007（丁亥，民國九十六年）　先生逝世後三十七年

五月，資料：《顧頡剛日記》（臺北：聯經出版事業公司）。是書錄有
　　　先生相關資料近百條。（〈索引〉遺漏頗多）

九月，評述：〈何定生〉張昌華《曾經風雅：文化名人的背影》（桂
　　　林：廣西師範大學出版社）。

張以仁先生與臺灣地區傳統學術研究：以學位論文為對象的考徵[*]

一　前言

　　以漢族為主體，以經學為主流的中華文化，淵源流衍於周代，完成於漢武帝（B.C.156-87）當政（B.C.141-87）的時代，經學從此成為整個華人社會的主流學術，直到二十世紀清朝滅亡之前，[1]經學思想主宰了中國二千年的學術。十七世紀末在鄭成功（1624-1662）時代納入中國的臺灣地區，同樣也受到中華文化的薰陶，中日甲午戰爭後，清廷在1895年與日本簽訂〈馬關條約〉，將臺灣割讓給日本，經

---

[*] 本文初稿曾以「張以仁先生與臺灣經學研究：以學位論文為對象的考徵」之標題，發表於2015年7月13日臺灣中研院中國文哲研究所主辦的「『戰後臺灣經學研究』第一次學術研討會」中，由於文中雖以「經學」為主，但張老師不僅在經學研究上的成就眾所矚目，文學上的研究也受到矚目，尤其《花間詞》的研究，更是開創另一種不同於前人的研究方式，更是受到特別的關注重視，是以文中遂也擴及其他學科的討論，因此更改標題，以得名實相符之實際。論文發表之際，感謝評論人蔣秋華學長，以及陳金木教授和其他與會學者，提供不同的意見；還有未具名的審查學者，不僅提醒文中的不妥與訛誤，同時提供諸多修改的睿見，使得本文的訛誤可以降至最低，謹此致謝。

[1] 清朝光緒31年8月4日（1905年9月2日）清德宗接受袁世凱等「請立停科舉以廣學校」之請，下令自光緒32年（1906）起廢除所有科舉考試的制度。〔清〕世續等編：《德宗景皇帝實錄・光緒三十一年八月甲辰》，《清實錄》（北京：中華書局，1986縮影本），第59冊，卷548，頁273。經學從此失去「官學」的地位，同時失去主宰中國學術的地位。

學在臺灣民間的傳承雖沒有中斷，但在日本引進推行的西洋教育體系及現代學術研究方法的衝擊改變之下，經學雖從此失去原有學術主流的地位，卻也因此而加入現代學術研究的因素，進而逐漸融入現代學術研究的框架之內，成為日本整體學術研究的一環。

　　日本發動侵略戰爭失敗而投降，1945年放棄臺灣的統治權。國民政府接收臺灣之後，基於語言文字的差別，以及民族自尊心的雙重影響，日本時代臺灣的學術研究，因而無法繼續發展，是以臺灣現代學術意義下的傳統學術研究，基本上與日本時代的學術雖稍有關係，但實質影響甚微，[2]這應該是一般研究者的共識。現代學術意義下臺灣的傳統學術研究，必須等到國民政府在1945年接收臺灣等大學院校，尤其在1949年國共內戰後敗退臺灣，許多經過五四新文化運動洗禮的大陸學者，例如：陳大齊先生（1887-1983）、高鴻縉先生（1891-1963）、毛子水先生（1893-1988）、程發軔先生（1894-1975）、熊公哲先生（1894-1980）、戴君仁先生（1901-1978）、陳槃先生（1909-1999）、屈萬里先生（1907-1979）、王夢鷗先生（1907-2002）、潘重規先生（1908-2003）、傅隸樸先生（1908-？）、高明老師（1909-1992）、林尹先生（1910-1983）、何定生先生（1911-1970）、陳鐵凡先生（1912-1992）、魯實先先生（1913-1977）、孔德成老師（1920-2008）、裴溥言先生（1921-2017）……等等，跟隨國民政府退居臺灣，因而開啟了現代意義下的臺灣傳統學術的各方面研究，這些學者也就是臺灣傳統學術研究的第一代開創學者。

　　學術的生根發展，傳授者之外當然還需要有承受者，臺灣的現代傳統學術研究，在前述第一代學者用心傳授下，培養了許多學術界第

2　如光復後任教於臺灣大學中文系的吳守禮、黃得時等兩位先生，均受教於日本久保得二教授和神田喜一郎教授，但兩位先生對臺灣學術研究的影響並不顯著，故曰有關係而影響甚微。

二代的研究者，促成臺灣傳統學術現代化及其後續的發展。[3]第二代
學者如：胡自逢先生（1912-2004）、張以仁老師（1930-2009）、周何
老師（1932-2003）、王熙元老師（1935-1996）、陳新雄先生（1935-
2012），以及程元敏老師、李威熊老師、戴璉璋老師、許錟輝先生
（1934-2018）、蔡信發先生、賴明德老師、陳滿銘老師（1935-
2020）、黃慶萱老師、呂凱先生、劉正浩先生（1927-2019）、余培林
先生（1931-2018）……等等。臺灣學術界在第一、二代學者共同教
授引導下，現代式的傳統中國學術研究終於在臺灣生根發芽，從此生
生不息的成長。[4]這些學者們對臺灣傳統學術研究的貢獻，雖然也受
到學界的注意，[5]但相對於同時代的文學創作者受到的注意，實在相

---

3 龔鵬程師在探討臺灣古典文學的研究發展時，曾經提到說：「我們可以說在臺灣之
  古典文學研究，可以渡海來臺傳播火種的林尹、高明、潘重規、臺靜農、鄭騫、李
  辰冬等為第一代。他們所培養出來的黃永武、王熙元、吳宏一、于大成、羅宗濤等
  博士為第二代。」龔老師同時還觀察到古典文學研究的第二代以後的學者，在「思
  想、視野、方法都與前世代有顯著的差異。」龔鵬程師：〈學會運作概況〉，龔鵬程
  師主編：《五十年來的中國文學研究（1950-2000）》（臺北：臺灣學生書局，2001），
  頁363。本文的原始構思，即承續龔老師此觀點而進行的研究設計，尤其注重學者
  的學術實際影響力的分析探討。
4 有關臺灣傳統學術研究的概況，可參考程發軔主編：《六十年來之國學》（臺北：正
  中書局，1972）；龔鵬程師主編：《五十年來的中國文學研究（1950-2000）》；林慶彰
  主編：《五十年來的經學研究》（臺北：臺灣學生書局，2003）；邱炯友、周彥文主
  編：《五十年來的圖書文獻學研究（1950-2000）》（臺北：臺灣學生書局，2004）；竺
  家寧主編：《五十年來的中國語言學研究（1950-2000）》（臺北：臺灣學生書局，
  2006）；賴貴三：《臺灣易學人物志》（臺北：里仁書局，2013）等書的相關討論。
5 以第一代學者學術成就方面的研究而論，學位論文有屈萬里先生、高明老師、陳大
  齊先生等三位學者的研究。期刊論文方面，則僅涉及八位學者：程發軔：〈高鴻縉
  君對文字學之貢獻〉，《學粹》第7卷第3期（1965年4月），頁56-58。吳璵：〈魯實先
  先生與其文字學〉，《中國語文通訊》第17期（1991年11月），頁22-27。許錟輝：〈吾
  愛吾師，吾師即真理——魯實先先生「尚書」學記要〉，《書目季刊》第33卷第3期
  （1999年12月），頁75-80。許建平：〈潘重規先生對《詩經》研究的貢獻〉，《敦煌
  學》第25期（2004年9月），頁359-405。陳雯津：〈陳鐵凡之生平及其研究經學之貢

當不足。對一代學術發展的認知，本就該以整體性了解為常為是，當今此種研究重心偏向的狀況，自非正常學術當有之現象，是以中研院中國文哲研究所經學文獻研究方向的成員，遂設計了一個為期三年的「戰後臺灣的經學研究計畫」，準備和對此議題有興趣的學者們，共同針對臺灣傳統學術研究的第一、二代學者，涉及經學研究方面的表現與成就，進行較為全面性的研究探討，以便可以更為深入的了解第一、二代學者們的學術成就，以及對臺灣傳統學術研究的貢獻，因而更加了解臺灣傳統學術研究的狀況，進而有助於對臺灣整體學術發展實際的了解。

學者的研究成果是否具有學術價值？無論評量指標如何訂定，但該成果是否受到當代與後代學者的接受與重視？因而對某學科領域的學術發展與成長有所貢獻，當該是其中不可少的重要評量標準。亦即學者的研究成果必須受到當代或異代學者的認同傳播，進而對學術研究產生實質的影響功能，方才具有實際的學術價值，那類未曾傳世或傳世沒有被接受的研究成果，即使後來確實被證明在當代具有相對性的學術重要創發，但這種時過境遷後的追溯性證明即使為真，同樣也

獻〉，《問學集》第15期（2008年4月），頁145-154。楊晉龍：〈何定生教授年表初稿〉，《中國文哲研究通訊》第20卷第2期（2010年6月），頁5-27。王寧：〈林尹先生的學術成就與章黃之學的繼承發展〉，《孔孟月刊》第599-600期（2012年8月），頁50-53。金周生：〈戴君仁先生與其學術成就〉，《孔孟月刊》第605-606期（2013年2月），頁4-9。車行健：〈何定生與《古史辨》的《詩經》研究〉，《中國文哲研究通訊》第93期（2014年3月），頁107-132。柯淑齡：〈一代宗師潘重規石禪先生及其語言文字學〉，《孔孟月刊》第619-620期（2014年4月），頁9-17。2015年7月13日「戰後臺灣經學研究」第一次學術研討會新的研究對象有：錢穆先生、趙制陽先生、裴溥言先生、陳立夫先生、熊公哲先生等。2015年11月12-13日第二次學術研討會新增研究對象為：王叔岷老師、陳新雄先生、王金凌先生、王夢鷗先生、江舉謙先生、王靜芝先生、李雲光先生、傅隸樸先生、簡博賢先生、余培林先生、林慶彰先生、林聰舜先生等。

無法被認定在當代確實具備實質的學術價值，因為該研究實際上在當代從未發生學術影響力故也，類似這一類不具備學術價值的學術論著，自然也就無法有效證明對學術界有所貢獻。然而由於學術影響一類的研究探討，必須實際閱讀甚多相關文獻，方有可能獲得必要的基本資訊，是以長期以來學界對這方面的研究探討並不熱衷。觀察學界比較熱衷探討的大致比較集中在內容狀況、思想內涵和文藝表現等等一類，主要針對單一論著或學者進行歸納分析的研究議題，蓋這類議題涉及的文獻範圍較窄，自由發揮的可能性較強，是以較易著手故也。觀察針對前述第一代學者既有的研究成果，可以發現研究者主要探討的就是這類針對書籍或學者自身學術表現或成就的研究分析，至於學者或書籍成就的實質學術影響力，尤其對臺灣經學研究的貢獻或關係，則尚未有專門論及者，即使稍有觸及也都沒有經過有效論據證實的過程，往往以某類未經有效證實的「話語」或抽象式的推論為答案，是以比較缺乏實際的證據效力。[6]然而若要確實了解並證實學者對學術的貢獻，則有關學術影響力方面的研究當有其必要，本文因此選擇筆者最為熟悉的第二代學者，先師張以仁教授為對象，探討張老師學術研究的成果及指導研究生的學術表現，總體上對包括經學在內的臺灣傳統學術研究的影響狀況，以期能較為確實的說明張老師與臺灣傳統學術研究的關係，以及對臺灣傳統學術研究的實質貢獻，進而做為全面性探討臺灣光復後第一、二代學者對臺灣傳統學術研究實質貢獻的初步奠基工作。

　　本文主要立基於深入了解傳統學術傳播狀況的立場，探討張以仁老師學術研究成果與臺灣包括經學在內的傳統學術研究的關係和影響

6　以「外部研究」方式探討第一代學者對臺灣傳統學術研究實質影響者，在中研院中國文哲研究所舉辦「戰後臺灣經學研究」之前，大概僅有楊晉龍：〈開闢引導與典律：論屈萬里與臺灣詩經學研究環境的生成〉，本書頁1-48，以及楊晉龍：〈引導與典範：王叔岷先生論著在臺灣學位論文的引述及意義探論〉，本書頁87-116等兩文。

力的狀況，進而分析說明張老師對臺灣傳統學術研究的貢獻；研究重
點首先放在張老師對經學研究的貢獻，並進而擴及其他傳統學術研究
的貢獻，但經學研究原本就隸屬於傳統學術研究的範圍之內，是以下
文指涉的傳統學術研究，自然也就涵蓋了經學研究在內。研究的主要
文獻，係以相對於會議論文、期刊論文、升等論文、學術專著、學術
論文集等等，更具學術指標性的學位論文為主。[7]學位論文徵引的實
況，將以「臺灣博碩士論文知識加值系統」、[8]「師範校院聯合博碩士
論文系統」，[9]這兩個網站蒐錄的2014年及之前的學位論文為對象。再
者就當今學術研究成果的表現而論，大致上如前文所述，學界主要進
行的乃是涉及思想觀念表現及其內容實情的「內部研究」方式，這同
時也是一般學術研究者研究時普遍接受的方式。[10]本文因此轉而以透
過統計引述表現的實況，用以說明影響實情的「外部研究」方式進行
探究，「外部研究」屬於量化性質的研究，因此重點放在實質徵引數
量的統計分析，對於思想觀念方面的內容，將盡量不涉入，這主要是
「外部研究」的設計，原本就是以補充「內部研究」未能照顧到的部
分為目的故也。「外部研究」的方式由於必須搜尋甚多的相關文獻，
因此在電腦搜尋系統未發明之前，這類型的研究確實有相當高的難

---

7 參考張高評學長：〈唐宋文學研究概況〉，龔鵬程師主編：《五十年來的中國文學研
究》，頁180所論。

8 網址為：http://ndltd.ncl.edu.tw/cgi-bin/gs32/gsweb.cgi/ccd=Gi.tic/webmge?Geticket=1。

9 網址為：http://140.122.127.247/cgi-bin/gs/gsweb.cgi?o=d1。

10 以經學研究為例，先前筆者曾針對1998年以前臺灣地區685位《詩經》研究者發表
的2094篇單篇論文、9篇學士論文、93篇碩士論文、15篇博士論文、專著（含論文
集）143部，總共2354個案例進行實際的觀察分析，發現質化的內部研究乃是《詩
經》研究者普遍接受的研究方式，《詩經》之外的其他經書，以及傳統學術範圍的
研究，亦未見不同研究方式者，故云。見楊晉龍：〈臺灣近五十年詩經學研究概述
（1949-1998）〉，《漢學研究通訊》第20卷第3期（2001年8月），頁28-50或楊晉龍：
〈詩經學研究概述〉，林慶彰主編：《五十年來的經學研究》，頁91-159。

度，這也就是前賢所以不熱衷「外部研究」，甚至排斥「外部研究」的深層原因。但由於科技日新月異的發展，是以現代的研究者可以善用新科技創造出來的研究工具，即網路資料庫和搜尋系統的相互配合，比較方便的進行「外部研究」類型的研究議題。再則就現在認知的「經學研究」而論，大致可以分成廣狹兩個不同的研究範圍：一是小範圍狹義的經學研究，指的是《十三經》的相關研究，亦即以《十三經》為對象的相關研究，可稱之為「經書之學的研究」。一是大範圍廣義的經學研究，指的是「經部諸書籍」的相關研究，亦即以《四庫全書總目》所分的《易》、《書》、《詩》、禮（《周禮》、《儀禮》、《禮記》、三禮通義、通禮、雜禮書）、《春秋》、《孝經》、《五經》總義、《四書》、樂、小學（訓詁、字書、韻書）等十大類十七小類書籍為對象的研究，[11]這可稱之為「經部之學的研究」。狹義的經學研究包含在廣義的經學研究之內，是以本文討論的經學研究，指涉的乃是包括狹義的經學研究在內的廣義經學研究，亦即以《四庫全書總目》分類的「經部」書籍的相關學位論文為探討對象。[12]研究的進行，除說明研究緣起的「前言」外，將首先統計說明張老師論著的總數及其涉及的學科分類，以及張老師指導研究生學位論文的狀況及其學科分類；其次搜尋統計學位論文徵引張老師學術論著的實際表現，以觀察張老師論著中有那些學術專著或論文具有實際的學術影響力；其三歸納徵

---

11 〔清〕永瑢等編，王伯祥斷句：《四庫全書總目‧門目》（北京：中華書局，1965），卷首，頁1-2。

12 本文關於張老師論著及指導論文研究內容屬性的分類，主要參考《四庫全書總目》的「四部」及其分類標準，並以該論著研究的主題內容做為判斷標準，是以諸如「某某書訓詁研究」之類，因其研究議題的內容係「訓詁」，是以無論研究的書籍歸屬於其他三部的哪一類，均歸入「經部小學類」，並依據現在學術界的一般性認知，將斠讎列入經部，輯佚、文獻列入史部，其他則依此類推。至於探討張老師論著對那些書籍的研究影響與貢獻時，則不論研究內容的屬性，直接回歸該書籍討論。感謝未具名審查者的提醒，謹做以上的說明。

引張老師學術論著的學位論文及張老師指導的研究生學位論文等隸屬
的學科，進而探討張老師對臺灣傳統學術研究影響的實情。最後統整
前述所得的研究成果，說明張老師對臺灣傳統學術研究的影響力，進
而分析張老師對臺灣傳統學術研究實質貢獻的狀況而結束本文。

二 張先生學術論著的分類與指導研究生考實

　　學者與學術的關係或貢獻，自然是以發表的學術論著及指導的研
究生為主要評量標的，學術論著可以考見學者在研究專業上的投入及
表現，指導研究生論文的研究範圍，以及研究生後來的學術動向，可
以評估學者學術專業的實踐與發展傳播的狀況。是以想要確實探討學
者的學術貢獻，則學者自身的研究表現固然必須重視，指導的研究生
後來的學術表現，同樣也不能忽略，必須將這兩者結合起來觀察分
析，方能確實了解該學者的學術貢獻。

　　張以仁老師，湖南醴陵人，1930年生，1949年移居臺北，1959年
獲臺灣大學中文研究所碩士學位，受聘而分別專任於中研院歷史語言
研究所與臺灣大學中文系，2009年辭世，享壽八十歲。張老師精於經
史學，尤以小學為最，用力最深者厥在《左傳》與《國語》二書，尤
其對《國語》舊注的輯佚，所得成果更是前無古人；[13]1963年開始陸
續有針對訓詁理論與方法，以及清儒和近人語文學專著等之研究成果
問世；1989年起乃以湛深之經史學、小學及考證學的堅實學養為基
礎，輔以務實的研究方法，治理《花間詞》。統括張老師學術研究的
範圍，大致可歸納為：先秦史研究、語文學研究、輯佚學研究和《花
間詞》研究等四大類，其中先秦史研究、語文學研究與經學研究的關

---

13 張老師輯佚學方面的成就，感謝慈濟大學東方語文學系中文組陳金木教授的熱忱提
　醒。

係密切，由此可知張老師研究的重心所在。[14]

　　張老師最早發表的學術論文，係1957年6月臺灣大學的學士畢業論文〈讀魏風〉；最後一篇則是2007年6月刊登於《世新中文研究集刊》第3期的〈詞學札記〉。[15]歸納張老師為學半世紀發表的學術論著，除編輯有《國語引得》（1976）之外，還有《國語研究》（學位論文1959）、《國語虛詞集釋》（1968）、《國語斠證》（1969）、《國語左傳論集》（1980）、《中國語文學論集》（1981）、《春秋史論集》（1990）、《花間詞論集》（1996）、《花間詞論續集》（2006）等8部學術專著，以及101篇學術論文。張老師辭世之後，弟子們整理前述學術著作而續編為《張以仁先秦史論集》（2010）、《張以仁語文學論集》（2012）兩書在大陸出版。至於文學創作《涵怡集》（1998）、《張以仁先生文集》（2010）、《張以仁先生詩詞集：晴川詩詞》（2010）等書，以及單篇文章如〈在謠諑紛紜中緬懷徐高阮先生〉、〈淺談屈翼鵬老師的為人與治學〉等，非學術著作之類，則不納入本文討論之列。

　　歸納張老師生前出版的8部學術專書101篇學術論文探討的內容，若綜合兩類以上的論文分別重複計算，則涉及詞學研究者有《花間詞論集》、《花間詞論續集》等2部專書及28篇論文；涉及傳統文字、音韻、訓詁等小學研究者有《中國語文學論集》1部書及24篇論文；涉及《國語》研究者有《國語研究》、《國語虛詞集釋》、《國語斠證》、《國語左傳論集》等4部書及21篇論文；涉及一般經學研究者有《國語左傳論集》、《中國語文學論集》2部書13篇論文；涉及春秋史研究者有《春秋史論集》1部書及8篇論文；涉及《史記》者有5篇論文；

---

14 張老師生平與學術較為深入的介紹，請參閱洪國樑學長：〈張以仁先生傳〉，《詩經、訓詁與史學》（臺北：國家出版社，2015），頁685-690，本段即參考該篇而成。此書渥蒙學長惠賜，謹此致謝。

15 張老師學術論著發表的實況，見本書頁203-221〈張以仁教授生平及學術年表〉。

涉及《戰國策》者有2篇論文。雖然《國語》和《春秋》之學密切相關，尤其與《左傳》的關係更是明顯，但因《國語》一向被歸入「史部」，是以不屬於經學研究的範圍，不過涉及春秋時代歷史研究的論文，實際上都與《春秋》之學相關，故可歸入經學研究的範圍。若以本文界定的廣義經學研究觀之，則張老師的經學研究成果有《國語左傳論集》、《中國語文學論集》、《春秋史論集》等3部書及45篇論文，涉及的經書包括有《詩經》、《左傳》、《論語》和緯書等，不過這個統計並不包括《國語》研究中，諸如《國語虛詞集釋》或〈《國語》舊音考校〉、〈《國語》舊注輯校〉等一類涉及小學探討的成果，若計入則有《國語左傳論集》、《中國語文學論集》、《春秋史論集》、《國語虛詞集釋》、《國語斠證》等5部書及64篇論文。以上即是張老師在傳統學術研究上展現的成果，以及研究論著內容學科分類的實際狀況。

　　張老師指導的碩博士研究生總共有19位，研究生完成通過的學位論文總共22篇，其中博士論文10篇，碩士論文12篇。第一位指導的研究生是1978年畢業的博士生周鳳五老師（1947-2015），論文是《六韜研究》，該文研究探討的範圍，包括新出土殘簡文字的校釋、《六韜》思想淵源、《六韜》成書過程及內容表現等等。最後一位指導的研究生則是2008年畢業的碩士生陳虹蘭，論文《溫庭筠詞寄託問題研究》，該文主要整理分析溫庭筠詞作情感內涵和思想寄託的相關問題。考察這22篇學位論文研究議題隸屬的學科範圍，則涉及《春秋》

學的有7篇；[16]《詩經》學的有4篇；[17]傳統小學的有3篇；[18]經學專書與專人研究的有2篇；[19]兵書研究的有1篇；[20]《國語》研究的有2篇；[21]詞學研究的有3篇。[22]隸屬於經部之學的16篇最多。這是張老師指導完成的學位論文及論文學科屬性分類的實況。

　　統合以上張老師本身發表並流傳於世的學術論著，以及指導研究生學位論文探討議題的學科屬性，即可以了解張老師在中國傳統學術的研究上，探討專注的學術內容與指導研究生的學科範圍，主要乃在經學、傳統小學、古代史，以及詞學研究等方面，由此可見張老師在傳統中國學術研究上的實際成效，這同時也是張老師可能影響於臺灣傳統學術研究的範圍，是以本文預設要討論的內容與議題，自然也就可以有效的成立了。

---

16 博士論文：李隆獻《晉史蠡探：以兵制與人事為重心》（1992）、張素卿《敘事與解釋──《左傳》經解研究》（1996）。碩士論文：劉文強《春秋時代封建制度的解體》（1983）、李隆獻《晉文公復國定霸考》（1983）、龔慧治《左傳「君子曰」問題研究》（1988）、張素卿《左傳稱詩研究》（1990）、陳銘煌《春秋三傳性質之研究及其義例方法之商榷》（1991）。

17 博士論文：楊晉龍《明代詩經學研究》（1997）。碩士論文：張寶三《毛詩釋文正義比較研究》（1986）、彭美玲《鄭玄毛詩箋以禮說詩研究》（1992）、鄒純敏《鄭玄王肅詩經學比較研究》（1993）。

18 博士論文：徐富昌《睡虎地秦簡研究》（1992）、陳韻珊《清嚴可均之說文學研究》（1995）、劉文清《《墨子閒詁》訓詁研究》（1998）。

19 博士論文：洪國樑《王國維之經史學》（1987）、張寶三《五經正義研究》（1992）。

20 博士論文：周鳳五《六韜研究》（1978），周老師此文固然涉及斠讎學的研究，但斠讎並非主要的研究內容，故未列入經學研究。

21 碩士論文：王文陸《周宣王史料與史事彙考》（1985）、趙潤海《國語及其思想與文學》（1984）。

22 博士論文：郭娟玉《溫庭筠辨疑》（2007）。碩士論文：詹乃凡《韋莊男女情詞研究》（2002）、陳虹蘭《溫庭筠詞寄託問題研究》（2008）。

三　張先生學術論著的學術影響力考察分析

　　學者對學術研究的貢獻，可以從研究成果的貢獻和學科領域的貢獻等兩個範圍進行考察。就其研究成果的貢獻而論，可以經由兩個部分的觀察，因而獲得比較有效的認知或了解：一是針對研究對象學術內容創新發現狀況的分析探討，這是屬於質化的內部研究範圍；一是發表論著所具實質學術影響力的分析探討，這是屬於量化的外部研究範圍。質化研究的部分並非本論文關注的範圍，本論文要進行的是透過外部量化的研究方式，用以考察分析學者實際學術影響力的部分。此種透過量化方式以考察學術影響力實況的研究，至少可以從兩個指標進行探討：一是研究成果中有哪些論著確實具備有學術影響力；一是學者在學術上的整體表現，對那些學科領域的研究展現了實質的學術影響力。

　　此節首先考察張老師學術研究成果中，有哪些論著產生了實質的學術影響力。進行的方式是透過臺灣各大學研究所的學位論文引述張以仁老師論著的狀況，以考察說明張老師論著對臺灣學界傳統學術研究影響力的實際表現。經由搜尋「臺灣博碩士論文知識加值系統」和「師範校院聯合博碩士論文系統」等兩個網站，除張老師指導的19位研究生完成的22篇學位論文不予列入討論外，自1999年起到2014年止，全臺灣的大學研究所總共有159位研究生完成的162篇學位論文，引述了張老師的論著進入其論文中為證，其中博士論文有49篇，碩士論文113篇，平均每年有10篇學位論文引述。統計這162篇論文引述的張老師專著總共有11部，唯其中的《張以仁先生詩詞集——晴川詩詞》一書係屬文藝創作，並非本文討論的範圍，因此不予計入討論，至於其他10部學術專書及學位論文引述篇數多寡的狀況如下，為了方便觀察，因此製成下列表格顯示之。

學位論文引述張老師學術專著實況表

專書名稱及出版年份	引述篇數
《春秋史論集》（1990）	71
《國語左傳論集》（1980）	29
《花間詞論集》（1996）	15
《花間詞論續集》（2006）	06
《國語斠證》（1969）	06
《中國語文學論集》（1981）	04
《張以仁語文學論集》（2012）	03
《國語研究》（1959）	01
《國語虛詞集釋》（1968）	01
《張以仁先秦史論集》（2012）	01

引述張老師學術專書的學位論文總共有137篇，引述了上列的10本學術專書，亦即這10本學術專書對臺灣學術界均具備有實質的影響功能，同時考察張老師這10部被引述書籍的學科屬性，可以大致分為四個學科範圍：一是屬於《春秋》學研究的範圍：包括《春秋史論集》、《國語左傳論集》、《張以仁先秦史論集》等三書，總共有101篇學位論文引述，這是張老師研究成果中被引述最多的論著；再則屬於「詞學」研究的範圍：包括有《花間詞論集》、《花間詞論續集》等二書，有21篇學位論文引述。三則屬於傳統小學研究的範圍：包括《中國語文學論集》、《張以仁語文學論集》等二書，有7篇學位論文引述。四則屬於《國語》研究的範圍：包括《國語斠證》、《國語研究》、《國語虛詞集釋》和《國語左傳論集》等四部書，有37篇學位論文引述。不過考察《國語虛詞集釋》和《國語斠證》的內容，實際上也是屬於傳統小學研究的範圍，是以此2書亦可歸入傳統小學研究範

圍，亦即傳統小學即有4本書受到14篇學位論文的徵引應用。總體而言，共有115篇學位論文徵引了張老師與經學相關的學術專著為說，亦即張老師研究成果中，屬於經學範圍的7部學術論著具備有實質的學術影響力；詞學研究的2部專書則有21篇學位論文引述，亦具備有某種程度的學術影響力。

臺灣各大學研究所學位論文徵引張老師單篇論文者有27篇，共有87篇學位論文引述。張老師這些被引述論文的學科屬性，可以歸納為：詞學類研究、《春秋》學類研究、《國語》類研究、傳統小學類研究和讖緯類研究等五類。其中隸屬於「讖緯類研究」的〈緯書集成「河圖」類鍼誤〉（1964）一文，被2篇學位論文引述，學位論文引述其他四類研究及篇數的實際情形如下列諸表：

詞學類研究論文

論文及發表時間	引述篇數
〈李白〈憶秦娥〉〉（1985）	16
〈《花間集》中的非情詞〉（1998）	08
〈溫庭筠〈菩薩蠻〉詞的聯章性〉（1996）	03
〈花間詞人皇甫松〉（1992）	03
〈花間詞人薛昭蘊〉（1991）	02
〈讀詞小識〉（1985）	02
〈〈花間集序〉的解讀及其涉及的若干問題〉（2002）	02
〈關於李清照再嫁之爭議〉（1984）	02
〈溫庭筠詞中的女性稱為詞彙〉（1999）	02
〈從若干事證檢驗溫庭筠的生年之說〉（2003）	01
〈試論皇甫松的兩首〈浪淘沙〉〉（1996）	01

《春秋》學類研究論文

論文及發表時間	引述篇數
〈關於《左傳》「君子曰」的一些問題〉（1964）	7
〈論《國語》與《左傳》的關係〉（1962）	5
〈孔子與《春秋》的關係〉（1990）	3
〈晉文公年壽辨誤〉（1965）	2
〈從文法、語彙的差異證《國語》《左傳》二書非一人所作〉（1962）	2
〈鄧曼亡鄧之說的檢討〉（1981）	1

《國語》類研究論文

論文及發表時間	引述篇數
〈從《國語》與《左傳》本質上的差異試論後人對《國語》的批評〉（1984）	6
〈從司馬遷的意見看左丘明與《國語》的關係〉（1981）	3
〈《國語》辨名〉（1969）	2
〈《國語》舊注範圍的界定及其佚失情形〉（1978）	1

小學類研究論文

論文及發表時間	引述篇數
〈「告」字探源〉（1966）	4
〈由《廣韻》到國語的若干聲調與聲母上的例外〉（1968）	2
〈說文「訓」、「詁」解〉（1981）	2
〈聲訓的發展與儒家的關係〉（1981）	2
〈從若干有關資料看訓詁一詞早期的涵義〉（2012）	1

張老師單篇論文受到徵引應用的實際狀況是：（一）「詞學類」研究11篇論文，有42篇學位論文徵引；（二）「《春秋》學類」研究6篇論文，有20篇學位論文引述；（四）「小學類」研究5篇論文，有11篇學位論文引述；（三）「《國語》類」研究4篇論文，有12篇學位論文引用。歸納張老師屬於詞學研究範圍的有11篇論文，共有42篇學位論文加以徵引；屬於經學研究範圍的有12篇，共有33篇學位論文加以徵引；屬於史學研究範圍的4篇，有12篇學位論文加以徵引。

　　以上這10本學術專著和27篇學術論文，即是1999年到2014年的16年間，臺灣各大學研究生學位論文引述張老師學術研究成果為說的總體表現，這些論著也就是張老師學術論著中，最受臺灣學術界注意的研究成果；同時也是張老師論著中最具學術影響力的研究成果。接著考察張老師出版的學術論著總量與被徵引的狀況，以了解張老師研究成果受到學界重視，因而具備學術影響力者比例的多寡，進而探知張老師學術研究成果的實際價值，其中可歸入兩個學科範圍的專書，則重複分別納入該學科計算。首先張老師詞學方面的研究成果，總共有2部專書28篇論文，被徵引的有2部書和11篇論文，專書的徵引比例為100%，論文的徵引比例為38%。其次《國語》方面總數有4部專書21篇論文，被徵引的有4部書4篇論文，專書的徵引比例為100%，單篇論文的徵引比例為17%。其三經學方面總共有7部專書64篇論文，被徵引的有7部書12篇論文，學術專著被徵引比例為100%，單篇論文被引述的比例為19%。謹製成表格明之：

張老師論著被徵引比例表

著作學科	詞學		《國語》		經學		全部	
著作類別	專書	論文	專書	論文	專書	論文	專書	論文
著作總數	2部	28篇	4部	21篇	7部	64篇	10部	101篇
引述數量	2部	11篇	4部	4篇	7部	12篇	10部	27篇
單項比例	100%	38%	100%	17%	100%	19%	100%	27%
總體比例	43%		32%		27%		33%	

統合觀之，就單篇論文而論，詞學研究範圍論著被徵引的比例最高，其次是經學研究範圍的論著，最後是《國語》研究範圍的論著。若就專書與單篇論文加總的狀況來看，則依次是：詞學研究範圍、《國語》研究範圍和經學研究範圍。張老師出版的全部研究論著為10部專書與101篇論文，學位論文徵引的有10部專書27篇論文，專書的徵引比例為100%，單篇論文引述的比例為27%，結合專書與單篇論文的總體平均比例為33%。根據前述的整理統計，則張老師學術專著具備學術影響力者達到百分之百，總體研究成果具備有實質學術影響力者，佔了張老師總體研究成果的三分之一。張老師這10本書和27篇論文，不僅是最受臺灣學界重視的研究成果，同時也是張老師學術研究成果中對臺灣傳統學術研究貢獻較大的論著。這是分析學位論文引述的實際表現後，因而獲得的結果。

四　張先生學術論著對接受者學術影響力的分析

從外部研究量化的角度探討張老師對臺灣傳統學術的影響力或貢獻，除前文研究成果貢獻的討論分析之外，接著將探討張老師整體學術研究在臺灣學科領域方面的影響力。這方面的探討大致可以透過引

述者從屬的系所、引述者研究議題內容、指導的研究生學術研究方向
和徵引論文相對於同議題範圍論文的比例等四項評量指標觀察了解之。

首先觀察張老師指導的研究生學術專業研究方向的狀況，張老師
指導的19位研究生，繼續在學術界服務者11位，佔張老師指導研究生
的58%。這些研究生在學術專業表現，若將其中兩種以上學術專業者
分別計算。則以《左傳》為研究專業者3人；[23]以《詩經》為研究專業
者4人；[24]以「小學」為研究專業者3人；[25]以《三禮》為研究專業者1
人；[26]以整體經學為研究者1人；[27]以詞學為研究專業者1人。[28]觀察前
述的狀況，可知張老師指導的研究生，在研究上以經學為學術專業者
有10位，佔張老師所有指導研究生的53%；以詞學為學術專業者有1
人，占了5%，由此可見張老師在經學研究的影響最大，詞學研究的
影響次之。

其次就徵引張老師論著的162篇學位論文隸屬的系所觀之，來自
中文相關系所者154篇，[29]佔全部論文的95%；來自歷史系所者6篇，
佔全部論文的4%；來自翻譯所者1篇，佔全部論文的0.6%；來自思想
所者1篇，佔全部論文的0.6%。明顯可以觀察到張老師對中文相關系
所研究生的學術研究影響力最大，其次是歷史系所，翻譯所和思想所
則偶有影響而已。

再就162篇學位論文研究議題的實質內容觀之，涉及《春秋》學

---

23 《左傳》專業研究者：李隆獻、劉文強、張素卿等。

24 《詩經》專業研究者：洪國樑、張寶三、楊晉龍、張素卿等。

25 「小學」專業研究者：周鳳五師、徐富昌、劉文清等。

26 《三禮》專業研究者：彭美玲。

27 整體經學研究者：周鳳五師。

28 詞學專業研究者：郭娟玉。

29 中文相關系所：文學系、中國文學系、國文學系、語文與創作學系、中國語文學
系、漢學資料整理研究所、民間文學研究所、經學研究所、應用語言文學研究所、
古典文獻與民俗藝術研究所等。

研究範圍者有64篇；[30]涉及小學類研究範圍者16篇；[31]涉及經學史研究範圍者5篇；[32]涉及讖緯學研究範圍者2篇；[33]涉及《三禮》學研究範圍者2篇；[34]涉及《詩經》學研究範圍者1篇；涉及文獻學研究範圍者1篇。[35]以上均可歸屬於經部之學的研究，總共有91篇學位論文，佔全數論文的56%。隸屬於「史部」之學的研究者，涉及《史記》研究範圍者5篇；[36]涉及《國語》研究範圍者4篇；[37]涉及歷史事件範圍者4篇，[38]史學相關研究的學位論文總共13篇，佔全數論文的8%。涉及「子部」思想類研究者10篇，[39]佔全部論文的6%。涉及「集部」文學

---

30 以「《春秋》學」為研究內容者：黃漢文、許愛蓮、林世榮（博）、魏千鈞（博）、劉德明（博）、丁亞傑（博）、江右瑜（博）、余其濬、蔡瑩瑩、宋秀齡、劉永炎、楊濟襄（博）、徐國峰、陳瑋璋、張厚齊（博）、陳水福、蘇琬鈞、王鳳祥、林玉隨、郁台紅、許素萍、陳邑如、傅美蓉、黃勤展、葉素櫻、廖正儀、劉明玉、鄭文德、鄭魁星、王桂蘭、陳郁梅、鄭金仙、姜義泰（博）、陳致宏、陳致宏（博）、宋惠如（博）、連林聰、陳忠源、黃翠芬、李金諺、歐修梅、歐修梅（博）、曾聖益（博）、簡文山、林玉婷、奚敏芳（博）、葉文信、葉惠雯、謝育娟、謝霖生、陳仕伺、簡逸光、王琮瑄、楊棣娟、吳淑美、黃珮瑜、藍麗春（博）、許嘉哲、陳群分、黃千純、陳孟君、蔡妙真（博）、王中宜、鄭惠方等的學位論文。

31 以「小學」為研究內容者：羅慧君（博）、賴芳暉（博）、黃婉寧（博）、陳瓊琪、林永強、張佩慧、陳志峰、陳志峰（博）、吳俊德（博）、林志鵬、張琬渝、王世豪（博）、呂映靜、陳茂仁（博）、吳美珠、廉載雄等的學位論文。

32 以「經學史」為研究內容者：羅素芬、王博玄（博）、潘彥竹、吳智雄（博）、陳勇維等的學位論文。

33 以「讖緯學」為研究內容者：洪春音（博）、李憲彰（博）等的學位論文。

34 以「《三禮》學」為研究內容者：熊曉惠、鄭雯馨（博）等的學位論文。

35 以「《詩經》」為研究內容者：易瑩嫻；論文以「文獻學」為研究內容者：趙苑夙（博）。

36 以「《史記》」為研究內容者：莊宇清、林珊湘、胡艷惠、周淑真、陳樹雯等的學位論文。

37 以「《國語》」為研究內容者：黃敬欽、王萬雋、陳漢飄、何蔚篁等的學位論文。

38 以「歷史事件」為研究內容者：鍾永發、蘇雯慧、謝正華、謝昆恭（博）等的學位論文。

39 以「思想」為研究內容者：黃育翎、易天任、孫永龍（博）、伍振勳（博）、徐其寧（博）、黃武智、郭國泰（博）、林翠芬（博）、林佳慧、岑丞丕等的學位論文。

類研究者48篇，[40]佔全部論文的30%。謹製成下表以明之：

徵引張老師論著學位論文的學科屬性與比例表

學術類別	經學類							史學類			思想類	文學類
議題內容	春秋類	小學類	經學史	讖緯學	三禮學	詩經學	文獻學	史記研究	國語研究	歷史事件	思想研究	文學研究
論文篇數	64	16	5	2	2	1	1	5	4	4	10	48
全部數量	91							13			10	48
論文比例	56%							8%			6%	30%

觀察前述學位論文研究議題的學科屬性，可知張老師對「經學」相關研究的學位論文影響最大，尤其是涉及《春秋》研究的影響特別顯著，這類研究佔了經學類研究的70%，全部論文的48%；小學類研究則佔了經學類研究的18%，全部論文的10%，也相當可觀。其次是「文學」類的學位論文，佔有30%；「史學」類和「思想」類的學位論文則影響較小。

最後再以1999-2014年之間，徵引張老師論著的論文篇數相對於相同研究議題範圍論文篇數的比例大小，藉以觀察張老師在那一類特定議題研究上具有影響狀況及其影響力的大小。首先以「經學」為關鍵詞進行搜尋，排除張老師指導的研究生論文（以下皆同）共138

---

40 以「文學」相關內容為研究標的者：李文湖、莊薇莉、陳秀卿、彭桂英、李文鈺（博）、黃懷寧、顏文郁、陳佳琪、楊淑如、林永煌、邱柏瑜、吳雅雯、童文妮、張白虹（博）、郭功義、翁淑芳、陳萱蔓、黃碧雲、李文宏、余瑞如、張惠雯、賴淑雯、李姚霜、鄭淑玲（博）、陳宣諭（博）、李壽菊（博）、馬美娟（博）、林美玲、徐秀菁（博）、顏妙容（博）、蔡美端（博）、郭宗南（博）、郭麗蘋、羅姵安、姚蔓嬪（博）、賴靖宜、余毓敏、顏智英（博）、蘇芳民、林淑華、高淑萍、曾婉茹、劉月卿、黃培青、沈木生、賀淑芳、李宜學、許文恭等的學位論文。

篇，徵引張老師論著為說者19篇佔14%；以「春秋」為關鍵詞共206篇，有56篇徵引張老師論著佔27%；以「左傳」為關鍵詞共103篇，有39篇徵引張老師論著佔38%；以「訓詁」為關鍵詞共25篇，有6篇徵引張老師論著佔24%；以「溫庭筠」為關鍵詞共6篇，有2篇徵引張老師論著佔33%；以「花間集」為關鍵詞共11篇，有7篇徵引張老師論著佔64%；以「李白」為關鍵詞共65篇，有13篇徵引張老師論著佔20%等。為更清楚顯示謹製成下表：

1999-2014 年學位論文徵引張老師論著與所有論文的比例表

關鍵詞	經學	春秋	左傳	訓詁	花間集	溫庭筠	李白
總篇數	138	206	103	25	11	6	65
引述篇數	19	56	39	6	7	2	13
所佔比例	14%	27%	38%	24%	64%	33%	20%

從前述的統計比較觀之，除以「經學」和「訓詁學」等兩個大範圍為研究議題的論文，僅是做為輔助性的觀察了解之用故不加討論外，可以發現張老師在特定書籍與專家為研究範圍的學位論文影響力方面，比例最高者為《花間集》研究，其次是《左傳》研究，其他依次是：「溫庭筠」研究、《春秋》學研究、「李白」研究等，這是徵引張老師學術論著為說的學位論文，在專門書籍與專家研究方面呈現的狀況，這也是張老師在這些專門書籍與專家研究上實質學術影響力的狀況。

張老師的學術成果對臺灣傳統學術影響力的實際狀況，經由前述：指導的研究生學術專業研究方向；徵引張老師學術論著學位論文隸屬的系所、研究議題內容的學科範圍、論文篇數相對於同一議題論文篇數的比例等四項指標的統計分析，可知張老師對臺灣中文相關系所的研究生影響力最高，同時在廣義的經學研究範圍內學術影響力最

大，在文學研究範圍內的學術影響力則次之，史學與思想的研究則較不明顯。在經學研究範圍內又以包括《左傳》在內的《春秋》學相關研究範圍的學術影響力最高；文學類研究範圍內則以《花間集》研究佔的比例最高，研究「溫庭筠」者次之，研究「李白」者又次之。這也就是張老師在臺灣傳統學術界具有的學術影響力的實際狀況。

五　結論

本文以最具學術指標性的學位論文為對象，藉由網路資料庫和電腦搜尋系統等現代科技的協助，利用「外部研究」的方法，透過「量化」的統計方式，探討張以仁老師和臺灣傳統學術研究的關係，分析張老師對臺灣傳統學術的影響力，經由指導研究生學術專業研究方向、徵引的學位論文隸屬系所、徵引的學位論文研究議題內容的學科範圍、徵引的學位論文篇數相對於同一議題論文篇數的比例等四項指標的統計分析，因而確定了張老師對臺灣傳統學術發展的實質影響與貢獻的狀況。

就一般學術論文寫作的過程而論，從正面角度徵引前賢相關研究成果，或用以協助自身論點的有效成立，或因而增強自身論點的說服力，或藉以提昇或鞏固論文的品質及價值，當然是一種常見的常態性作為，但卻非隨意性的作為。嚴謹的研究者選擇徵引的正面對象，必然是經過深思熟慮後的決定；即使選擇做為批判對象的負面徵引，同樣也不是隨意性的作為，一般嚴謹的學者必然會考慮是否值得花篇幅批判的問題。這些選擇的標準雖沒有明說，但除了必須與研究議題內容密切相關的基本條件之外，就一般的情況而論，能夠獲得研究者肯定與信任而加以正面徵引的對象，必然是該研究者熟悉且承認具備協助功能的對象。就學術研究的立場而論，學術徵引對象優先考慮的必

然是研究成果和學術地位的實際狀況，是以能夠獲得研究者正面肯定
信任的對象，必然也是該研究領域內學術地位較高或成果較為優異
者，這類學界公認的知名學者和較具學術價值的研究成果，因為具有
較高的學術權威性，是以具備較高學術徵引的吸引力，研究者也是因
此纔會將其納入徵引的名單之內。

　　研究生學位論文出現學術徵引，目的自與一般學者的學術徵引相
同，當然也是為了更有效的證明自身的論點，鞏固且提昇自身論文的
品質與價值。可知1999年到2014年之間，主要來自中文相關系所的
162篇學位論文，所以會正面徵引張老師的10部專書和27篇論文為
助，自然是因為張老師的這些研究成果，在該研究領域具備了較高的
學術價值，同時也因為張老師在該研究領域學術地位較高，具有較高
的學術權威性之故。此外研究生寫作學位論文，必須通過指導教授的
同意，因此並非完全自主性的作為，是以研究生出現在學位論文的學
術徵引，必然是經過指導教授的首肯，甚至畢業時口考教授的集體同
意。換言之；研究生學位論文的學術徵引，並非僅僅是研究生單獨的
學術權威認同而已，實際上是包括研究生、指導教授、口考教授等在
內的集體學術權威認同。從而可知張老師在經學研究和詞學研究領域
的學術權威性，確實受到臺灣中文相關系所教師與研究生的共同承
認。除詞學方面涉及《花間集》的研究，甚受肯定之外，[41]在經部之
學的研究上，尤其是《春秋》學的相關研究，更是具備了甚高的學術
影響力。[42]這也就是張老師和臺灣傳統學術研究的關係，同時也是張

41 張高評學長評論唐宋文學研究的概況，即以張以仁老師的《花間詞論集》和鄭騫老
　師的《景午叢編》、葉嘉瑩老師的《迦陵談詞》及潘重規先生的《敦煌詞話》等為
　臺灣五十年來研究唐宋詞的代表作。張高評：〈唐宋文學研究概況〉，龔鵬程師主
　編：《五十年來的中國文學研究》，頁189。
42 丁亞傑曾經簡評張老師的〈孔子與春秋〉一文，以為「舉例詳盡，論證細密，是研
　究孔子與《春秋》最深入的論文。」丁亞傑：〈《春秋》經傳研究〉，林慶彰主編：

老師對臺灣傳統學術研究上的貢獻所在。

　　學術研究的發展，必然是「站在巨人的肩膀上」，一代一代不斷累積和創發的結合，學者的學術貢獻，因此也就包括了「累積」和「創發」兩個部分。在研究的方法上，「內部研究」旨在探討學術創發的實際表現，「外部研究」則是針對學術累積的探討。學術「累積」指的是學者研究成果在當代及異代受到重視的狀況，因而得以繼續傳播擴散的情形，這也就是學術研究成果被接受的實際表現，這同時也是學者學術影響力的實質性展現。本文原初設計的目的，乃是基於臺灣學界對臺灣第一、第二代傳播和擴展傳統中國學術的研究學者們的學術關懷，主要集中在學術創發的探討上，幾乎忽略了學術累積上的探討，因而希望透過「外部研究」的方式，藉由學位論文實際徵引表現的量化分析，說明張老師在臺灣傳統學術研究上實質性影響的學術累積貢獻，進而提醒或引發研究者對第一、第二代學者在學術累積影響方面的關懷。經由以上實證性的分析與說明，張老師對臺灣傳統學術研究方面的實質影響與貢獻，應該已經相當明確，當該也具備有提醒關注的功能，故已達成原初設計研究的要求與目標。關於此文的研究成果，則對於注意張老師學術貢獻的學者，以及關心臺灣學界的傳統學術發展的研究者，當該可以提供某些較具實證價值的可信答案；同時對於臺灣經學的研究者和詞學研究者，尤其是對《春秋》學或《左傳》、訓詁學，以及《花間集》和「溫庭筠」的研究者，更具有提供重要研究成果功能的意義與價值，這也就是寫作此文的意義與價值所在。

《五十年來的經學研究》，頁190-191。由此可考見張老師學術著作能夠成為學術權威之故。

學者與詩人：

我所認識的張以仁師

一　以仁師簡歷

　　以仁師，湖南醴陵人，1930年元月18日生，幼承庭訓，課以《論》、《孟》之學，皆能成誦，亦能屬對吟詩，出口成章，每令親朋稱嘆；嗜覽通俗說部，少年時期，值中日戰爭，飽經憂患，輟學在家，時至街坊，說《紅樓》、講《水滸》，談《西遊》，以娛鄉老，頗受讚賞。勝利後始由湖南遠赴上海，與父母團聚，旅次中嘗草中篇小說《餘生》，時年十五，據聞舊稿尚存。居滬之時，頗嗜翻譯小說，或租或購或借閱，習以為常。以仁師所以雅善詞章，實性近習成，非外力所移也。1949年隨家來臺，先入淡江英專，文名頗盛，人稱「秀才」，後入臺灣大學，1957年畢業於中文系，續攻讀研究所，1959年獲碩士學位。

　　1961年入中研院歷史語言研究所為助理員，1962年升任為助理研究員，1967年繼升為副研究員，1972年為研究員。1971年起與臺大中文系合聘，其間除在臺大本系開課外，嘗應聘至東吳大學、臺中東海大學、高雄中山大學任教。並曾負責史語所第一組主任、科技單位人文及社會科學組副組長、中山大學中文系主任等行政職務，以及中研院中國文哲研究所籌備處設所諮詢委員。退休後為史語所兼任研究員、臺大中文系兼任教授、中國文哲研究所諮詢委員。

二 以仁師治學成果

　　以仁師治學，要史為經，以小學為基礎，興趣廣袤，於訓詁、斠勘、考證、文獻之學，都曾涉獵，成果頗著。以仁師早期教、讀、著述之範圍，可說多在經籍訓詁之間。蓋學術研究，首重資料之考辨，語文意義之理解，以仁師因此特重訓詁及相關之考據、斠勘之學。在訓詁中，虛詞研究，遠難於實詞，前賢如王引之（1766-1834）、楊樹達（1885-1956）等之研究，雖頗具成果，唯其乃綜合性之研究，應用之際，頗有窮絀之感，且乏比較，亦欠深入。以仁師因乃主張縮小研究範圍，從事堅實之個別研究，以一書為單元，先求其別，再論其合，以便做出更為正確之研判，於是由《國語》下手，完成《國語虛詞集釋》，此則為虛詞研究，開創一研究之新路矣。

　　訓詁學本依傍經學而生，後漸次壯大而成古籍解釋之學，係語義學之一支，其演進變遷，所涉頗廣，前賢所論，或傷不足；另則訓詁之方法與觀念，及訓詁實際問題之討論，如形訓、音訓，漢人讀如、當為等問題；清儒語文學上之成就、治學方法上之是非等等，均值得深入探討，此《中國語文學論集》所收篇章之大要也。以仁師希望透過細密確實之討論，使學者能辨別前人在前述各項問題上研究之深淺，並明其是非曲直，而知所取捨，藉以建立正確之觀念，厚植研究之根基，基礎既穩，自不易歧出，庶幾可免偏失之病。

　　先秦史料，當以《左傳》較為可信，然《國語》一書，號稱《春秋外傳》，歷來研治《左傳》者，無不涉及。因其中若干資料不僅可與《左傳》互證，甚至可補《左傳》之不足，二者實是探究先秦社會人文制度極可珍貴之史料。此外；《國語》之文章組織嚴謹、精簡平實，有雍容大雅之態，所載嘉言懿行、獎善勸忠諸論，不失儒家溫柔敦厚之旨，有砥礪學行之效，實在值得發揚光大。唯《國語》一書，

傳世既久，屢經翻刻傳鈔，難免造成訛誤，影響學者判斷。以仁師欲消除可能之缺漏，乃稽考前賢之說，並廣採古注、類書、關係書中材料，理其訛脫，正其謬誤，而成《國語斠證》，使後學者可以參酌比較，俾免迷惘。再則為方便學者研究，以仁師遂著手編著單字之索引，費時多年，終成《國語引得》一書，當時書出，嘉惠學界，其功匪淺。

《國語》、《左傳》二書，既可互證，又能互補，故兩書關係如何？亦久為學者爭訟之重點：或曰乃一書之分化，或謂非一人所作，或云係後人所偽，眾說紛紜，莫衷一是。以仁師於是從二者著作宗旨之差異、同述一事而史實不一，及《史記》取材互異等處，證明《左傳》與《國語》確非同一書之分化。並從文法、語彙之差異，證實二書非一人所作。學者積年之爭執，於是獲得最後之解決。此外；《國語》一書，其名稱之沿革、文字音讀之是非、舊注之多寡及佚失之情形等相關問題，以仁師均有詳密之研究，所論均獨闢草萊、發前人所未發，此《國語左傳論集》內容大較也。

孟子以降，《春秋》為孔子所作，為多數學者所尊信，唯亦有部分學者過疑早期資料之信實度，又勇於輕作新說，遂疑孔子與《春秋》之關係，甚或斷然否認孔子與《春秋》有任何關係，大陸學者楊伯峻（1909-1992）即堅持此論。以仁師於是廣引《左傳》、《公羊傳》、《穀梁傳》、《孟子》、《莊子》等相關諸說，分析檢討，論定後人非難《春秋》為孔子所作之種種意見，均難成立，確認《春秋》實係孔子所修作，此《春秋史論集》中重要之論旨也。此外；有關《國語》與《左傳》之本質、晉文公之年壽、密須與鄅之亡和女禍之關係、鄭國滅鄶、鄭人入滑、鄧曼亡鄧、鄧桓公是否周厲王之子等等問題，均係此書討論之重點，以仁師皆能以詳實之資料、細密之分析、客觀嚴謹之態度，得出可信之結論，洵為研究春秋史者不可或缺之參考。

其他未收入上述諸書之單篇論文，亦多與訓詁、斠勘、考證及文獻之學有關，尤其與《國語》、《左傳》之關係更為密切，亦即不出廣義的史學研究之範圍，毋怪王爾敏先生（1927-）嘗譽以仁師為當代「獨抒己見」「對當代史學有貢獻者」之一（《史學方法、敘錄》）。要之；以仁師實以史學為經，以小學為基礎，又能細理潛蒐、深思冥索，故每能推陳出新，賦予舊資料新的生命，此正一般研究者所難及者也。

以仁師不但在上述研究範圍內，有其特殊之成就，晚年更致力於詞章之學，於《花間詞》之解說、賞析，尤有心得，可謂超邁前人。其中對溫飛卿（812-870）之詞，更有深入獨到見解，從分析溫氏個人性情、境遇及其詩作內容，肯定溫詞確有寄託，並以為張惠言（1761-1802）《詞選》將溫氏十四闋〈菩薩蠻〉視為一組詞加以解說，確能發溫氏潛德之幽光，此以仁師論詞之大較也。

三　以仁師治學理念

以仁師治學，深受屈翼鵬先生（1907-1979）、董同龢先生（1911-1963）及王叔岷老師（1914-2008）之薰陶，於學術研究上，無論選材或推論，均習慣於嚴謹，其治學態度實可以「不苟」二字概之。以此謹嚴不苟之態度為學，因而對部分邏輯觀念不清，資料認識不足，又好妄下斷言者，每不假辭色加以駁斥。以仁師嘗言：「與其胡說，不如不說。不說於人可能無益，胡說則勢必對人對己都有害。」（〈徐高阮先生二、三事〉）故若無實證及充足之理據，絕不輕下結論。

以仁師認為學術研究，觀念上首須破除迷信權威之心理，要能不盲從、不附和，只認真理，必有此點求真之執著，方足以言學術，否則因訛傳訛，誤己者事小，害人者過大矣！再則罕見資料之發現固有

價值，唯資料本身並不等於學問，若只是將資料付印，或作部分黏合、清理之工夫，或作常識性之說明、慣例之敘述，僅可謂技術工人之工作。除非另有選擇、有判斷、有探討、有發現，否則均不足以稱為學問。以仁師因此更重視方法之推陳出新，更關注舊資料之再整理，每能以深厚之小學及細密之分析為基礎，對舊資料展開再認識之工夫，遂能見人所未見，而得深入且獨到之見解。在此再認識之過程中，因疑涉論，時有批駁前修時賢之處；然平居所聞見，以仁師亦常揄揚稱譽時賢後學，人有一善，每毫不保留地讚譽，平素所聞即有林玫儀（1948-）、鄭明娳（1950-）、王安祈（1955-）、簡錦松（1954-）等後輩學者，至於修課同學或有表現，則常掛口中，時加鼓勵；又如屢稱揚龍宇純先生（1928-）文字、聲韻之學，丁邦新先生（1936-）聲韻語言之學，戴璉璋老師（1932-）《易傳》及文法之學……等等，正見以仁師「只見是非，不存好惡」，不論權威之求真與客觀不苟之態度，以仁師的全部論著中，莫不貫串此種謹嚴與創新之精神。

四　以仁師文學創作

　　長於學術研究者，每拙於文學創作，尤以研究小學者為最，每被視為缺少文學細胞。唯此「刻版印象」卻被以仁師所破。以仁師不僅心思細密，感情亦非常豐富，對文學之愛好，可謂性近習成，故創作之觸發性甚高，每因一時之情感波動，遂觸發其創作靈感，靈感一來，隨手成文。十五歲以後，時有小說創作，早期曾以「東方青」等多種筆名，於臺港報章雜誌發表，後因創作小說耗時過多，除偶一為之外，已較少在此用力。

　　詩、詞、雜文，則係以仁師學術研究之餘，陶冶身心、活潑思想之方法。雜文作品，昔日曾刊於《聯合報》、《中央日報》和《民生

報》，尤其1985、1986年間，任教高雄中山大學時，《臺灣新聞報》「山海經」專欄，刊載最多。所論多針砭時弊之言，可見以仁師關懷社會，讀書不忘救世之熱忱。

　　古典詩、詞之創作，以仁師早年曾有《晴川詞稿》一卷，《中國國學》、《國文天地》亦刊載部分作品，深受好評。據王叔岷老師告知，曾建議以仁師結集出版，公諸同好，以仁師則以作品尚未趨成熟婉謝之。總之；常之所謂中文系兩難——創作與學術之衝突——於以仁師之身非但消融無遺，且完美結合：師以詩、詞、小說活潑學術研究之頭腦，而以學術智性提昇創作之內容、深度。

五　以仁師教學引導

　　以仁師早期開課均為一板一眼之經學或訓詁學，上課之際，要求又高，表情嚴肅，令人有難以接近之疑，實則不然，以仁師實在是位既慈祥，又具赤子之心的溫厚長者。當年選修《國語》，首次上課即被老師嚴肅之外貌，嚇得魂不附體，相處既久，才知乃是自己多慮，以仁師關懷、親切之態度，消除同學之疑懼，最後竟全班公決，推派代表向系主任葉慶炳老師（1927-1993）要求，讓當時只是兼任的老師破例當我們班導師。

　　記得當年導生會在南港中研院附近老師的住宅舉行，當天老師和周富美老師（1936-2018）除準備豐盛菜餚外，還將自製的水果酒一瓶瓶往同學杯中傾倒，就怕同學不盡興，甚至將所有存酒全部拿出，一頓飯竟把老師家準備喝一年的水果酒一掃而光。酒足飯飽之餘，老師拿出照相簿，不厭其煩的解說、敘述其中的故事；又拿出收藏的各式各樣的馬，讓同學欣賞，此時才知老師肖馬，故好收藏各式的馬。雖事隔多年，至今同學見面，談起老師當時純真風趣之模樣，不

禁開懷大笑，似乎還聞到那股濃濃的酒香味。畢業前的謝師宴，由於老師遠在高雄，本不擬參加，於是同學排班，輪流打電話，最後老師被纏得受不了，只好趕回臺北，宴會後再坐夜車回高雄。而每次的同學會，也必定派人把老師「綁架」過來參加，重新體會那種溫馨的感覺。

修習老師之課時，老師一有詩、詞新作，必定在課堂上朗讀，與同學共享，甚至追問同學，作品之好壞？這兩闋〈長相思〉前一首：「雨滿崖，霧滿崖。到得花前雲霧開，好香薰滿懷。　今朝來，明朝來。前夕曾攜仙侶來，青泥識風鞋。」並有〈序〉云：「劉阮遇仙故事，見於《幽明錄》，幸佳話藉說部以傳、抑琴心幽微，惟伯牙可譜其曲折，世有鍾期乎可神會意通也。」另一首則云：「嘗謂學問之道之別有境界也，之無涯際也，之不可與村夫言也，為此小詞以識其髣髴。」詞曰：「花繽紛，雨繽紛。曾訪桃谿無限春，煙深何處津？　千縷雲，萬縷雲。莫與癡人說夢痕，輕彈襟上塵。」即當時於課堂上朗讀的詞作之一。課餘之際，以仁師亦常將新作朗讀與同學共賞。有時去找老師，當發現老師興沖沖地跑進書房，那可能老師又有新作，正等著我們共賞呢！以下兩闋〈浣溪沙〉即在此情景下所得；前首〈序〉云：「偶涉想劉阮重覓遊踪之惘然也，試溯時光之流，觀兩岸之變，欲求醺然一醉以遯之，其可得乎？」詞曰：「曾拂天臺絕嶺雲，胡麻一飯想殊恩，更誰小飲到微醺？　白髮已非當日鬢，紅羅不見舊時裙，繁英猶是昔年春。」又自〈注〉云：「〈浣溪沙〉一調，下片首二句，或偶或否，而偶為其常格。惟韋莊『惆悵夢除山月斜』一闋偶末二句，有特殊效果。拙詞則三句皆偶，自覺層波疊浪，能寫情思之不盡纏綿。別饒滋味。特誌於此，以享知音。」另一闋前有長〈序〉，云：「飛卿〈菩薩蠻〉詞首闋，寫閨人晨妝，張惠言以為寄〈離騷〉初服之意，世有不以為然者。然文心幽微曲折，子

非我，猶我非魚也。夫人莫不有其志，亦莫不有其夢，有其不平與不幸，非特飛卿耳。余乃試為此作，仿飛卿閨情以寄其遐思逸想。彼美人兮，扈江離與辟芷，溯游從之，宛在水中沚邪？」詞云：「試剪清溪一片雲，裁成百疊藕絲裙，問係誰束細腰身。　　淺酌年陳江露酒，小烹泉好碧羅春，詩成時憶夢中人。」特錄出以供好者、知者欣賞。

　　以仁師處事亦自有嚴肅處，記得當年在中山大學中文系主任時，某日閒談，論及系主任之責，以仁師語氣略顯激昂地指出，系主任之主要任務有二：一則為教師爭取最佳之福利與最好之研究環境；二則為同學聘請最好、最稱職之教師。以仁師平常最關心者，乃中文學界之研究風氣，尤其對臺大中文系，素有一分特殊感情，每每慨嘆時下學子，不知沉潛、厚植基礎，而又好高騖遠，言念及此，不禁汗顏。

　　我把這些瑣碎小事，不嫌詞費的寫出，一則正因其瑣碎，反能見其具體，足以見以仁師之真情；再則這類小事，知者不多，或可因此而更加了解以仁師之為人。從以仁師學術研究之不苟、情感表現之純真，謂其為嚴謹之學者，以及多情之詩人，誰曰不宜？

後記

　　前述關於以仁師生平學問的簡略紹介，受限於筆者學養，所知有限，又賦性鄙陋無文，實難彰顯以仁師學問道德之萬一，僅能就以仁師之書序及平日所聞見，並參酌陳淑宜君之訪問稿（刊《國文天地》第2卷第2期），略加纂輯如上。

　　本文寫作承蒙王叔岷老師、臺大中文系洪國樑學長、中研院史語所王文陸學長提供資料，洪學長並費心潤飾文字，謹此致謝。

附錄

張以仁先生論著目錄

專書

《國語虛詞集釋》，臺北：中研院歷史語言研究所，1968年。

《國語斠證》，臺北：臺灣商務印書館，1969年。

《國語左傳論集》，臺北：東昇出版事業公司，1980年。

《中國語文學論集》，臺北：東昇出版事業公司，1981年。

《春秋史論集》，臺北：聯經出版事業公司，1990年。

《花間詞論集》，臺北：中研院中國文哲研究所籌備處，1996年。

《涵怡集》，臺北：萬卷樓圖書公司，1998年。

《花間詞論續集》，臺北：中研院中國文哲研究所，2006年。

《張以仁先秦史論集》，上海：上海古籍出版社，2010年。

《張以仁先生文集》，臺北：國家出版社，2010年。

《張以仁先生詩詞集——晴川詩詞》，臺北：國家出版社，2010年。

《張以仁語文學論集》，上海：上海古籍出版社，2012年。

編著

《國語引得》，中研院歷史語言研究所，1976年。

論文

〈論國語與左傳的關係〉，《中研院歷史語言研究所集刊》（以下簡稱《集刊》）第33本，頁233-286，1962年2月（收入《國語左傳論集》）。

〈從文法語彙的差異證國語左傳二書非一人所作〉，《集刊》第34本上
　　　冊，頁333-366，1962年12月（收入《國語左傳論集》）。

〈讀史記會注考證札記（一）〉，《大陸雜誌》第26卷第12期，頁375-
　　　376，1963年6月。

〈與徐復觀先生談「仁」〉，《文星》第71期，頁13-15，1963年9月。

〈村姥姥是信口開河——談談李辰冬教授對詩經作者的新發現〉，《文
　　　星》第74期，頁37-43，1963年12月。

〈緯書集成「河圖」類鍼誤〉，《集刊》第35本，頁113-133，1964年9
　　　月（收入《中國語文學論集》）。

〈關於左傳君子曰的一些問題〉，臺北，《孔孟月刊》第3卷第3期，頁
　　　29-30，1964年11月。

〈淺談「陰陽對轉」〉，《聯合報・副刊》，1964年8月11日。

〈讀史記會注考證札記（二）〉，《大陸雜誌》第29卷第1期，頁13-
　　　17，1964年7月。

〈國語札記（一）〉，《大陸雜誌》第30卷第7期，頁229-232，1964年
　　　4月。

〈戰國策札記（一）〉，《大陸雜誌》第31卷第6期，頁197-201，1965
　　　年9月。

〈戰國策札記（二）〉，《大陸雜誌》第31卷第7期，頁241-244，1965
　　　年10月。

〈釋詩蠡斯「薨薨」〉，《幼獅學誌》第4卷，頁1-11，1965年12月（收
　　　入《中國語文學論集》）。

〈晉文公年壽辨誤〉，《集刊》第36本上冊，頁295-307，1965年12月
　　　（收入《春秋史論集》）。

〈也談「反切」〉，「《中央日報・副刊》」，1966年1月29日。

〈讀史記會注考證札記（三）〉，《大陸雜誌》第32卷第6期，頁186-

187，1966年3月。

〈讀中華五千年史春秋史前四章〉，《思與言》第4卷第1期，頁44-
　　46，1966年5月。

〈論語札記〉，《大陸雜誌》第33卷第1期，頁5，1966年7月。

〈「告」字探源〉，《大陸雜誌》第33卷第4期，頁109-111，1966年8
　　月。

〈經傳釋詞的音訓問題〉，《（韓國）中國學報》第5輯，頁43-47，
　　1966年。

〈有關「對」字的一些問題〉，《大陸雜誌》第33卷第7期，頁212-
　　214，1966年10月。

〈經傳釋詞諸書所用材料的時代問題〉，《大陸雜誌》第34卷第2期，
　　頁50-52，1967年1月（收入《中國語文學論集》）。

〈國語訓詞訓解的商榷〉《集刊》第37本上冊，頁389-419，1967年
　　3月。

〈國語札記（二）〉，《清華學報》，《慶祝李濟先生七十歲論文集》下
　　冊，頁806-916，臺北：清華學報社，1967年。

〈古書虛字集釋的假借理論的分析與批評〉，《集刊》第38本，頁233-
　　245，1968年1月。

〈經傳釋詞諸書訓解及引證方面的檢討〉，「《圖書館館刊》」第2卷第1
　　期，頁37-55，1968年7月（收入《中國語文學論集》）。

〈從「乃覺三十里」談到訓詁〉，「《中央日報・副刊》」，1968年8月15
　　日。

〈由廣韻變到國語的若干聲調與聲母上的例外〉，《大陸雜誌》第37卷
　　第5期，頁19-28，1968年9月。

〈讀史記會注考證札記（四）〉，《大陸雜誌》第37卷第6期，頁32-
　　34，1968年9月。

〈經傳釋詞補、經傳釋詞再補以及經詞衍釋的音訓問題〉，《集刊》第
　　　39本上冊，頁45-49，1969年1月（收入《中國語文學論
　　　集》）。

〈讀史記會注考證札記（五）〉，《大陸雜誌》第38卷第5期，頁14-
　　　18，1969年3月。

〈國語舊注輯校序言〉，《集刊》第41本第3分，頁535-537，1969年
　　　9月。

〈國語辨名〉，《集刊》第40本下冊，頁613-624，1969年11月（收入
　　　《國語左傳論集》）。

〈「形訓」的歷史淵源及其在訓詁方法上的地位〉，《中華文化復興月
　　　刊》第3卷第6期，頁28-29，1970年6月（收入《中國語文學
　　　論集》）。

〈「讀如」「讀若」「讀曰」與「當為」〉，《大陸雜誌》第41卷第3期，
　　　頁26-27，1970年8月（收入《中國語文學論集》）。

〈訓詁學的舊業與新猷〉，《東方雜誌復刊》第4卷第4期，頁45-46，
　　　1970年10月（收入《中國語文學論集》。

〈國語舊注輯校（一）〉，《孔孟學報》第21期，頁173-193，1971年
　　　4月。

〈從虛字訓解源流談到助字辨略與經傳釋詞〉，《東方雜誌復刊》第4
　　　卷第11期，頁38-39，1971年5月。

〈國語舊注輯校（二）〉，《孔孟學報》第22期，頁201-232，1971年
　　　9月。

〈說文「訓」「詁」解〉，《文史季刊》第2卷第1期，頁9-15，1971年
　　　10月（收入《中國語文學論集》）。

〈國語舊音考校序言〉，《集刊》第42本第4分，頁563-569，1971年
　　　12月。

〈國語舊音考校〉《集刊》第43本第4分，頁673-726，1971年12月。

〈莊子山木篇「王長」釋文疏義兼駁俞樾〉，《中華文化復興月刊》第
　　　5卷第1期，頁26，1972年1月（收入《中國語文學論集》）。

〈從若干有關資料看「訓詁」一詞早期的涵義〉，《集刊》第44本第1
　　　分，頁83-88，1972年7月（收入《中國語文學論集》）。

〈國語集證卷之一（上）〉，《集刊》第44本第1分，頁89-151，1972年
　　　7月。

〈國語集證卷之一（下）〉，《集刊》第44本第2分，頁153-225，1972
　　　年9月。

〈國語舊注輯校（三）〉，《孔孟學報》第23期，頁247-277，1972年
　　　4月。

〈國語舊注輯校（四）〉，《孔孟學報》第24期，頁275-304，1972年
　　　9月。

〈國語舊注輯校（五）〉，《孔孟學報》第25期，頁173-208，1973年
　　　4月。

〈國語舊注輯校（六）〉，《孔孟學報》第26期，頁197-216，1973年
　　　9月。

〈聲訓的發展與儒家的關係〉，《總統　蔣公逝世週年論文集》，中研
　　　院編印，頁1203-1221，1976年4月（收入《中國語文學論
　　　集》）。

〈鄶亡於叔妘說〉，《集刊》第49本第1分，頁1-14，1978年3月（收入
　　　《春秋史論集》，題目改為〈從鄶亡於叔妘說到密須與鄧之
　　　亡亦與女禍有關〉）。

〈春秋鄭人入滑的有關問題〉，「《中研院成立五十週年紀念論文
　　　集》」，頁515-536，1978年6月（收入《春秋史論集》）。

〈國語舊注範圍的界定及其佚失情形〉，《屈萬里先生七十榮慶論文

集》，頁129-139，臺北：聯經出版事業公司，1978年10月
（收入《國語左傳論集》）。

〈鄭國滅鄶資料的檢討〉，《集刊》第50本第4分，頁615-643，1979年
12月（收入《春秋史論集》）。

〈國語集證卷二上〉，《集刊》第51本第4分，頁593-606，1980年12
月。

〈國語舊注輯佚的工作及其產生的問題〉，「《中研院國際漢學會議論
文集》」，頁543-570，1981年10月。

〈從司馬遷的意見看左丘明與國語的關係〉，《集刊》第52本第4分，
頁651-680，1981年12月（收入《春秋史論集》）。

〈論詞義的種類〉，《幼獅學誌》第16卷第4期，79-91頁，1981年12
月。

〈鄧曼亡鄧之說的檢討〉，《臺靜農先生八十壽慶論文集》，頁204-
222，臺北：聯經出版事業公司，1981年12月（收入《春秋
史論集》）。

〈論語詞的演變〉，《中國國學》第10輯，頁149-162，1982年9月。

〈淺談國語的傳本〉，《孔孟月刊》第21卷第3期，頁21-23，1982年
11月。

〈從國語與左傳本質上的差異試論後人對國語的批評（上）〉，《漢學
研究》第1卷第2期，頁419-453，1983年12月（收入《春秋
史論集》）。

〈從國語與左傳本質上的差異試論後人對國語的批評（下）〉，《漢學
研究》第2卷第1期，頁1-22，1984年6月（收入《春秋史論
集》）。

〈李白憶秦娥〉，《中央日報‧文藝評論》第22期，1984年8月。

〈「關於李清照再嫁之爭議」講評〉，《中外文學》第13卷第5期，頁

69-77，1984年10月。

〈國語韋注商榷〉，《孔孟月刊》第23卷第3期，頁36-37，1984年11
月。

〈晉文公年壽問題的再檢討〉，《鄭因百先生八十壽慶論文集》，頁65-
108，臺北：臺灣商務印書館，1985年6月（收入《春秋史論
集》）。

〈讀詞小識〉，《臺大中文學報》創刊號，頁139-150，1985年11月。

〈不問馬〉，《高雄市紀念孔子誕辰特刊》，頁11-12，1987年9月。

〈鄭桓公非厲王之子說述辨〉，《毛子水先生九五壽慶論文集》，頁
507-544，臺北：幼獅文化事業公司，1987年4月（收入《春
秋史論集》）。

〈試從密處說溫詞〉，《臺大中文學報》第2期，頁103-105，1988年
11月。

〈淮南高注「私鈚頭」唐解試議〉，《集刊》第59本第4分，頁995-
1013，1988年12月。

〈孔子與春秋的關係問題商榷〉，「《中研院第二屆國際漢學會議論文
集》」，頁91-121，1989年6月（收入《春秋史論集》，題目改
為〈孔子與春秋的關係〉）。

〈溫飛卿詞舊說商榷〉，《臺大中文學報》第3期，頁99-131，1990年
3月。

〈溫飛卿詞舊說商榷續〉，《中研院中國文哲研究集刊》創刊號，頁
135-180，1991年3月。

〈《花間》詞人薛昭蘊〉，《臺大中文學報》第4期，頁81-86，1991年
6月。

〈訓詁與華文教學的關係〉，《世界華文教育協進會》，1991年全美華
文教師學會年會宣讀（11月24日）。

〈試釋溫飛卿〈夢江南〉詞一首〉，《臺大文史哲學報》第37期，頁
　　　25-31，1991年12月。

〈溫飛卿〈菩薩蠻〉詞張惠言說試疏〉，《中研院中國文哲研究集刊》
　　　第2期，頁185-197，1992年3月。

〈《花間》詞人皇甫松〉，《臺大文史哲學報》第39期，頁1+3-14，
　　　1992年6月。

〈試釋薛昭蘊〈浣溪沙〉詞一首〉，《臺大中文學報》第5期，頁119-
　　　124，1992年6月。

〈從鹿虔扆的〈臨江仙〉談到他的一首〈女冠子〉〉，《中國文哲研究
　　　集刊》第3期，197-207頁，1993年3月。

〈溫庭筠兩首〈女冠子〉的訓解與題旨的問題〉，《王叔岷先生八十壽
　　　慶論文集》，臺北：大安出版社，1993年5月。

〈試論孫光憲的四首〈楊柳枝〉〉，《中國文哲研究集刊》第4期，頁
　　　161-176，1994年3月。

〈試釋皇甫松〈夢江南〉之一〉，《臺大中文學報》第6期，頁13-19，
　　　1994年6月。

〈《花間》詞舊說商榷〉，《漢學研究》第13卷第1期，頁207-221，
　　　1995年6月。

〈試論皇甫松的兩首〈浪淘沙〉〉，《臺大中文學報》第9期，頁31-
　　　42，1997年6月。

〈花間集中的非情詞（上）〉，《臺大文史哲學報》第48期，頁57+59-
　　　63，1998年6月。

〈花間集中的非情詞（下）〉，《臺大文史哲學報》第49期，頁79-
　　　110，1998年12月。

〈溫庭筠詞中的女性稱謂詞彙〉，「《傳承與創新——中研院中國文哲
　　　研究所十周年紀念論文集》」，臺北：中研院中國文哲研究所

籌備處，1999年12月。

〈從毛先舒的《填詞名解》談到〈南歌子〉的調名〉，《龍宇純先生七秩晉五壽慶論文集》，臺北：臺灣學生書局，2002年11月。

〈〈花間集序〉的解讀及其涉及的若干問題〉，《第三屆國際漢學會議論文集——文學、文化與世變》，臺北：中研院中國文哲研究所，2002年12月。

〈從若干事證檢驗溫庭筠的生年之說〉，《集刊》第74本第3分，頁507-525，2004年9月。

〈從溫庭筠〈歸國遙〉「小鳳戰篦金颭艷」句五家注的討論談到注解的態度與方法問題〉，《集刊》第75本第3分，頁423-443，2005年9月。

〈從溫庭筠〈定西番〉之一的題旨談到若干相關的問題〉，《中國文哲研究集刊》第25期，頁1-24，2005年9月。

〈淺談屈翼鵬老師的為人與治學〉，2006年9月15日「屈萬里先生百歲誕辰國際學術研討會」宣讀。

〈詞學札記〉，《世新中文研究集刊》第3期，頁3-19，2007年6月。

〈詞學札記五則〉，《世新中文研究集刊》第6期，頁1-13，2010年6月。

張以仁教授生平及學術年表

1930年　先生一歲

農曆庚午正月十八日生於湖南省醴陵陵縣水口鄉。父張揚明，母鍾月輝。父為陸軍少將，光復大陸設計研究委員會委員。曾任教於中國文化大學，專研《老子》，有學術論文31篇，以及《老子斠證譯釋》、《老子學術思想》、《老子考證》、《老學驗證》等學術專著；並有詩集《萍梗吟草》；另有小說創作〈到西北來〉、〈閩海風濤〉、〈春申潮汐〉等。

1937年　先生八歲

7月7日，日本炮轟宛平，蘆溝橋事變爆發。

8月17日，日軍進犯淞滬，我國進行全面抗戰。

1941年　先生十二歲

8月，先生與弟妹隨父母自長沙遷耒陽，中日長沙會戰。後還鄉，依外家，父母弟妹則往重慶。此後數年，或在舅父商店，或隨姨父軍中，流亡於醴陵、萍鄉、萬載之間。

1945年　先生十六歲

8月，日本投降。

9月，自醴陵赴上海與父母家人團聚。就讀於中正中學，愛讀文藝作品，尤嗜翻譯小說。草中篇小說《餘生》，蓋多歷戰亂，慨然多感也。未竟，稿佚。

1949年　先生二十歲

1月，由上海移居臺北，後就讀於成功中學。

9月，入淡江英專，文名頗盛，人稱「秀才」。國文老師為黃錦鋐先生。

1950年　先生二十一歲

7月，首次發表小說《綠衣女郎》於「《中央日報》」副刊，連載八天。
　　爾後續有小說及散文數十篇發表於臺灣各報副刊及香港《祖國
　　周刊》，或署本名，或用筆名：東方青、張羅、張擎天、張展、
　　卜凡等。其較著者，小說有〈扒手〉（《聯合報》副刊，1954年4
　　月13日）、〈最後一站〉（「《中央日報》」副刊，1955年元月2日）、
　　〈窗前〉、〈小有加利的死〉（香港《祖國周刊》第181期及第298
　　期）、〈家〉（《臺灣新聞報》副刊，1984年11月11日，刊出後，
　　該報副刊在1985年12月16日載王瑞雪〈學術與文藝之間——讀
　　張以仁的〈家〉評介〉一篇，讚美備至）；散文較著者有〈牧牛
　　兒〉（《聯合報》副刊，1953年12月17日，後收入該報散文集）、
　　〈空餘懷慕千行淚——永懷恩師屈翼鵬先生〉（《聯合報》副
　　刊，1979年3月10日，後編入高中國文教師手冊）、〈獅城之旅〉
　　（《中華日報》副刊，1980年5月14日至16日）、〈星夜〉（《中華
　　日報》副刊，1982年4月27日。以駢儷手法寫白話文，編者特予
　　推介）等等。總敘於此，以見先生愛好文學，興趣不斷。

1953年　先生二十四歲

9月，就讀於臺灣大學中國文學系，從學於臺靜農、戴君仁、鄭騫、
　　屈萬里、王叔岷、董同龢、孔德成諸先生。與夫人周富美教授
　　同班。

1957年　先生二十八歲

6月，臺大中文系畢業，論文《讀魏風》，屈萬里先生指導。

9月，入臺大中文研究所。

1959年　先生三十歲

6月，臺大中文研究所畢業，獲碩士學位，論文《《國語》研究》，臺
　　靜農、屈萬里二位先生指導。

8月，入中研院歷史語言研究所，為助理員。

9月，入伍，服預官役。

1961年　先生三十二歲

2月，退伍，回中研院歷史語言研究所，任助理員。

11月16日，與周富美女士結婚，周女士時為講師。

1962年　先生三十三歲

2月，發表論文〈論《國語》與《左傳》的關係〉，《中研院歷史語言
　　研究所集刊》第33本。

8月，升任史言所助理研究員。長男漢宜生，後與大學同學畢紅女士
　　成婚，今僑居美國，今任職於美國聯邦政府總務管理局，為信
　　息技術經理。

12月，論文〈從文法語彙的差異證《國語》、《左傳》二書非一人所
　　作〉，《中研院歷史語言研究所集刊》第34本上冊。

1963年　先生三十四歲

6月，論文〈讀《史記會注考證》札記（一）〉，《大陸雜誌》第26卷第
　　12期。

9月，論文〈與徐復觀先生談「仁」〉，《文星》第71期。

12月，論文〈村老老是信口開河──談談李辰冬教授對《詩經》作者
　　的新發現〉，《文星》第74期。

1964年　先生三十五歲

7月，論文〈讀《史記會注考證》札記（二）〉，《大陸雜誌》第29卷第
　　1期。

8月11日，論文〈淺釋「陰陽對轉」〉，《聯合報》副刊。

9月，論文〈《緯書集成》「河圖」類鍼誤〉，《歷史語言研究所集刊》
　　第35本。

11月，論文〈關於《左傳》君子曰的一些問題〉，《孔孟月刊》第3卷
　　第3期。

　　長女珮宜生，後與大學同學沈進義先生成婚，今任職於中研院
　　資訊服務處發展科。

1965年　先生三十六歲

4月，論文〈《國語》札記（一）〉，《大陸雜誌》第30卷第7期。

9月，論文〈《戰國策》札記（一）〉，《大陸雜誌》第31卷第6期。

10月，論文〈《戰國策》札記（二）〉，《大陸雜誌》第31卷第7期。

12月，論文〈晉文公年壽辨誤〉，《中研院歷史語言研究所集刊》第36
　　本上冊。

　　論文〈釋《詩·螽斯》「薨薨」〉，《幼獅學誌》第4卷。

1966年　先生三十七歲

1月29日，論文〈也談「反切」〉，《中央日報》副刊。

3月，論文〈讀《史記會注考證》札記（三）〉，《大陸雜誌》第32卷第
　　6期。

5月，論文〈讀《中華五千年史·春秋史》前四章〉，《思與言》第4卷
　　第1期。

6月，論文〈《經傳釋詞》的音訓問題〉，韓國《中國學報》第5輯。

7月，論文〈《論語》札記〉，《大陸雜誌》第33卷第1期。

8月，論文〈「告」字探源〉，《大陸雜誌》第33卷第4期。

9月，次男錦宣生，後與大學同學蔡青足女士成婚，今任職於行政院
　　農業委員會水產試驗所，為副所長。

10月，論文〈有關「對」字的一些問題〉，《大陸雜誌》第33卷第7期。

1967年　先生三十八歲

1月，論文〈《經傳釋詞》諸書所用材料的時代問題〉，《大陸雜誌》第
　　34卷第2期。

3月，論文〈《國語》虛詞訓解商榷〉，《中研院歷史語言研究所集刊》
　　第37本上冊。

8月，升任史語所副研究員，並為臺灣大學中國文學系合聘教授。

12月，論文〈《國語》札記（二）〉，《慶祝李濟先生七十歲論文集》下
　　冊（臺北：清華學報社）。

1968年　先生三十九歲

1月，論文〈《古書虛字集釋》的假借理論的分析與批評〉，《中研院歷
　　史語言研究所集刊》第38本。後收入世一書局印行之《古書虛
　　字集釋》一書，1974年6月再版。

7月，論文〈《經傳釋詞》諸書訓解及引證方面的檢討〉，「《圖書館館
　　刊》」第2卷第一期。

8月15日，論文〈從「乃覺三十里」談到訓詁〉，《中央日報》副刊。

9月，專書《國語虛詞集釋》，《中研院歷史語言研究所專刊》之五十
　　五。

9月，論文〈由《廣韻》變到國語的若干聲調與聲母的例外〉，《大陸
　　雜誌》第37卷第5期。

10月，論文〈讀《史記會注考證》札記（四）〉，《大陸雜誌》第37卷
第6期。

1969年　先生四十歲

1月，論文〈《經傳釋詞補》、《經傳釋詞再補》以及《經詞衍釋》的音
訓問題〉，《歷史語言研究所集刊》第39本上冊。

3月，論文〈讀《史記會注考證》札記（五）〉，《大陸雜誌》第38卷第
5期。

7月，專書《國語斠證》，臺北：臺灣商務印書館。

8月，始教「訓詁學」。

9月，論文〈《國語》舊注輯校〉序言〉，《中研院歷史語言研究所集
刊》第41本第3分。

11月，論文〈《國語》辨名〉，《中研院歷史語言研究所集刊》第40本
下冊。

1970年　先生四十一歲

6月，論文〈「形訓」的歷史淵源及其在訓詁方法上的地位〉，《中華文
化復興月刊》第3卷第6期。

8月，論文〈「讀如」「讀若」「讀為」「讀曰」與「當為」〉，《大陸雜
誌》第41卷第3期。

10月，論文〈訓詁學的舊業與新猷〉，《東方雜誌》（復刊）第4卷第
4期。
　　　是年榮獲菲華中正文化優等著作獎。

1971年　先生四十二歲

4月，論文〈《國語》舊注輯校（一）〉，《孔孟學報》第21期。

5月，論文〈從虛字訓解源流談到《助字辨略》與《經傳釋詞》〉，《東
方雜誌》（復刊）第4卷第11期。

7月，《幼獅月刊》第34卷第1期，刊南海〈訓詁學研究的新途徑——
　　與張以仁先生一席談〉一文。

9月，論文〈《國語》舊注輯校（二）〉，《孔孟學報》第22期。

10月，論文〈《說文》「訓」「詁」解〉，《文史季刊》第2卷第1期。

12月，論文〈《國語》舊音考校序言〉，《中研院歷史語言研究所集
　　刊》第42本第4分。

　　論文〈《國語》舊音考校〉，《中研院歷史語言研究所集刊》第
　　43本第4分。

1972年　先生四十三歲

1月，論文〈《莊子‧山木篇》「王長」釋文疏義兼駁俞樾〉，《中華文
　　化復興月刊》第5卷第1期。

4月，論文〈《國語》舊注輯校（三）〉，《孔孟學報》第23期。

6月，實際參與指導之臺灣大學歷史研究所碩士生葉達雄畢業，論文
　　《《詩經》史料分析》，獲碩士學位，後為臺大歷史系教授。

7月，論文〈從若干有關資料看「訓詁」一詞早期的涵義〉，《中研院
　　歷史語言研究所集刊》第44本第1分。

8月，升任史語所研究員、臺灣大學中國文學系合聘教授。

9月，論文〈《國語》集證卷之一（上）〉，《中研院歷史語言研究所集
　　刊》第44本第2分。

11月，任行科技單位人文社會科學組副組長，兼理組務。

1973年　先生四十四歲

4月，論文〈《國語》舊注輯校（五）〉，《孔孟學報》第25期。

9月，論文〈《國語》舊注輯校（六）〉，《孔孟學報》第26期。

1975年　先生四十六歲

8月，為中研院歷史語言研究所歷史學組主任，任期至1983年7月。

1976年　先生四十七歲

4月，論文〈聲訓的發展與儒家的關係〉，《總統蔣公逝世週年論文集》，臺北：中研院。

4月14日至5月16日，受美國政府之邀訪問美國國務院，並參訪哈佛等多所著名大學。

12月，編著《國語引得》，臺北：中研院歷史語言研究所。

1977年　先生四十八歲

1月，報告〈科技單位人文組推動專題研究的回顧〉，《中華文化復興月刊》第10卷第1期。

任中華文化復興運動推行委員會第七屆委員。

1978年　先生四十九歲

3月，論文〈鄫亡於叔妘說〉，《中研院歷史語言研究所集刊》第49本第1分。

6月，論文〈春秋鄭人入滑的有關問題〉，「《中研院成立五十週年紀念論文集》」，臺北：中研院。

本月與屈萬里先生共同指導臺灣大學中文研究所博士生周鳳五畢業，論文《六韜研究》，獲博士學位，後為臺大中文系教授。

10月，論文〈《國語》舊注範圍的界定及其佚失情形〉，《屈萬里先生七十榮慶論文集》，臺北：聯經出版事業公司。

1979年　先生五十歲

12月，論文〈鄭國滅鄫資料的檢討〉，《中研院歷史語言研究所集刊》第50本第4分。

1980年　先生五十一歲

3月，10日至23日應邀至新加坡南洋大學擔任校外考試委員。

9月，專書《國語》、《左傳》論集，臺北：東昇出版事業公司。

12月，論文〈《國語》集證卷二上〉，《中研院歷史語言研究所集刊》
　　　第51本第4分。

1981年　先生五十二歲

8月，撰〈柳梢青〉詞，應臺靜農教授邀約題張大千〈灩澦歸舟圖〉，
　　　其他題詩者為鄭騫、王叔岷、孔德成三位教授。先生工於詞，
　　　受前輩師長推重如此。

9月，專書《中國語文學論集》，臺北：東昇出版事業公司。
　　　應聘為東海大學中文研究所兼任教授。

10月，論文〈《國語》舊注輯佚的工作及其產生的問題〉，《中研院國
　　　際漢學會議論文集》，臺北：中研院。

11月，論文〈鄧曼亡鄧之說的檢討〉，《臺靜農先生八十壽慶論文
　　　集》，臺北：聯經出版事業公司。

12月，論文〈從司馬遷的意見看左丘明與《國語》的關係〉，《中研院
　　　歷史語言研究所集刊》第52本第4分。
　　　論文〈論詞義的種類〉，《幼獅學誌》第16卷第4期。

1982年　先生五十三歲

9月，論文〈論語詞的演變〉，韓國《中國國學》第10輯。

11月，論文〈淺談《國語》的傳本〉，《孔孟月刊》第21卷第3期。

1983年　先生五十四歲

8月，借調任高雄中山大學中文系教授兼系主任至1985年7月。授「訓
　　　詁學」、「左傳」、「詞選」、「國學導讀」等課程。

12月，論文〈從《國語》與《左傳》本質上的差異試論後人對《國
　語》的批評（上）〉，《漢學研究》第1卷第2期。

1984年　先生五十五歲

6月，論文〈從《國語》與《左傳》本質上的差異試論後人對《國
　語》的批評（下）〉，《漢學研究》第2卷第1期。

　　本月指導臺灣大學中文研究所碩士生劉文強、李隆獻畢業，獲
　碩士學位。劉生論文《春秋時代封建制度的解體》，後為高雄中
　山大學中文系教授；李生論文《晉文公復國定霸考》，續入臺大
　博士班就讀。

8月23日，論文〈李白〈憶素娥〉〉，《中央日報‧文藝評論》第22期。

10月，論文〈「關於李清照再嫁之爭議」講評〉，《中外文學（紀念李
　清照學術討論會專輯）》第13卷第5期。

11月，論文〈《國語》韋解商榷〉，《孔孟月刊》第23卷第3期。

1985年　先生五十六歲

6月，論文〈晉文公年壽問題的再檢討〉，《鄭因百先生八十壽慶論文
　集》，臺北：臺灣商務印書館。

　　本月指導臺灣大學中文研究所碩士生王文陸畢業，論文《周宣
　王史料與史事彙考》，獲碩士學位，後為教育部督學。指導東海
　大學中文研究所碩士生趙潤海畢業，論文《〈國語〉及其思想與
　文學》，獲碩士學位，後為高中教師。

8月，兼中山大學中文系合聘教授至1987年7月。為提倡學術研究及討
　論風氣，召開每月一次的學術研討會，由教師輪流發表研究成
　果。

11月，論文〈讀詞小識〉，《臺大中文學報》創刊號。

11月9日於高雄《臺灣新聞報》「山海經」專欄發表評論性雜文〈關於

《語法草案》〉，以後陸續撰寫有關文化、文學、社會論評之
文，至1988年元月共得三十八篇。

1986年　先生五十七歲

6月，指導臺灣大學中文研究所碩士生張寶三畢業，論文《〈毛詩〉釋
文正義比較研究》，獲碩士學位，續入臺大博士班就讀。

7月，陳淑宜訪問先生及夫人之整理稿，刊於《國文天地》第2卷第2
期，可略知先生與夫人之家居生活。

1987年　先生五十八歲

4月，論文〈鄭桓公非厲王之子說述辨〉，《毛子水先生九五壽慶論文
集》，臺北：幼獅文化事業公司。

6月，與程元敏教授共同指導臺灣大學中文研究所博士生洪國樑畢
業，論文《王國維之經史學》，獲博士學位，後為臺大中文系及
臺北世新大學中文系教授。

8月，初度被任命為典試委員。爾後獲聘典試委員或閱卷委員，不下
二十餘次，不備具。

9月，為中山大學中文系兼任教授，至1990年7月。
論文〈不問馬〉，《高雄市紀念孔子誕辰特刊》，高雄：高雄市政
府。
榮獲科技單位優等研究獎。

1988年　先生五十九歲

6月，與裴溥言教授共同指導臺灣大學中文研究所碩士生龔慧治畢
業，論文《《左傳》「君子曰」問題研究》，獲碩士學位，後為靜
宜大學中文系及警察大學講師。

11月，論文〈試從密處說溫詞〉，《臺大中文學報》第2期。

12月，論文〈淮南高注「私鈚頭」唐解試議〉，《歷史語言研究所集刊》第59本第4分。

以〈溫飛卿詞評注商榷〉獲科技單位傑出研究獎。

獲聘為教育部文藝創作獎社會組散文獎評審。

1989年　先生六十歲

6月，論文〈孔子與《春秋》的關係問題商榷〉，「《中研院第二屆國際漢學會議論文集》」，臺北：中研院。

10月，獲聘為中研院中國文哲研究所籌備處諮詢委員。

12月，論文〈溫飛卿詞舊說商榷〉，《臺大中文學報》第3期。

論文〈試釋溫飛卿〈夢江南〉詞一首〉，《臺大文史哲學報》第37期。

1990年　先生六十一歲

1月，專書《春秋史論集》，臺北，聯經出版事業公司。

6月，指導臺灣大學中文研究所碩士生張素卿畢業，論文《〈左傳〉稱詩研究》，獲碩士學位，續入臺大博士班就讀。

7月，參加臺大教授團與夫人首次訪問大陸，前後十六天，相隔四十餘年，重登斯土，不免今昔之悲，觸目興感，得詩十六首，題名〈大陸行雜詠〉，發表於《國文天地》第6卷第5期。爾後詩興大發，1992年起，多者每年二百數十首，少亦過百首。

12月，以〈溫飛卿詞舊說商榷續〉再獲科技單位傑出研究獎。

1991年　先生六十二歲

3月，論文〈溫飛卿詞舊說商榷續〉，中研院中國文哲研究所《中國文哲研究集刊》創刊號。

6月，論文〈花間詞人薛昭蘊〉，《臺大中文學報》第4期。

本月指導臺灣大學中文研究所碩士生陳銘煌畢業，論文《〈春

秋〉三傳性質之研究及其義例方法之商榷》，獲碩士學位，後任職於聯合大學華語文學系。

11月24日應邀參加由世界華文教育學會主辦「1991年全美華文教師學會年會」，宣讀論文〈訓詁與華文教學的關係〉。

1992年　先生六十三歲

3月，論文〈溫飛卿〈菩薩蠻〉詞張惠言說試疏〉，《中國文哲研究集刊》第2期。

太夫人鍾月輝女士喪，享年八十一歲，撰〈哭母詩〉十二首，發表於《國文天地》第8卷第8期。

6月，論文〈《花間》詞人皇甫松〉，《臺大文史哲學報》第39期。

論文〈試釋薛昭蘊〈浣溪沙〉詞一首〉，《臺大中文學報》第5期。

《中國文哲研究通訊》第2卷第2期，刊楊晉龍撰〈學者與詩人〉一文，簡介先生之學行。

本月指導臺灣大學中文研究所博士生李隆獻、徐富昌、張寶三畢業，獲博士學位。李生論文《晉史蠡探》，後為臺大中文系教授。徐生論文《睡虎地秦簡研究》，後為臺大中文系教授。張生論文《五經正義研究》，後為臺大中文系教授。指導臺灣大學中文研究所碩士生彭美玲畢業，論文《鄭玄〈毛詩〉箋以禮說詩研究》，獲碩士學位，續入臺大博士班，後為臺大中文系教授。

8月，應邀至美國斯旦福大學訪問半年。

是年獲聘擔任中華教育文化基金會講座。

1993年　先生六十四歲

3月，論文〈從鹿虔扆的〈臨江仙〉談到他的一首〈女冠子〉〉，《中國文哲研究集刊》第3期。

6月，論文〈溫庭筠兩首〈女冠子〉的訓解與題旨的問題〉，《王叔岷先生八十壽慶論文集》，臺北：大安出版社。
本月與程元敏教授共同指導臺灣大學中文研究所碩士生鄒純敏畢業，論文《鄭玄王肅詩經學比較研究》，獲碩士學位，後任教於臺北海洋科技大學。
續獲聘擔任中華教育文化基金會講座。

1994年　先生六十五歲

3月，論文〈試論孫光憲的四首〈楊柳枝〉〉，《中國文哲研究集刊》第4期。

6月，論文〈試釋皇甫松〈夢江南〉之一〉，《臺大中文學報》第6期。

7月，弟守仁喪，享年六十二，撰〈哭守仁弟〉長詩一首。先生與令弟手足情重，中日戰時同在亂區，患難相依有年。
是年榮獲科技單位優等研究獎。

1995年　先生六十六歲

6月，論文〈《花間》詞舊說商榷〉，《漢學研究》第13卷第1期。

1996年　先生六十七歲

1月13日及1月27日，《國語日報》之《古今文選》新877、878二期，刊登臺灣大學中文系教授蕭麗華專文，介紹先生詩詞，並附作品注解、賞析及翻譯。

6月，指導臺灣大學中文研究所博士生陳韻珊畢業，論文《清代嚴可均之說文學研究》，獲博士學位，曾任中研院史語所助理研究員，後則虔誠奉神，以傳播基督教之恩典為職志。

12月，專書《花間詞論集》，臺北：中研院中國文哲研究所籌備處。

1997年　先生六十八歲

6月，論文〈試論皇甫松的兩首〈浪淘沙〉〉，《臺大中文學報》第9期。

　　本月指導臺灣大學中文研究所博士生張素卿畢業，論文《敘事與解釋——〈左傳〉經解研究》，獲博士學位，後為臺大中文系教授。又與吳宏一先生共同指導博士生楊晉龍畢業，論文《明代詩經學研究》，獲博士學位，後為中研院中國文哲研究所研究員。

1998年　先生六十九歲

6月，大妹瓊仙過世，得年六十，先生撰〈哭妹詩〉七首，戰亂時兄妹同住外家半年，歷經患難，師院畢業後復居南港依兄嫂，手足情深。

　　本月指導臺灣大學中文研究所博士生劉文清畢業，論文《《墨子閒詁》訓詁研究》，獲博士學位，後為臺大中文系教授。

　　論文〈花間集中的非情詞（上）〉，《臺大文史哲學報》第48期。

　　詩集《涵怡集》，臺北：萬卷樓圖書公司。

12月，論文〈花間集中的非情詞（下）〉，《臺大文史哲學報》第49期。

　　是年獲中國詩經研究會「詩運獎」。先生工於古典詩詞創作，有詞三百餘闋，詩近千首。偶發表於報章雜誌，刊載於報刊者百篇以上，今不備具。

1999年　先生七十歲

1月，門人出版《張以仁先生七秩壽慶論文集》以代稱觴，臺北：臺灣學生書局出版，共收錄友朋、弟子之論文四十二篇，計百萬言。

2月，先生自中研院歷史語言研究退休，獲聘為兼任研究員。續任中國文哲研究所諮詢委員。臺獲聘為臺灣大學中文系、世新大學中文系兼任教授。

12月，論文〈溫庭筠詞中的女性稱謂詞彙〉，《傳承與創新——中研院
　　中國文哲研究所十周年紀念論文集》，臺北：中研院中國文哲
　　研究所籌備處。

2002年　先生七十三歲

6月，與沈冬教授共同指導臺灣大學中文研究所碩士生詹乃凡畢業，
　　獲碩士學位，論文《韋莊男女情詞研究》，後為大學入學考試中
　　心研究員。

11月，論文〈從毛先舒的《填詞名解》談到〈南歌子〉的調名〉，《龍
　　宇純先生七秩晉五壽慶論文集》，臺北：臺灣學生書局。

12月，論文〈〈花間集序〉的解讀及其涉及的若干問題〉，《第三屆國
　　際漢學會議論文集——文學、文化與世變》，臺北：中研院中
　　國文哲研究所。

2004年　先生七十五歲

9月，論文〈從若干事證檢驗溫庭筠的生年之說〉，《中研院歷史語言
　　研究所集刊》第74本第3分。

2005年　先生七十六歲

9月，論文〈從溫庭筠〈歸國遙〉「小鳳戰篦金颭艷」句五家注的討論
　　談到注解的態度與方法問題〉，《中研院歷史語言研究所集刊》
　　第75本第3分。

9月，論文〈從溫庭筠〈定西番〉之一的題旨談到若干相關的問題〉，
　　《中國文哲研究集刊》第25期。

2006年　先生七十七歲

8月，專書《花間詞論續集》，臺北：中研院中國文哲研究所。

9月15日，專題演講〈淺談屈翼鵬老師的為人與治學〉，「屈萬里先生
　　百歲誕辰國際學術研討會」。

2007年　先生七十八歲

6月，論文〈詞學札記〉，《世新中文研究集刊》第3期。

　　本月與曾永義教授共同指導臺灣大學中文研究所博士生郭娟玉畢業，論文《溫庭筠辨疑》，獲博士學位，後為嘉義大學中文系副教授。

12月，榮獲教育部第51屆人文及藝術類科學術獎。

2008年　先生七十九歲

6月，指導臺灣大學中文研究所碩士生陳虹蘭畢業，論文《溫庭筠詞寄託問題研究》，獲碩士學位。

2009年　先生八十歲

3月，專書《張以仁先秦史論集》編纂定稿，29日撰〈序言〉。

9月18日逝世於臺灣大學附屬醫院。

10月18日假辛亥路第二殯儀館懷恩廳舉行公祭，隨後安厝於新北市金山區金寶山日光苑。

2010年　先生冥壽八十一歲

1月，遺著專書《張以仁先秦史論集》，上海：上海古籍出版社。

6月，遺著論文〈詞學札記五則〉，《世新中文研究集刊》第6期。

9月，遺著專書《張以仁先生文集》、《張以仁先生詩詞集——晴川詩詞》，臺北：國家出版社。

9月18日，家人、友朋、學生於臺灣大學文學院舉辦「張以仁教授逝世周年紀念會暨遺著發表會」。

2012年　先生冥壽八十三歲

9月，《彰化師大文學院學報》第6期，刊郭萬青〈張以仁《國語集證》（《周語》上、中二卷）補箋〉一文。

11月，遺著專書《張以仁語文學論集》，上海：上海古籍出版社。

2013年　先生冥壽八十四歲

3月，《臺北大學中文學報》第13期，刊郭萬青〈張以仁〈國語札記〉
　　補箋〉一文。

2015年　先生冥壽八十六歲

12月，《中國文哲研究通訊》第25卷第4期，刊楊晉龍〈張以仁先生與
　　臺灣傳統學術研究：以學位論文為對象的考徵〉一文。

2016年　先生冥壽八十七歲

7月，李隆獻於北京大學中文系「第二屆四校中文研究生學術營」發
　　表〈張以仁先生的《春秋》「左傳學」——以經學研究為重心〉
　　論文。

2018年　先生冥壽八十九歲

11月24日，夫人周富美女士壽終於內寢，享壽八十有三。周女士，
　　1936年生於高雄市，父周角，母洪掇。原本考入臺灣大學外文
　　系，因受王叔岷教授影響，遂轉讀中文系。1959年以《墨子假
　　借字集證》獲碩士學位，指導教授即為王叔岷教授，1960年獲
　　聘為講師，1967年升等為副教授，1973年改聘為教授，2001年
　　退休，續為兼任教授，在臺大中文系執教近六十年。夫人精研
　　《墨子》，旁及《韓非子》，有學術論文22篇，以及《墨子假借
　　字集證》、《墨子——救世的苦行者》、《墨子、韓非子論集》等
　　專著。

12月7日，假辛亥路第二殯儀館「至善四廳」舉行公祭，隨後與先生
　　同，安厝於新北市金山區金寶山日光苑。

2020年　先生冥壽九十一歲

6月，《Interface—Journal of European Languages and Literatures》第12
期，刊 Christian Soffel〈Transcultural Aspects in Chang Yi-Jen's
張以仁 Poetry〉一文。

臺灣地區研究生學術視域下的周鳳五教授：

接受的考甄

一　前言

　　傳統中國學術淵源流長，學術的研究與發展，大致處在一個自給自足的系統範圍內運行，即使與外來文化相遇，依然能憑藉著包容萬象的獨立運作系統予以消化吸收。然而在十九世紀四〇年代中英鴉片戰爭之後，面對歐美帝國主義的侵略，一連串軍事失利的事實，讓許多人逐漸覺醒，傳統獨立自主的學術運作系統，已然無法因應挾帶船堅礮利的帝國主義者之挑戰，因而開始注意引進歐美的現代學術研究，以便改變不利的局勢。1894年中日戰爭的失利，讓更多人認清傳統中國學術不足的問題，因而更為了解引進歐美現代學術的必要性。在二十世紀初的1919年「五四運動」之後，引進學習歐美學術的主張，終於引發全國性的矚目，此一主張於是逐漸擴散，終至受到眾多人的接受，逐漸改變傳統中國學術的研究方式，形成一種有別於傳統研究的新學術。但臺灣早在1895年因為戰爭失敗而割讓給日本帝國主義政府，因此中國本土地區「五四新文化運動」帶來的學術改變，當時對臺灣地區的學術研究，並未帶來實質性的影響。[1]

1　這是專就「學術研究」立論，至於「新文學」等等「文學」方面的創作，則不再此列。關於臺灣新文學創作與大陸「五四新文化運動」的關聯性，尤其張我軍的實質

　　歷史的來看，臺灣地區的現代學術研究，實際上是發軔於日本時代，1928年日本政府在臺灣設立臺北帝國大學，更是標誌著臺灣學術研究現代化的起步，經過十多年的經營教導，確實也為臺灣培養了部分現代學術研究的人才，然而在日本戰敗而無條件投降後，臺灣在1945年進入國府統治時代。此時日本時代培養的臺灣本土學者，既稀少又還未能成家，雖也繼續在大學任教，但實質的影響非常微小。真正影響臺灣現代學術研究者，不得不歸功於因為國共內戰而遷移到臺灣的大陸學者，這批學者或是「五四新文化運動」的參與者，或是「五四新文化運動」接受洗禮者與被迫接受者，例如：胡適（1891-1962）、傅斯年（1896-1950）、臺靜農先生（1902-1990）、屈萬里先生（1907-1979）、高明老師（1909-1992）、林尹先生（1910-1983）、孔德成老師（1920-2008）……等等，於是原本與臺灣本土學術毫無關聯的大陸「五四新文化運動」，就在此種歷史的意外曲折轉移下，竟然與臺灣學術接軌而連成一體，甚至延續了「五四新文化運動」的精神，開啟了臺灣現代學術研究發展之路。這批來自大陸的學者們，懷抱著文化傳承與作育英才的熱誠，在臺灣的許多大學用心耕耘，造就許多臺灣本土的學術研究人才，使得臺灣的現代學術研究，終至於有機會與世界接軌，並逐漸形成有別於大陸與香港等地區的獨立研究框架，因而獲得不同的研究收穫與表現。這批來自大陸的學者們，正是臺灣學術現代化的開創者、推動者與維護者，他們同時也是臺灣現代學術研究的第一代學者。[2]

性影響，相關研究成果甚多。或可參考秦賢次：〈臺灣新文學運動的奠基者：張我軍〉，《臺北縣作家作品集（4）·評論集》（新北：臺北縣立文化中心，1993），頁32-57之文。

2　臺灣學術界第一代和第二代學者相關問題較詳細的討論，請參閱楊晋龍：〈張以仁先生與臺灣傳統學術研究：以學位論文為對象的考徵〉，本書頁161-184的相關討論。

　　每個世代每位有成就的學者，在學術研究的表現上，必然都有其學術的特色與貢獻，學術研究的正常發展，自是這類有成就學者代代相傳累積的結果；學術研究真正的進步，必然是新世代有成就的學者，在繼承前代學者學術創意與成就的前提下，加以吸收發明而提供不同的答案。是以若想了解某個世代的學術實情，當然就需要了解統合該時代有成就、具代表性學者的學術表現，方有可能獲得可信有效的答案。若就了解臺灣地區學術研究的內涵與發展，或者說探討臺灣現代學術研究史的需要而論，那麼了解從大陸遷移到臺灣的第一代學者及其指導培養的第二代，以及接下來的學術後代等等學術表現的實況，用以了解每位學者的學術表現與學術貢獻等的實情，應該是一件理所當然的平常事。然而想要確實了解臺灣學者在學術研究上是否有成就有貢獻？自然需要確實深入的探討分析之後，方有可能有效的判定，此種工作自非一兩篇小論文即可完成，因此在全面性探討的專書出現之前，選擇個人較為熟悉的學者進行研究，提供相關研究者較為有效的答案，以便有助於臺灣學術研究發展的了解，應該是一項具有學術意義的工作。筆者基於前述的基本認知，曾經為文探討第一代學者：屈萬里先生與臺灣《詩經》學發展的關係；[3]先師王叔岷教授（1914-2008）對臺灣學術的影響與貢獻；[4]還有第二代學者先師張以仁教授（1930-2009）和臺灣學術研究的關係及其貢獻。似乎稍有助於相關學者對臺灣學術發展的了解，是以延續著前幾篇論文的思路，設計本文探討英年早逝的第三代學者先師周鳳五教授與臺灣學術研究的關係，用以提供相關研究者參考。

3　楊晉龍：〈開闢引導與典律：論屈萬里與臺灣詩經學研究環境的生成〉，本書頁1-48。

4　楊晉龍：〈引導與典範：王叔岷先生論著在臺灣學位論文的引述及意義探論〉，本書頁87-116。

　　周老師號朋齋，祖籍四川犍為，1947年2月生於臺灣高雄，2015年
11月19日辭世。臺灣大學中文博士，「文學博士」，臺灣大學中文系教
授。生前曾獲科技單位傑出研究獎、臺灣大學傑出研究獎、教育部學
術獎、胡適紀念講座等。曾任中正大學與暨南國際大學兩校中文所創
所所長，臺灣大學特聘教授、傑出人才講座、講座教授，東吳大學端
木愷講座等。周老師除在學術上受教於戴君仁先生（1901-1978）、臺
靜農先生、屈萬里先生、金祥恆先生（1918-1989）及孔德成老師等之
外；同時也接受齊白石（1864-1957）高足朱俊佛先生；張大千先生
（1899-1983）門人匡仲英先生（1925-2015）、陶壽伯先生（1902-
1997）；以及陳福蔭先生（1916-2009）、莊尚嚴先生（1899-1980）、
孔德成老師、臺靜農先生、蔣穀孫先生（1902-1973）等在繪畫、書法
及鑑賞上的教導，並親炙張大千先生。周老師從事學術研究四十餘
年，治學的領域，兼及古文字學、經學、古典文獻學、語言文字學、
敦煌學、簡帛學及古典文學等。治學的方法，主要是經由釋讀古文
字，擴及考察出土文獻之物質現象與形式類別，進而探討儒家經傳之
淵源與先秦諸子之流衍，分析楚簡之字體演變、用筆技巧與美學意
涵，逐步建構古文字學、古文獻學、先秦學術史與先秦書法史之理論
體系。開設的專業課程有：篆隸習作、殷周金文研究、先秦書法史、
訓詁學、出土文獻與尚書研究、書法及習作、性情論研究、戰國文字
研究、簡帛五行研究、楚辭、文字學、上博楚竹書研究等。治學研究
的重心，大致以1992年為界，區分為前後兩大階段：前一階段以傳統
經、史、子、集四部為主，旁及出土文獻。後一階段專注出土古文字
與古文獻的研究，內容有三：（一）古代漢語研究，包括傳統文字、
聲韻、訓詁之學，以及語法學、詞彙學等的內容；（二）古典文獻學
研究，包括文獻類別、體式、目錄、版本、校勘、辨偽、輯佚等的內
容；（三）學術思想史研究，包括早期儒家文本解讀與戰國秦漢儒道

之相互滲透等內容。[5]

　　本文主要是在探討周老師對臺灣學術貢獻的實際狀況。就是希望經由詳細考察104學年度（2016.06）之前臺灣各大學的研究生，[6]在學位論文中接受周鳳五老師學術研究成果的狀況，以便了解周老師生前對臺灣學術影響與貢獻的實情，並提供「臺灣學」的研究者參考。本文的研究將利用「外部研究」的方式，透過臺灣研究生學位論文徵引周老師學術著作的狀況，再經由有效的歸納與實證性的分析，以獲取並檢證研究議題預設的結果。本文將借用現代電腦搜尋的技術，以便獲得研究需要的基本資料，本文使用的文獻，因此以「臺北（臺灣）圖書館臺灣博碩士論文知識加值系統」、[7]「師範校院聯合博碩士論文系統」、[8]「臺灣聯合大學系統博碩士論文系統」、[9]「華藝線上圖書館」等，[10]這4個網路資料庫收錄的學位論文為主，各大學圖書館獨立的論文搜尋網站為輔。本文進行的程序，除說明本文研究的意義與價值及進行程序的「前言」外，首先將透過搜尋前述4個網路資料庫收錄的臺灣各大學研究生學位論文，了解徵引周老師學術論著的實際狀況。然由於論文設定的研究對象是臺灣全體研究生，因此周老師指導的研究生也全數納入統計。再者本文主要是在探討臺灣研究生接受周

<hr>

5　此段係參考並徵引：http://www.cl.ntu.edu.tw/people/bio.php?PID=9「臺灣大學中國文學系」網站而成。本文涉及周老師的生平、研究、學術專長、開授課程等等內容，均以此網站之資訊為基準，〈著作目錄〉標題當是經周老師同意，故標題亦以此網站為準。謹此說明並致謝。

6　由於研究生論文上傳的時間並不一致，因此本文選取搜尋的學位論文，係以2016年10月31日以前上傳之論文為準。

7　網址：http://ndltd.ncl.edu.tw/cgi-bin/gs32/gsweb.cgi/login?o=dwebmge。

8　網址：http://140.122.127.247/cgi-bin/gs/gsweb.cgi?o=d1。

9　網址：http://etd.lib.nctu.edu.tw/cgi-bin/gs32/gsweb.cgi/login?o=dwebmge&cache=147814 6968815。

10　網址：http://www.airitilibrary.com/Search/alThesisbrowse?FirstID=U0001&type=Dissertations&changeColor=CU0001。

老師學術研究成果的狀況，因此統計歸納的對象自然是周老師本人創發的論著，是以傾向學術服務性質而無周老師實際研究成果的主編、[11]校閱，[12]這一類書籍不列入討論。然共同合作書寫及編著類的論著，由於其中包含有周老師的學術研究成果在內，故而列入討論，這是有關主要探討對象的說明。接著就針對研究生徵引的論著進行統整，以了解這一時段那些學校那些科系的研究生，徵引周老師的那些學術論著；然後再分析徵引實況表達的學術意義與價值；最後總結本文研究的結果、收穫與價值的而成「結論」，以結束本文的研究。

二　徵引的研究生所屬學校科系考實

臺灣各大學研究生的學位論文徵引周老師論著，最早是出現在86學年度（1998），總共有2篇：一是中正大學中國文學研究所張曉芬的碩士論文《牟庭詩切研究》，徵引的是周老師發表於1985年3月的〈讀牟默人同文尚書〉。一是輔仁大學圖書資訊學系吳介宇的碩士論文《中文字書探析》，徵引周老師發表於1987年6月的〈為現代漢語辭典催生〉。此後即不斷有研究生徵引，截至104學年度為止，在這 19個學年中，總共有352篇學位論文徵引周老師的論著為說，其中博士論文62篇，碩士論文290篇，徵引的研究生來自40所大學的77個系所，實際的狀況如下表：

---

11 例如：《古文字學論文集》（臺北：（臺灣）編譯館，1999）或《先秦文本及思想之形成、發展與轉化》（臺北：臺灣大學出版中心，2013）等之類。

12 例如：臺北三民書局出版的《新譯公羊傳》、《新譯孔子家語》、《新譯揚子雲集》、《新譯申鑒讀本》、《新譯薑齋文集》、《新譯冲虛至德真經》、《新譯說苑讀本》、《新譯論衡讀本》等之類。

徵引周老師論著學位論文的大學、系所及論文篇數表[13]

大學	系所	篇數	大學	系所	篇數
高雄師範大學（59）[14]	國文學系	57	暨南國際大學（6）	中國語文學系	5
	臺灣歷史文化及語言研究所	1		比較教育研究所	1
	工業設計學系	1	清華大學（6）	中國文學系	2
臺灣師範大學（51）	國文學系	45		歷史研究所	2
	歷史學系	2		臺灣文學研究所	2
	教育研究所	2	淡江大學（6）	中國文學系	5
	美術研究所	1		歷史學系	1
	三民主義研究所	1	臺中教育大學（4）	語文教育學系	3
臺灣大學（35）	中國文學研究所	26		數學教育學系	1
	歷史學研究所	7	東華大學（4）	中國語文學系	4
	國家發展研究所	1	中央大學（4）	中國文學系	4
	經濟學研究所	1	靜宜大學（3）	中國文學系	3
中興大學（21）	中國文學系	18	輔仁大學（3）	中國文學系	2
	歷史學系	3		圖書資訊學系	1
中山大學（14）	中國文學系	14	臺東大學（3）	兒童文學研究所	2
彰化師範大學（13）	國文學系	12		美術產業學系	1
	臺灣文學研究所	1	新竹教育大學（3）	美勞教育學系	2
臺灣藝術大學（12）	書畫藝術學系	7		中國語文學系	1
	造形藝術研究所	5	銘傳大學（2）	應用中國文學系	2

13 某些改名升格的大學和改名的系所，以現在的校名及系所名稱為準，例如：臺北市立大學之類。再者新竹教育大學與清華大學近日方才宣佈合併，故依然分別計算。

14 括弧（）內之數字，係該大學研究生學位論文徵引周老師論著的總篇數。

大學	系所	篇數	大學	系所	篇數
臺北市立大學（12）	中國語文學系	10	臺北教育大學（2）	數理教育研究所	1
	教育學系	1		國民教育研究所	1
	社會學系	1	臺北大學（2）	中國文學系	1
玄奘大學（12）	中國語文學系	11		古典文獻與民俗藝術研究所	1
	應用外語學系	1	嘉義大學（2）	中國文學系	2
政治大學（11）	中國文學研究所	11	屏東教育大學（2）	中國語文學系	1
南華大學（10）	文學研究所	8		視覺藝術學系	1
	建築與景觀學系	1	東海大學（2）	中國文學系	1
	美學與藝術管理研究所	1		宗教研究所	1
中國文化大學（9）	中國文學研究所	5	明道大學（2）	國學研究所	2
	史學研究所	2	佛光大學（2）	藝術學研究所	2
	哲學系	1	元智大學（2）	中國語文學系	1
	日本語文學系	1		資訊傳播學系	1
臺南大學（7）	國語文學系	7	東吳大學	中國文學系	1
逢甲大學（7）	中國文學系	7	臺北藝術大學	藝術行政與管理研究所	1
成功大學（7）	中國文學系	5	臺北科技大學	應用英文研究所	1
	歷史學系	1	朝陽科技大學	設計研究所	1
	臺灣文學研究所	1	樹德科技大學	經營管理研究所	1
中正大學（7）	中國文學系	4			
	歷史研究所	2			
	臺灣文學所	1			

徵引周老師學術論著的352篇學位論文，研究生出身的大學，除一般綜合性大學外，還包括藝術類的大學，以及主要以自然科學為重心的科技類大學，這些有研究生學位論文徵引的大學，論文的數量少者1篇，然亦有高雄師範大學59篇、臺灣師範大學51篇等高徵引數者，亦即在這19年內，每年通過考試的學位論文，至少有2到3篇徵引了周老師學術論著為說。再如：臺灣大學有35篇徵引、中興大學有21篇徵引、中山大學有14篇徵引，彰化師範大學有13篇徵引，臺灣藝術大學、臺北市立大學、玄奘大學等有12篇徵引，政治大學有11篇徵引，這是徵引學位論文數量前10名的大學。一般綜合性大學的徵引數量較多相當平常，但像臺灣藝術大學這類職業傾向較重的大學，研究生學位論文徵引的數量竟也能居於前7名，雖然無法確知徵引的學位論文和該校相關科系論文的比例多高，單純從相對性的徵引狀況而論，這樣的比例當也可算是一種較為特殊的表現。其次則是分據臺灣北、中、南三區的三所師範大學，學位論文徵引的數量共達123篇，竟然佔全部353篇徵引學位論文的35.00%，遠超過三分之一的比例，這顯然是比較值得注意的特殊狀況。

　　徵引周老師學術論著的研究生，出身的科系大致可以總括為15類：（1）中國文學類：288篇；[15]（2）歷史學類：21篇；[16]（3）藝術學類：19篇；[17]（4）教育學類：5篇；[18]（5）外國語文類：3篇；[19]

---

15 包括：中國文學系、中國語文學系、國文學系、國語文學系、語文教育學系、應用中國文學系、中國文學研究所、文學研究所、國學研究所、臺灣文學研究所、兒童文學研究所、古典文獻與民俗藝術研究所等。

16 包括：歷史學系、歷史學研究所、史學研究所、臺灣歷史文化及語言研究所等。

17 包括：書畫藝術學系、美術產業學系、美勞教育學系、視覺藝術學系、美術研究所、造形藝術研究所、藝術學研究所等。

18 包括：教育學系、教育研究所、比較教育研究所、國民教育研究所等。

19 包括：應用外語學系、日本語文學系、應用英文研究所等。

（6）管理學類：3篇；[20]（7）哲學類：2篇；[21]（8）政治學類：2篇；[22]（9）設計學類：2篇；[23]（10）數學類：2篇；[24]（11）建築學類：1篇；（12）經濟學類：1篇；（13）社會學類：1篇；（14）圖書館學類：1篇；（15）傳播學類：1篇。這15類研究領域內的學位論文，均有徵引周老師學術論著的實例，雖然徵引的論文數量多寡不一，但也表示在這15類的學術研究領域內，均有學者注意且接受周老師的學術研究成果。由於傳統文史哲研究學者針對的研究素材，很難絕對區分的關係，因此中文專業學者的學術研究成果，受到中國文學類、歷史學類及哲學類等學者的青睞，大致上算是相當正常的狀態，因此中文學類佔有81.82%自屬正常，其他的學科領域則並不是那麼理所當然，尤其藝術學類有19篇論文徵引，顯得相當特殊；另外諸如：教育學類、外國語文類與圖書館學類等學科領域，和中文學界的關係，大致也有某些關聯，至於管理學類、政治學類、設計學類、數學類、建築學類、經濟學類、社會學類、傳播學類等，原本就與中文學界相當疏遠的學科領域，其教師與研究生竟也注意到周老師的學術研究，甚至更進一步的徵引周老師的學術研究成果為說，這當然也是相當值得注意的特殊狀況。

再考察徵引周老師學術論著為說的352篇學位論文，若依據各該論文研究主要的學術內涵，利用較為單純的方式予以歸納，[25]大致可

---

20 包括：經營管理研究所、藝術行政與管理研究所、美學與藝術管理研究所等。

21 包括：哲學系、宗教研究所等。

22 包括：三民主義研究所、國家發展研究所等。

23 包括：工業設計學系、設計研究所等。

24 包括：數學教育學系、數理教育研究所等。

25 所謂「單純方式的歸納」指某些論文研究的內涵，可以分屬兩類以上的研究領域，但本文歸納統計之際，僅取其中較重要的一方，不再分屬兩類。例如：陳麗紅：《尹灣漢墓簡牘文字及書法研究》（高雄：高雄師範大學國文學系博士論文，2003），既可歸入「文字學類」，也可歸入「書法藝術類」，審視論文後，發現重點

將全數論文總括為下述14類的內容：（1）書法藝術類：58篇；[26]（2）
教學教材類：52篇；[27]（3）簡帛學類：41篇；[28]（4）現代文學類：
37篇；[29]（5）思想研究類：35篇；[30]（6）文字學類：32篇；[31]（7）

在「書法藝術」的討論，因此僅歸入「書法藝術類」，不再重錄歸類。再如：莊清
嘉：《自適、載道與歎逝：歐陽修《集古錄跋尾》之抒情性》（臺北：臺灣大學中國
文學研究所碩士論文，2016），既有「書法藝術類」的內容，也有「古典文學類」
的內容，但細讀論文內容，顯然較傾向「古典文學」的探討，是以僅歸入「古典文
學類」。

26 包括：江柏萱（博）、張學隆、黃程瑋、陳慧玲（博）、蕭順杰、莊翔任、蔡翔宇
 （博）、陽寶頤、陳人豪、鄭世宗、蕭卓宇、黃素梅、江柏萱、余鵬鴻、任容清、
 施惟迪、杜振忠、林崇俊、施宏國、林壽泉、杜其東、陳克明、林容加、李珮銓、
 莊千慧（博）、趙茂男、李燿騰、林詠茜、盧毓騏、薛惠齡、袁啟陶、劉珮貞、王
 浚湧、許秀娟、鄭怡雯、趙太順、洪嘉勇、黃一鳴、許榕、莊連棚、林俊臣、陳
 翠、郭芳忠、李泰瑋、黃鈺嵋、劉家華、余益興、黃臺芝、張淑喜、楊靜如、陳麗
 紅（博）、陳秀雋、楊旭堂、廖益賢、蔡舜寧、莊子茵、劉靜敏（博）、洪然升等58
 位研究生的學位論文。

27 包括：吳惜華、洪巳加、鄭筱梅、陳雯萍、李甯均、薛珽懋、黃俊文（博）、林恩
 立、林靖惠、任允松（博）、柯宇龍、戴薇珍、柯雅玲、蔡家雯、莊麗娟、李匀
 秋、盧建潤、翁淑鶯、陳雅苓、高嘉琪、蔡艷卿、鄭美玲、薛美鈴、蔡宜芸、張玉
 嬌、李讚桐、邱盛煌、姚政男、王玉屏、賴玉枝、張翠珊、詹玉娟、方芷絮、陳錦
 慧、王一平、鄭雅文、莊右昇、吳淑娟、梁滿修、周培芳、曾珍、黃麗玲、蘇美
 珠、黃素貞、蔡宏政、黃瑞璨、侯美玉、張錦婷、曾曉雯、黃淑華、林偉崢、高昌
 平等52位研究生的學位論文。

28 包括：顏世鉉（博）、邱文才（博）、黃儒宣（博）、米敬萱、林錦榮、黃芮玫、李
 宛庭、黃靜琚（博）、金宇祥、黃育翎、連明鴻、趙苑夆（博）、趙玉芬、李侑秦、
 謝雅惠、趙宇珩、詹吉翔、賴怡璇、張佩菁、李佳興（博）、曾銘賢、簡欣儀、林
 家瑜、郭欣怡、吳明吉、陳雅雯、高佑仁、許慭慧、鄒濬智（博）、李姎顗、連德
 榮、林彥妙、張繼凌、葉秀娥、周旻樺、方連全、蘇建洲、鄒濬智、陳霖慶、黃儒
 宣、賴怡璇（博）等41位研究生的學位論文。

29 包括：傅怡禎（博）、郭怡吟、許珮瑜、鍾宇翡、郭乃文、陳佳琳、廖玉鈴、羅琇
 怡、陳雅婷、詹敏惠、林怡平、方巧雯、簡秋蘭、蕭怡君、吳春娥、陳玉瑄、郭秀
 治、吳淑靜、蔡桂月、楊美滿、賴鈺婷、宋孟津、林奕妗、洪婉真、楊鴻銘、疏淑
 貞、王怡菁、陳珮汝、李素貞、王洛夫、郭雅玲、黃世團、謝明芳、張晏蓉、戴景
 尼、林于弘（博）、蔡嘉惠等37位研究生的學位論文。

古典文學類：22篇；[32]（8）經學研究類：20篇；[33]（9）歷史文化類：17篇；[34]（10）金石學類：13篇；[35]（11）語法訓詁類：12篇；[36]（12）聲韻學類：7篇；[37]（13）甲骨學類：5篇；[38]（14）文獻學類：1篇。[39]以上是徵引周老師學術成果為說，諸學位論文研究重心的

---

30 包括：謝君讚（博）、詹荃亦、楊孟珠（博）、張家維、李本華、廖雅慧、游逸飛、伍真慧、吳郁音、李靜玫、周安邦（博）、劉芝慶、黃靜琚、陳幸永、羅雅純（博）、鄭雅文、何家仁、王玉潔、陳文和、王仁祥（博）、徐彩琪、謝佳惠、謝素菁、黃慧萍、張書豪、朱心怡（博）、戴美慧、蕭凱文、范麗梅、陳奕瑄、吳勇冀、陳怡秀、鄭保志（博）、李建民（博）、李松駿等35位研究生的學位論文。

31 包括：林宏佳（博）、陳淑惠（博）、許雁綺、呂佩珊（博）、卓盈君、王瑜楨、陳怡婷、林宛臻、柯佩君（博）、李志慶、李綉玲（博）、林瑞能、陳嘉凌（博）、鍾思榆、金俊秀、黃榮順、馬嘉賢、沈信宏、黃麗娟（博）、陳靖欣、趙苑夙、詹今慧、陳立（博）、郭碧娟、林宏佳、陳嘉凌、文炳淳、羅凡晸、李富琪、徐貴美、陳立、吳介宇等32位研究生的學位論文。

32 包括：莊欣華（博）、涂品卉、孫乃崴、胡慕雲、陳儒茵（博）、陳伯政、林佳燕（博）、許俊賢、歐天發（博）、林家宏、陳雅惠、廖彩真、楊明璋（博）、林沛瑩、王晴慧（博）、劉瑞晃、吳東晟、郭明珠、施筱雲、江明玲、曾守正（博）、莊清嘉等22位研究生的學位論文。

33 包括：陳高志（博）、郭怡君、陳妹仔、鄭雯馨（博）、高榮鴻（博）、陳炫瑋（博）、蔡瑩瑩、許舒絜（博）、劉逸文（博）、黃羽璿、陳一綾、劉昭敏、林玲華、鄭玉姍、陳韋在、謝奇懿（博）、陳麗玉、濮傳真、張曉芬、鄭靖暄等20位研究生的學位論文。

34 包括：黃聖松（博）、游逸飛（博）、江俊偉、詹今慧（博）、彭慧賢（博）、吳長青、洪德榮、劉永中、黃靜怡、林信呈、洪麗卿、陳怡妃、高榮鴻、楊庸蘭、林志鵬、趙容俊、劉燕儷（博）等17位研究生的學位論文。

35 包括：廖佳瑜、蔡佩玲、陳苑玲、汪彤、黃庭頎（博）、謝博霖、莊惠茹（博）、邱敏文（博）、蔡馨儀、呂佩珊、林翠華、游國慶、劉彥彬等13位研究生的學位論文。

36 包括：巫雪如（博）、申世利（博）、林映慈、簡鴻文、陳錦雯、劉順瀚、王貞英、許芝軒、陳明珠、楊素梅、蔡素華、謝凰霓等12位研究生的學位論文。

37 包括：魏鴻鈞（博）、吳軒毅、彭慧玉、許文獻（博）、莊秀珠、曾昱夫、謝佩慈等7位研究生的學位論文。

38 包括：呂映靜、張宇衛（博）、陳儒茵、古育安、楊景木等5位研究生的學位論文。

39 劉學倫：《張海鵬彙刊叢書的成就——《學津討原》、《墨海金壺》、《借月山房彙鈔》及其相關問題之研究》（桃園：中央大學中國文學研究所碩士論文，2004）。

大略歸納。這14類學術研究的範圍，顯然也是周老師學術影響的範圍，徵引超過30篇的有「書法藝術類」、「教學教材類」、「簡帛學類」、「現代文學類」、「思想研究類」、「文字學類」等6類。一般以為周老師治學主要在古文字學、經學、古典文獻學、語言文字學、敦煌學、簡帛學及古典文學等方面的研究，但根據徵引學位論文的表現，則周老師在「書法藝術類」和「現代文學類」等學術領域的成就及影響，恐怕不宜忽視。

徵引周老師學術成果的學位論文，除研究生的接受外，更由於學位論文必須經過指導教授的同意，方能提出考試通過而獲得學位，根據這樣的基本規則，大致可以合理推測這352篇學位論文的指導教授，當該都同意其指導的研究生接受周老師的學術研究成果，從而也就可以了解指導教授也同樣接受周老師的學術研究成果，歸納全數論文的指導教授，除周老師外另有200位，若根據科系區分，則可將指導教授歸納為下列的學科範圍：（1）中文相關系所144位；[40]（2）歷

---

40 包括：（1）季旭昇指導29篇；（2）蔡崇名指導22篇；（3）林清源指導12篇；（4）郭芳忠指導8篇。（5）指導7篇者：林文欽、汪中文、邱德修。（6）指導6篇者：林素清老師、杜明德。（7）指導5篇者：耿志堅、許進雄、陳麗桂。（8）指導4篇者：劉文強、袁國華、陳章錫、陳欽忠、簡宗梧先生。（9）指導3篇者：沈謙老師、沈寶春、林啟屏、施隆民先生、柯金虎、徐富昌、許學仁、許錟輝先生、黃宗義、葉國良老師、蔡哲茂、魏慈德、羅宗濤先生。（10）指導2篇者：蘇建洲、劉瑩、潘美月先生、蔡振念、賴明德老師、張惠貞、徐漢昌、孔仲溫、宋建華、李威熊老師、李淑萍、杜明城、林雅玲、林慶勳老師、邱燮友、陳光憲先生、陳宏銘、陳廖安、陳滿銘先生、陳器文、傅榮珂、黃靜吟、雷僑雲、劉文起老師。（11）指導1篇者：顏美娟、林聰明、林聰舜、王仁祿、王年双、王松木、王財貴、王國良先生、古國順先生、皮述民、朱曉海、江建俊、江惜美、江寶釵、何寄澎老師、何樹環、余美玲、余崇生、兵界勇、吳俊德、李三榮、李立信、李存智、李李、李建崑、李若鶯、李國俊、李隆獻、李瑞騰、杜忠誥、汪天成、周昌龍、周虎林老師、周益忠、林安梧、林宏明、林秀蓉、林保淳、林素珍、林素英、邴尚白、施懿琳、柯淑齡、柯慶明老師、胡萬川、袁保新、馬銘浩、康世昌、康義勇、張健先生、張堂錡、張

史相關系所19位；[41]（3）藝術相關系所14位；[42]（4）教育相關系所3位；[43]（5）管理相關系所3位；[44]（6）外文相關系所3位；[45]（7）政治相關系所3位；[46]（8）哲學相關系所2位；[47]（9）設計相關系所2位；[48]（10）數學相關系所2位；[49]（11）其他系所5位。[50]研究生徵引周老師的學術研究成果，必然要經過指導教授的同意，從而也就可以更加了解周老師學術研究成果，在臺灣學術界被接受，進而對研究生產生實際影響的狀況。

周老師學術研究成果被臺灣研究生學位論文接受的實況，經由上述的歸納整理分析，可知在104學年度之前，總共有40所大學77個系所352篇學位論文徵引周老師的學術研究成果。若以學校為單位，徵引數量最多者為高雄師大、臺灣師大、臺灣大學和中興大學，四所大

寶三、梅廣、莊雅州先生、許東海、陳兆南、陳成文、陳昱志、陳昌明、陳金木、陳維德、陳錫勇、傅錫壬先生、游志誠、黃沛榮老師、黃忠慎、黃金文、黃慶萱老師、楊秀芳老師、楊祖漢、楊雅惠、楊銀興、楊濟襄、葉達雄、葉鍵得、詹海雲、廖秀娟、劉良佑、潘麗珠、鄭玉卿、鄭志明、鄭阿財、鄭靖時、蕭振邦、賴貴三、賴賢宗、鮑國順先生、戴景賢老師、魏培泉、龔顯宗先生等。

41 包括：（1）指導2篇者：宋德喜、邢義田先生、阮芝生。（2）指導1篇者：石蘭梅、宋晞、李弘祺先生、黃俊傑老師、黃繁光、雷家驥、廖咸惠、劉正元、劉增貴、蕭瓊瑞、閻鴻中、羅麗馨、邱添生、高明士、張永堂、郭靜云等。

42 包括：（1）林進忠指導6篇；（2）李郁周和蔡長盛各指導3篇；（3）林隆達指導2篇。（4）指導1篇者：李惠正、林谷芳、李奇茂、涂璨琳、張繼文、陳錦忠、黃元慶、劉素真、潘襎、王北岳等。

43 包括：（1）周愚文指導2篇；（2）李宗薇、楊瑩等均各指導1篇。

44 包括：阮昌銳、吳守從、許寶東等均各指導1篇。

45 包括：洪媽益、陳順益、歐雪貞等均各指導1篇。

46 包括：陳雪雲、葛永光、王定村等均各指導1篇。

47 包括：張永儁先生、魏元珪等均各指導1篇。

48 包括：王桂沰、林漢裕等均各指導1篇。

49 包括：馬秀蘭、楊繼正等均各指導1篇。

50 包括：（1）陳正哲（建築景觀系）；（2）秦照芬（社會系）；（3）朱敬一（經濟系）；（4）盧荷生（圖館系）；（5）李其瑋（傳播系）等，以上5位均各指導1篇。

學的徵引總數為166篇，佔全部論文總數的47.20%，其中高雄師大、臺灣師大和彰化師大等三所師範大學，徵引的總數為123篇，接近全數論文的三成五，比例相當可觀。徵引的學位論文科系，以中國文學類、歷史學類、藝術學類等三個學科範圍最多，總共有328篇徵引，佔全數論文的93.20%。徵引論文的研究內容，居前五名者為書法藝術類、教學教材類、簡帛學類、現代文學類、思想研究類，總共有223篇，佔全部徵引論文的63.35%。指導論文的教授總數有200位，以中文相關系所、歷史相關系所、藝術相關系所等三個科系最多，總共有177位，佔了指導教授總數的88.5%。以上即是臺灣各大學研究生徵引周老師論著的學位論文數量、所屬科系、研究內容與指導教授等相關訊息的實際狀況。

三　研究生徵引周老師論著考實

周老師發表的論著，根據臺灣大學中文系官網〈著作目錄〉，最早一篇是1972年6月發表的〈關於岳武穆的硯台〉；最早一篇學術性論文則是1973年3月發表的〈說猲〉，生前最後發表的一篇是2015年12月的〈「檗」字新探——兼釋「獻民」、「義民」、「人鬲」〉。周老師在這前後44年期間發表的論著，那些受到臺灣研究生的重視青睞而接受，於是在寫作學位論文時徵引為說，徵引表現的實際狀況如何？這類實證性的呈現，自然是考知臺灣研究生及其指導教授接受周老師學術研究成果，進而了解周老師對臺灣學術影響狀況，最需要弄清楚的基本證據資料，因此有必要比較詳細的呈現。以下因此不嫌繁複的將徵引狀況整體呈現，以方便說明考察。關於臺灣研究生學位論文徵引周老師的論著、論著出版時間、論文數量等實際的表現，如下表所示：

臺灣學位論文徵引周老師的論著、
論著出版時間、學科屬性及論文篇數表[51]

論著名稱	出版時間	學科屬性	篇數
《華夏之美──書法》	1985年10月	書法藝術	69
《現代文學欣賞與創作》	1987年	現代文學	51
《敦煌寫本太公家教研究》	1986年	教學教材	37
〈郭店竹簡「唐虞之道」新釋〉	1999年9月	簡帛學：古文字釋讀	31
〈郭店楚簡「忠信之道」考釋〉	1998年12月	古文字釋讀	26
〈郭店竹簡的形式特徵與分類意義〉	1999年10月	簡帛學	26
〈郭店楚簡識字札記〉	1999年01月	古文字釋讀	23
〈讀郭店竹簡成之聞之札記〉	1999年10月	古文字釋讀	23
〈讀上博〈從政（甲篇）〉札記〉	2004年07月	古文字釋讀	18
〈孔子詩論新釋文與注解〉	2002年03月	古文字釋讀	17
〈說巫〉	1989年12月	古文字釋讀	16
〈楚簡文字瑣記（三則）〉	1999年12月	古文字釋讀	13
〈上博四〈柬大王泊旱〉重探〉	2006年10月	古文字釋讀	13
〈遂公盨銘初探〉	2003年06月	古文字釋讀	12
〈包山楚簡文字初考〉	1993年06月	古文字釋讀	11

---

51 學位論文徵引之際著錄周老師論著的標題名稱，頗有訛誤者，例如：〈郭店竹簡的形式特徵與分類意義〉，曾銘賢的碩士論文將「形式」誤作「形制」；再如：林家宏的碩士論文出現〈由文心辨騷、詮賦、諧讔論辭賦之形構與評價〉一文，實際徵引的內容來自〈由文心辨騷、詮賦、諧隱論賦的起源〉，或者是誤與蔡宗陽：〈從《文心雕龍》與《昭明文選》析論辭賦之形構與評價〉（1981年6月）相混之故。本文因此以臺灣大學中文系官網〈著作目錄〉之標題名稱為準。再者因為周老師論著的計數包括專書與單篇論文，故稱「筆」不稱「篇」。

論著名稱	出版時間	學科屬性	篇數
〈由文心辨騷、詮賦、諧隱論賦的起源〉	1987年	古典文學	9
〈包山楚簡「集箸」「集箸言」析論〉	1996年12月	古文字釋讀	9
〈九店楚簡告武夷重探〉	2001年12月	古文字釋讀	9
〈上博五〈姑成家父〉重編新釋〉	2006年12月	古文字釋讀	9
〈郭店竹簡編序復原研究〉	1999年10月	簡帛學	8
〈楚簡文字的書法史意義〉	2000年06月	書法藝術	8
《六韜研究》	1978年	軍事思想	7
〈秦惠文王禱祠華山玉版新探〉	2001年03月	古文字釋讀	7
〈郭店〈性自命出〉「怒而盈而毋暴」說〉	2002年07月	古文字釋讀	7
〈火星文的美麗與哀愁〉	2006年08月	現代語詞	7
〈太公家教重探〉	1986年12月	教學教材	6
〈子彈庫帛書「熱氣倉氣」說〉	1997年12月	古文字釋讀	6
〈論上博孔子詩論竹簡留白問題〉	2002年03月	簡帛學	6
〈上博性情論小箋〉	2002年04月	古文字釋讀	6
〈楚簡文字零釋〉	2003年04月	古文字釋讀	6
〈上博四〈昭王與龔之𩜁〉新探〉	2005年05月	古文字釋讀	6
〈「畬罜命案文書」箋釋——包山楚簡司法文書研究之一〉	1994年06月	古文字釋讀	5
〈子犯編鐘銘文「諸楚荊」的釋讀問題〉	1998年06月	古文字釋讀	5
〈眉縣楊家村窖藏四十三年述鼎銘文初探〉	2006年01月	古文字釋讀	5
〈上博六〈莊王既成〉、〈申公臣靈	2007年11月	古文字釋讀	5

論著名稱	出版時間	學科屬性	篇數
王〉、〈平王問鄭壽〉、〈平王與王子木〉新訂釋文註解語譯〉			
〈上博七〈君人者何必安哉〉新探〉	2009年06月	古文字釋讀	5
〈通識教育與中國傳統文化〉	1993年	教學教材	4
〈文化的本土與傳統〉	1996年11月	教學教材	4
〈上博六〈莊王既成〉、〈申公臣靈王〉、〈平王問鄭壽〉、〈平王與王子木〉新探〉	2007年10月	古文字釋讀	4
〈說狷〉	1973年03月	古文字釋讀	3
〈包山二號楚墓出土文書簡研究〉（科技單位研究計畫成果報告）	1995年	古文字釋讀	3
〈讀上博〈性情論〉小箋〉	2002年07月	古文字釋讀	3
〈眉縣楊家村窖藏〈四十二年逑鼎〉銘文初探〉	2004年12月	古文字釋讀	3
〈試說《季康子問於孔子》的榮駕鵝〉	2006年09月	古文字釋讀	3
〈北京清華大學藏戰國竹書〈保訓〉新探〉	2009年	古文字釋讀	3
〈上博三〈仲弓〉篇重探〉	2013年12月	古文字釋讀	3
《偽古文尚書問題重探》	1974年	經學研究	2
〈太公家教研究〉	1984年12月	教學教材	2
〈辯才家教初探〉	1986年05月	教學教材	2
〈新訂尹灣漢簡神烏賦釋文〉	1996年12月	古文字釋讀	2
〈郭店楚簡《天常篇》疏證稿本〉（未出版稿本）	2000年之前	古文字釋讀	2
〈郭店竹簡文字補釋〉	2003年11月	古文字釋讀	2

論著名稱	出版時間	學科屬性	篇數
〈上博三〈彭祖〉新探〉	2005年	古文字釋讀	2
〈上博五〈競建內之〉、〈鮑叔牙與隰朋之諫〉補釋〉	2008年06月	古文字釋讀	2
〈上博四〈昭王與龔之脽〉重探〉	2008年12月	古文字釋讀	2
〈上博六〈競公瘧〉「公乃出視朝」解〉	2009年10月	古文字釋讀	2
〈讀馬王堆漢簡〉	1973年06月	古文字釋讀	1
《民生史觀與中國文學——淺談三民主義文藝的歷史觀》	1983年10月	現代文學	1
〈說繇〉	1984年10月	古文字釋讀	1
〈讀牟默人同文尚書〉	1985年03月	經學研究	1
〈敦煌寫本辯才家教卷子〉	1986年04月	教學教材	1
〈讀修訂本辭源〉	1986年11月	現代語詞	1
〈漭喜齋叢書〉	1987年03月	文獻學研究	1
〈太公六韜佚文輯存〉	1987年04月	軍事思想	1
〈鑿壁偷光談白話〉	1987年04月	現代語詞	1
〈新出熹平石經《尚書》殘石研究〉	1987年05月	經學研究	1
〈為現代漢語辭典催生〉	1987年06月	現代語詞	1
〈琉璃河新出匽侯器銘新探〉	1990年07月	古文字釋讀	1
〈琉璃河新出匽侯克罍銘重探〉	1991年05月	古文字釋讀	1
〈越王者旨於賜鐘銘初探〉	1992年	古文字釋讀	1
〈侯馬盟書主盟人考〉	1994年06月	古文字釋讀	1
〈侯馬盟書年代問題重探〉	1994年09月	古文字釋讀	1
〈新編包山楚簡字表〉（科技單位研究計畫成果報告）	1995年	古文字釋讀	1

論著名稱	出版時間	學科屬性	篇數
〈鄂君啟節研究〉（科技單位研究計畫成果報告）	1998年	古文字釋讀	1
〈上博性情論「金石之有聲也，弗叩不鳴」解〉	2002年03月	古文字釋讀	1
〈楚簡文字考釋〉	2003年07月	古文字釋讀	1
〈《上海博物館藏戰國楚竹書》研究（II）〉（科技單位研究計畫成果報告）	2004年	古文字釋讀	1
〈如何考釋古文字——以上博四〈柬大王泊旱〉為例〉	2005年12月	古文字釋讀	1
〈上博楚竹書〈曹沫之陣〉研究〉（科技單位研究計畫成果報告）	2006年	古文字釋讀	1
〈楚柬王泊旱〉	2006年10月	古文字釋讀	1
〈上博五〈競建內之〉、〈鮑叔牙與隰朋之諫〉重探〉	2006年11月	古文字釋讀	1
〈新出土戰國楚簡所見楚國的君臣關係——以《上博四·昭王與龔之脽》為例〉	2008年12月	古文字釋讀	1
〈文字考釋與文本解讀——以出土楚簡為例〉	2010年	古文字釋讀	1
〈清華簡〈保訓〉重探〉	2010年10月	古文字釋讀	1
〈楚簡校讀二題〉	2011年12月	古文字釋讀	1
〈傳統漢學經典的再生——以《清華簡·保訓》「中」字為例〉	2012年05月	古文字釋讀	1

臺灣研究生352篇學位論文徵引周老師的學術研究成果，經由詳細統整歸納，總共徵引周老師86筆論著，包括4本專著，2篇學位論文，單篇論文74篇，以及5篇未正式發表的科技單位研究計畫成果報告，還

有1篇未正式公開的稿本，徵引論著最早的是1973年3月的〈說猾〉；
最晚的是2013年12月發表的〈上博三〈仲弓〉篇重探〉，周老師在這
41年內發表而受徵引的論著，同時也是104學年度之前，臺灣研究生
及200位不同科系指導教授接受周老師學術研究成果的對象。從科技
單位研究計畫成果報告和未發表的稿本都受到關注徵引的現象，以及
這些徵引者並非周老師指導的研究生的實況來看，當可以推知周老師
在出土竹簡古文字釋讀方面的研究表現，確實受到臺灣許多相關學者
的高度關注，因此方能在指導教授的同意下，讓研究生徵引周老師的
學術論著為說。這或者也可以用來了解周老師在簡帛學與古文字學研
究方面，必然具備有某些有效且可信的收穫，因而受到徵引者充分信
任之故。

　　就周老師4本專書和2篇學位論文的徵引表現而論：《華夏之
美——書法》有69篇論文徵引，《現代文學欣賞與創作》有51篇論文
徵引，《敦煌寫本太公家教研究》有37篇論文徵引，《六韜研究》有7
篇徵引，《偽古文尚書問題重探》有2篇徵引，《民生史觀與中國文
學——淺談三民主義文藝的歷史觀》有1篇徵引，其中《民生史觀與
中國文學》亦屬於現代文學研究的範圍。很明顯這三部專著代表三個
不同的學科領域：書法藝術研究、現代文學研究與教學教材研究等，
可見這三個學術領域接受周老師學術成果的狀況較為熱烈。

　　就徵引的整體表現而論，歸納周老師這86筆論著討論的內容，可
以比較粗略的統整為下列幾方面的研究範圍，這些學科範圍內論著數
量與徵引的學位論文篇數實況如下：（1）簡帛學研究：主要是古文字
的釋讀，少數觸及竹簡書的形制等的研究：64筆論著，共有393篇學
位論文徵引。[52]（2）書法藝術研究：2筆論著，共有77篇學位論文徵

---

52 竹簡書古文字的考釋，實際上涉及的層面相當廣，不僅涉及傳統的文字、音韻、訓
　詁等小學的問題，同時還涉及思想問題，因此說是「粗略」的分類。再者因為論文

引。（3）教學教材研究：7筆論著，共有56篇學位論文徵引。（4）現代文學研究：2筆論著，共有52篇學位論文徵引。（5）現代語詞研究：4筆論著，共有10篇學位論文徵引。（6）古典文學研究：1筆論著，共有9篇學位論文徵引。（7）軍事思想研究：2筆論著，共有8篇學位論文徵引。（8）經學研究：3筆論著，共有4篇學位論文徵引。（9）文獻學研究：1筆論著，有1篇學位論文徵引。這是根據周老師論著學科研究屬性分類後，統整歸納的結果。觀察學位論文徵引的總體表現，可以發現周老師在古文字釋讀方面的論著最受關注，其次是書法藝術方面、教學教材方面及現代文學方面的研究，周老師在這三方面的著作數量，雖然無法與古文字釋讀的數量相比，但受到研究生與指導教授關注的程度也相當高，可見周老師對臺灣研究生的影響，不僅只是出土文物的研究成果而已，書法、教學教材和現代文學，同樣受到相當高程度的關注，是以對研究生造成實質性影響的結果。

　　104學年度之前的臺灣研究生徵引周老師學術論著的狀況，根據實證性的考察，總共有352篇的學位論文，徵引了周老師86筆的學術論著，學位論文徵引數量最多者，依次為《華夏之美——書法》、《現代文學欣賞與創作》、《敦煌寫本太公家教研究》、〈郭店竹簡「唐虞之道」新釋〉、〈郭店楚簡「忠信之道」考釋〉、〈郭店竹簡的形式特徵與分類意義〉、〈郭店楚簡識字札記〉、〈讀郭店竹簡成之聞之札記〉等，這些論著涉及到：書法藝術、現代文學、教學教材、古文字釋讀與簡帛研究等研究範圍，這也是周老師學術最受關注的範圍。再者周老師生前完成的學術論著，包括稿本、發表與出版等，總數至少在145筆

　　若徵引1筆以上論著，即會重複計算，亦即3筆即會重複計算3次，依此類推，論文篇數加總因此超過352篇。

以上，[53]研究生接受而徵引的論著數量總共86筆，佔了現在所知周老師全部論著將近六成的59.31%。雖然沒有經過全面性的比較，但現代學者的學術著作，在生前即已有近六成被研究生學位論文徵引，在學術接受的比例上，雖不一定名列前茅，但當該也是居於較前列的學者，由此當可了解周老師學術研究成果受到臺灣學界肯定的實況。

四　結論

　　學術研究的發展，當然是一代又一代的學者們，不斷研究創發與延續累積的結合，學者的學術貢獻，因此也就包括有「累積」和「創發」兩個部分，學術「創發」指涉學術的發明或發現，學術累積指學者研究成果在當代及異代受到重視的狀況，亦即被接受應用而產生影響的實際表現，這同時也是學者學術影響力的展現，更是學者對學術實質貢獻的表現。本文透過「外部研究」的方式，透過研究生徵引應用表現的實況，以探討周鳳五老師在學術累積上的表現，目的是了解周老師對研究生學位論文影響的實情。學術研究成果是公開任人自由閱讀自由評價的資訊，並不是法律或軍事命令，是以本質上並不具備非徵引不可的強制性，學術影響因此不可能由發表者強制他人接受，必然是接受者主動自由選擇的結果。就是說學術研究成果的接受者，具備有充分接不接受的主動選擇權，同時接受的方式也可以有許多種不同的型態，既可以毫無疑義的全盤接受，但也可以進行必要的「刪減」、「增補」、「修正」、「改寫」與「商榷」，甚至「反駁」，就這352篇學位論文的徵引表現而論，主要還是以接受周老師學術研究成果為重心。研究生們選擇接受之後，接著就形成影響的效果。這個過程就

---

53 臺灣大學中文系官網〈著作目錄〉著錄有129筆，唯考察學位論文徵引者，尚有16筆官網未收錄，或者還有其他未考知者，故曰「以上」。

發表論著的周老師而言，即是傳播影響的形成；就徵引的研究生和同意徵引的指導教授而言，乃是自由選擇的接受；就整個臺灣學術界的發展而論，則是學術貢獻與學術地位的實質表現，因此透過臺灣研究生徵引學術論著的表現，當然也就可以部分的呈現周老師在臺灣學術發展上的貢獻，進而也就可以部分了解周老師在臺灣學術上的地位了。

　　周老師學術研究對臺灣研究生影響的狀況，經由前述實證性的考察，大致可以獲得以下幾項暫時性的結論：

　　首先，臺灣研究生徵引周老師的論著，最早出現在86學年度（1998），當年度有2篇學位論文徵引，此後徵引者即持續不斷，截至104學年度（2016.06）為止的19個學年，總共有來自40所大學77個系所的201位教授指導的339位研究生，在62篇博士論文，290篇碩士論文，總共352篇的學位論文中，徵引周老師的論著為說。

　　其次，徵引周老師論著的研究生，來自中文、歷史、藝術、教育、外文、管理、哲學、政治、設計、數學、建築、經濟、社會、圖館、傳播等相關科系，以中文相關科系的論文最多，篇數佔總數的八成以上。徵引周老師論著的論文，研究的內涵包括有：書法藝術、教學教材、簡帛學（古文字釋讀）、現代文學、思想研究、文字學、古典文學、經學研究、歷史文化、金石學、語法訓詁、聲韻學、甲骨學、文獻學等範圍。其中書法藝術、教學教材、簡帛學、現代文學、思想研究、文字學等，均有超過30篇論文的徵引；尤其以書法藝術和教學教材等兩類為最多，共有110篇論文徵引，佔論文總數的31.25%。指導這些研究生的教授，來自中文、歷史、藝術、設計、教育、管理、外文、政治、哲學、設計、數學、建築、社會、經濟、圖館、傳播等科系，總共有200位，其中以中文系所的144位教授最多，佔指導教授總數的七成二。

　　其三，研究生徵引的周老師論著總共有86筆，內容包括：4本專

著，學位論文2篇，單篇論文74篇，5篇科技單位研究計畫成果報告，1篇稿本。研究的學術範圍，包括簡帛學（古文字釋讀）的成果64筆、教學教材7筆、現代語詞4筆、經學研究3筆、書法藝術2筆、現代文學2筆、軍事思想2筆、古典文學1筆、文獻學1筆等。其中以「簡帛學」（古文字釋讀）的研究成果，受到393篇學位論文的徵引最多；其次是「書法藝術」受到77篇論文的徵引；「教學教材」受到56篇論文徵引；「現代文學」受到52篇論文徵引，這4項研究成果佔徵引論文全數的94.75%，可見周老師這4個學術研究範圍的成果，最受研究生的重視接受。這同時也是周老師影響研究生的實際內容。

最後，本文經由「外部研究」的方式，借助現代電腦科技的協助，透過臺灣研究生學位論文徵引周鳳五老師論著的實況，用以了解研究生及其指導教授接受周老師學術研究成果的實際表現。發現接受周老師學術研究成果的學校有40所，接受的科系有：中文、歷史、藝術、教育、外文、管理、哲學、政治、設計、數學、建築、經濟、社會、圖館、傳播等。接受的研究生總共有339位博碩士生、指導教授200位；接受的學位論文有352篇。研究生接受的周老師論著有86筆，涉及的研究範圍包括：簡帛學（古文字釋讀）、教學教材、現代語詞、經學研究、書法藝術、現代文學、軍事思想、古典文學、文獻學等，學位論文徵引最多的是「簡帛學」（古文字釋讀）、「書法藝術」、「教學教材」、「現代文學」等4方面的研究成果，這同時也是周老師影響臺灣學術研究最主要的成果，並且也是截至目前為止，周老師對臺灣學術最有貢獻的部分。經由上述實證性的歸納說明，當可比較確實的了解周老師學術研究的主要成就及其被臺灣學術界接受，還有對臺灣學術實質影響的狀況，這對於有心探討臺灣學術發展實際的「臺灣學」研究者，應當具有提供實質有效答案的功能，這也就是本文研究的價值所在。

林慶彰先生與臺灣地區學術研究：

以學位論文為對象的探討[*]

一　前言

　　臺灣地區人文相關學科現代性質的學術研究，固然曾受日本殖民政府教育政策的栽培影響，但1945年二戰結束，日本帝國主義政府敗退離臺，蔣介石（1887-1975）領導的國民黨政府接收臺灣以後，由於語文的隔閡，敵我意識的作祟，日本時代的學術研究成果，因而斷裂而無法繼承延續。真正引導二十世紀以來臺灣人文學術研究發展者，因而必須歸功於跟隨國民政府來臺的大陸學者，這些學者最先任教於臺北地區的臺灣大學（1928成立）、臺灣師範學院（1946改制）等大學院校，其後擴及在臺復校的政治大學（1954）、東吳大學（1954）、輔仁大學（1961），以及新創的淡江文理學院（1958）、中國文化學院（1962）等，這些學者也就是臺灣中文學界稱之為「第一代」的學者，[1]在第一代學者的指導培養下，半個多世紀以來，第二

---

* 此文初稿曾在2006年9月11日臺北中研院中國文哲研究所發表，又於2006年9月15日在「屆萬里先生百歲誕辰國際學術研討會」中發表。感謝評論人夏長樸老師，以及李豐楙先生、楊貞德、嚴志雄和與會學者等的批評意見，使本文的訛誤可以有機會減至最低，謹此致謝。

1 臺灣中文學界所稱「第一代學者」，參考龔鵬程師：〈學會運作概況〉，龔鵬程師主編：《五十年來的中國文學研究（1950-2000）》（臺北：臺灣學生書局，2001），頁363。車行健：〈指南山下經師業，渡船頭邊百年功：政治大學在臺復校初始階段（1954-1982）的經學教育〉，《中國文哲研究通訊》第27卷第2期（2017年6月），頁47腳注8的討論。

代、第三代、第四代的後學，相繼成長而逐漸茁壯，終至於形成具有本地特色的臺灣中文學術研究。

臺灣民間俗語說：「吃果子拜樹頭，吃米飯敬田頭」；庾信（513-581）也有「落其實者思其樹，飲其流者懷其源」之論，[2]此種「飲水思源」的基本觀，自是常人應有的處世態度。筆者因此私以為在進入二十一世紀的今日，認真回顧二十世紀渡海來臺第一代學者及其引導培養的第二代以後學者，對臺灣地區中文相關學術研究的表現及其各方面貢獻的實情，無論就臺灣地區學術的傳承發展，或就儒家「感恩回報」基本原則而論，[3]應該都具有研究探討的實質意義與價值，筆者曾先後為文探討屈萬里先生（1907-1979）、[4]王叔岷師（1914-2008）、[5]林尹先生（1910-1983）；[6]張以仁師（1930-2009）；[7]周鳳五師（1947-2015），[8]筆者較為熟悉學者的學術表現，用以了解及表彰學者在學術研究與學術傳播上對臺灣學術發展的影響與貢獻；同時提供有心了解臺灣人文學術發展有興趣的學者，部分可以接受有效檢證的實證性答案，這樣的研究應該有助於「臺灣學」的正面發展。然而二十世紀以來隸屬於人文研究範圍內的中文領域學者，其中對臺灣學術有

2　〔北周〕庾信著，〔清〕倪璠纂註：《庾子山集・徵調曲》，迪志文化出版公司：《文淵閣四庫全書電子版（3.0版）》（香港：迪志文化出版公司，2007），卷6，頁69。以下簡稱《四庫全書》本」。

3　關於儒家「感恩回報」的基本原則，雖然有許多討論，但最原始的出處，當是《論語・陽貨》宰予對孔子提出以「一年喪」取代「三年喪」的意見後，孔子因而批評宰予之言的語意中呈現的內涵。

4　楊晉龍：〈開關引導與典律：論屈萬里與臺灣詩經學研究環境的生成〉，本書頁1-48。

5　楊晉龍：〈引導與典範：王叔岷先生論著在臺灣學位論文的引述及意義探論〉，本書頁87-116。

6　楊晉龍：〈林尹先生和臺灣學術關係探論〉，本書頁49-85。

7　楊晉龍：〈張以仁先生與臺灣傳統學術研究：以學位論文為對象的考徵〉，本書頁161-184。

8　楊晉龍：〈臺灣研究生學術視域下的周鳳五教授：接受的考甄〉，本書頁223-247。

重要影響貢獻者，當然不止筆者曾經探討分析的這幾位學者而已，因此延續前述的基本觀，希望繼續考察中文學界學術表現大致可以和前述學者比肩的學者，希望有機會完成一部「二十世紀臺灣中文學者學術傳播史研究」的學術專書。在前述幾位學者外，筆者接著選擇研究的對象，乃是被臺灣中文學界戲稱為學界最勤奮耕耘的「南北學術兩頭牛」中，[9] 筆者對其學術生涯較為熟悉的「北牛」：林慶彰先生。目的是探討林先生的學術表現及其對臺灣學術的影響與貢獻，一則用以祝賀林先生七十大壽；再則提供「臺灣學」研究者較為有效的參考答案。同時希望因此而激發更多的相關研究，因而可以更深入的了解二十世紀以來，臺灣學術發展史的實情。

　　林慶彰先生1948年出生於臺南七股，初、高中均就讀北門中學，1968年考入世界新聞專科學校「圖書資料科」，學習到對圖書文獻分類編目等基本知識的初步了解；一年後重考進入東吳大學中文系，1973年大學畢業，隨即參加中國圖書館學會在臺灣大學舉辦的暑期圖書館工作人員研習會，學習到圖書文獻的分類與編目等更進一步的知識與技巧，終於有效奠定了林先生爾後文獻整理與研究的能力；1973年底入營服役，被分發派往澎湖駐防；1974年考入東吳大學中文所碩士班，因還在服兵役是以辦理保留學籍，1975年復學就讀，師從屈萬里先生學習；1975年參加全國公務人員考試，通過「圖書館人員」普通考試，取得公務員的任用資格，1978年以《豐坊與姚士粦》獲得碩士學位；隨即考入東吳大學中文所博士班，由於屈先生遽歸道山，是以轉隨昌彼得（1911-2011）與劉兆祐兩先生學習，1983年以《明代考據學研究》取得博士學位。1978年開始在東吳大學任教，1990年7月應聘進入中央研究院中國文哲研究所籌備處，2015年11月從中國文

9　「南牛」指臺南成功大學中文系的張高評教授。

哲研究所退休，即使近年來疾病纏身，對教學依然熱情如故。

　　至於林先生的學術研究表現，第一篇公開發表的學術論文，係就讀碩士班的1976年6月，刊登在《東吳大學中國文學系系刊》第2期的〈古小說的漢事傳奇〉；至於1980年2月26日在《中央日報》第11版發表的〈黃河名稱考〉，則是一篇頗受屈先生肯定的論文。林先生自1976年以後即筆耕不輟，至今依然，是以成果非常豐碩。[10]林先生無論教學或研究，至今皆已超過40年，然從未有絲毫厭倦之色，此種「學而不厭，誨人不倦」的堅強毅力與勤奮精神，確實無愧學界最勤奮的「北牛」之美稱。

　　本文旨在探索了解林慶彰先生的學術表現及其與臺灣學術發展的實質關聯，由於無法進行全面性論著的實質性調查，因此選取較具學術指標性的學位論文做為研究探討的對象，[11]透過「量化」的研究方式，經由兩個方向進行實證性的分析考察：首先，統計林先生指導的研究生及研究生持續在學界發展的實況，以見林先生在臺灣學術教育傳播上的影響；其次，詳細考察研究生學位論文徵引林先生論著的實情，以見林先生在臺灣學術研究上的影響與貢獻。資料取得的方式，主要藉由下述網路資料庫的搜尋，包括：臺北（臺灣）圖書館《臺灣博碩士論文知識加值系統》、[12]《師範院校聯合博碩士論文系統》、[13]

---

10 林先生截至2015年8月出版、發表、編譯、編輯等的學術論著及一般性雜文等的目錄，可參考張晏瑞等編輯：〈林慶彰教授著作目錄〉，孫劍秋、張曉生主編：《經學研究四十年：林慶彰教授學術評論集・附錄》（臺北：萬卷樓圖書公司，2015），頁491-559。

11 學位論文較具學術指標性的理由，可參閱張高評：〈唐宋文學研究概況〉，龔鵬程師主編：《五十年來的中國文學研究》，頁180。王宏德：〈學術研究趨勢之分析與探討：以100學年度臺灣學位論文為例〉，「《圖書館館刊》」102年第1期（2013年6月），頁75-98的討論。

12 網址：http://ndltd.ncl.edu.tw/cgi-bin/gs32/gsweb.cgi/login?o=dwebmge。

13 網址：http://140.122.127.247/cgi-bin/gs/gsweb.cgi?o=d1。

《臺灣聯合大學系統博碩士論文》、[14]《華藝線上圖書館》。[15]然因各校傳送學位論文的速度不一，為使研究更為精確起見，是以研究使用的資料，將以105學年度（2016年7月-2017年6月）畢業上傳的學位論文為限。然後再以「林慶彰」及「林慶章」兩個關鍵詞，[16]進入「參考文獻」搜尋。研究進行的程序，除說明研究動機等的「前言」外，首先討論林先生指導研究生的狀況，以及研究生投入學界的表現；接著考察學位論文徵引林先生論著的實情；然後再根據研究生的科系、徵引的論著，以見林先生論著的學術影響區域及林先生在臺灣學界眼中的專業形象；最終統合前述研究成果，以說明林先生對臺灣的學術教育影響和學術研究影響貢獻等的實質表現。

二　指導的研究生及學術傳播考實

學者對學術的貢獻，除自身學術論著的發明創造外，透過教學傳播學術，自也是相當重要的貢獻，但這部分無法獲得有效的完整資訊，唯一可考察者僅有指導研究生寫作論文，以及指導的研究生在學界活動的表現，本節因此首先考察林先生在指導研究生方面的表現，

---

14 網址：http://etd.lib.nctu.edu.tw/cgi-bin/gs32/gsweb.cgi/login?o=dwebmge&cache=14781
　　46968815。

15 網址：http://www.airitilibrary.com/。

16 主要的考慮是若用「注音符號」選字，容易出現此種同音不同字的訛誤，經過搜尋，果然有22篇論文誤作「林慶章」，甚至還包括林先生指導的研究生：陳玫玲。其他21人為：林士敦（91）、楊瓊茹（91）、吳士輝（93）、嚴嘉雲（94）、許秀娟（95）、董昱珊（96）、陳靜儀（97）、張馨心（97）、楊淑帆（98）、白書玦（98）、蘇奕瑋（99）、劉慧蘭（100）、劉先賢（100）、張嘉芳（100）、侯依礽（100）、陳欣怡（101）、林佑儒（101）、吳麗琴（102）、劉佳音（104）、莊郁麟（105）、楊雅竣（105）等。嚴嘉雲的論文則「林慶彰」與「林慶章」並出。括弧「（）」內的數字為研究生畢業學年，以下皆同。

以見林先生在臺灣學術傳播上實際的貢獻。

　　林先生67學年（1978年7月）開始在大學開課講授，第一位指導的研究生係14年後畢業於81學年的碩士生邱惠芬，此後陸續有指導的研究生畢業，第一位指導的博士生是畢業於84學年的劉醇鑫。截至105學年經由林先生指導而獲得學位的研究生共有77位，其中有8位的碩博士論文皆由林先生指導，[17]是以總共指導完成85篇的學位論文，包括博士論文21篇，[18]碩士論文64篇，[19]每年實際指導研究生畢業而取得學位的實際如下表：

林先生指導學位論文實況表

學年	81	82	83	84		85	86	87	88		89		90
篇數	1	2	5	1	1	1	1	1	2	2	2	4	3
學位	碩士	碩士	碩士	博士	碩士	碩士	碩士	碩士	博士	碩士	博士	碩士	碩士

17　案即：邱惠芬、馮曉庭、侯美珍、涂茂奇、張博成、簡逸光、何銘鴻、張厚齊等人。

18　案即：劉醇鑫、邱秀春、馮曉庭、楊菁、許維萍、陳文采、邱惠芬、侯美珍、吳悅禎、葉純芳、簡瑞銓、簡逸光、張博成、涂茂奇、張厚齊、謝淑熙、黃智明、鍾信昌、孫祖芬、何銘鴻、陳玫玲等之論文。

19　案即：邱惠芬、陳明義、蔡長林、馮曉庭、郭麗娟、張育敏、侯美珍、王淑蕙、吳玉燕、游均晶、汪嘉玲、黃智信、蕭開元、張穩蘋、涂茂奇、林耀椿、張博成、繆敦閔、李玉芳、陳怡青、曾遊娜、簡逸光、古敏慧、張敏容、林文心、何銘鴻、鄭誼慧、曾志偉、王淙德、李國蓉、劉康威、任祖泰、周延燕、張厚齊、楊心怡、陳亦伶、張晏瑞、陳水福、吳怡青、王冠文、鄭淑君、藍秀瑋、殷永全、謝智光、曹任遠、林彥廷、蔡雅如、楊子葳、袁明嶸、陳韋哲、邱建綸、蘇琬鈞、蔡育儒、游鎮壕、彭筱芸、劉芷妤、張圻清、許秀貞、廖崴茗、陳潔琳、張雅琪、彭莉婷、毛祥年、莊仁鳳等的論文。

學年	91		92		93	94		95		96		97
篇數	2	2	1	3	2	2	3	1	3	1	1	5
學位	博士	碩士	博士	碩士	碩士	博士	碩士	博士	碩士	博士	碩士	碩士

學年	98	99		100		101	102		103	104		105
篇數	3	1	3	3	6	1	2	5	4	1	2	2
學位	碩士	博士	碩士	博士	碩士	碩士	博士	碩士	碩士	博士	碩士	博士

自81學年開始，直至105學年止，林先生每年都有指導的研究生畢業，少則每學年1位，最多的是100學年的9位，這是林先生25年來指導研究生的實況，同時也是林先生對臺灣學術傳播直接貢獻的一種呈現。

　　林先生指導的研究生，繼續在臺灣學術界活動，這種表現間接呈現林先生對臺灣學術傳播的貢獻。以下即以《科技部研究人才查詢網》、[20]《臺灣大學教師查詢網》，[21]兩個收錄大學教師的搜尋網站為主，並參考《谷歌》搜尋網站，釐清林先生指導的研究生，獲得學位後，繼續在臺灣學界活動的表現，[22]搜尋所得結果如下表：

林先生指導的研究生在臺灣學界活動者

研究生	畢業學年	任職單位
邱惠芬	81碩；91博	長庚科技大學通識中心
陳明義	82碩	修平科技大學應用中文系
蔡長林	82碩	中研院中國文哲研究所

---

20 網址：https://arsp.most.gov.tw/NSCWebFront/modules/talentSearch/talentSearch.do 。（2018年4月30日搜尋）

21 網址：http://ulist.moe.gov.tw/Home/Index。（2018年4月30日搜尋）

22 林先生指導的研究生在境外學術單位任職者，如簡逸光之類，不列入計算。

研究生	畢業學年	任職單位
馮曉庭	83碩；88博	嘉義大學中文系
侯美珍	83碩；92博	成功大學中文系
王淑蕙	83碩	南臺科技大學通識中心
劉醇鑫	84博	新生醫護管理專科學校通識中心
邱秀春	88博	萬能科技大學通識中心
楊菁	89博	彰化師範大學國文系
許維萍	89博	淡江大學中文系
張博成	89碩；99博	東吳大學中文系
陳文采	91博	臺南應用科技大學時尚設計系
張厚齊	95碩；100博	東吳大學中文系
涂茂奇	89碩；100博	勤益科技大學基礎通識教育中心
陳韋哲	100碩	東吳大學中文系
黃智明	102博	元智大學中文系
鍾信昌	102博	實踐大學博雅學部
孫祖芬	104博	輔英科技大學共同教育中心基本能力教育組
何銘鴻	105博	文藻外語大學應用華語文系
陳玫玲	105博	臺東專科學校通識中心

林先生指導的研究生中，包括專兼任總共有前述20位研究生，持續在臺灣學術界活動，佔林先指導研究生總數的23.52%。這20位研究生在林先生的指導下，因而具備了學術傳播的條件，同時也實質進行學術傳播的工作，雖然是間接的效果，但應該也可以歸入林先生對臺灣學術傳播影響貢獻的另一種表現。

林先生自81學年起到105學年，每年均都有指導的研究生獲得學位，總共指導77位研究生完成85篇碩博士學位論文，除移居域外學

界服務者外，留在臺灣本地學術單位服務的研究生有20位，這些研究生延續了林先生在學術上的傳播工作，其中更有：蔡長林、[23]馮曉庭、[24]侯美珍、[25]楊菁、[26]許維萍，[27]總共5位林先生指導畢業的學生，接續指導研究生的工作，因而形成一個學術傳承散播的「網絡」。以上即是從臺灣學術傳播的角度，考察確認林先生對臺灣學界影響貢獻的實情。

三　學位論文徵引論著實情

林先生在學術上的貢獻，不僅開課教學和指導研究生，以及發表創作性的學術論文而已，林先生同時還花費非常多的時間，甚至自掏腰包，蒐集編纂學術文獻和學術研究目錄，造福甚多學界的研究者，林先生在學術文獻和目錄編纂方面對臺灣，甚至全世界中文研究界的貢獻，絕對是臺灣學界數一數二的重要學者，林先生自1981年起，即參與書籍文獻的編纂工作；[28]1987年4月即主持編輯目錄學著作，1989年完成出版；[29]2008年開始編輯專業的學術叢書。[30]因此若就林先生

---

23 蔡長林指導的研究生已畢業者：陳穎哲（98）、李艷芬（100）、談宣霞（100）、簡瑞文（103）等。

24 馮曉庭指導的研究生已畢業者：邱惠燕（100）、吳玫燕（101）、蔡宜君（103）、王蘭媖（103）、陳琇芸（105）等。

25 侯美珍指導的研究生已畢業者：周婕敏（102）。

26 楊菁指導的研究生已畢業者：施鑰湘（96）、楊尹菁（99）、楊惠行（99）、王薇寧（100）、謝婉馨（100）、王進長（101）等。

27 許維萍指導的研究生已畢業者：劉臻（104）。

28 林先生主編的第一部學術文獻為：《中國文化新論學術篇—浩瀚的學海》（臺北：聯經出版事業公司，1981）；第二部主編的學術文獻為：《詩經學研究論集》（臺北：臺灣學生書局，1983）。

29 案：即《經學研究論著目錄（1912-1987）》（臺北：漢學研究中心，1989），此當是林先生第一部編輯出版的目錄學專著。

實質的學術生涯而論，發表學術論文、編纂學術文獻與目錄，一直都是林先生同等重視的工作，可知若要透過學位論文的徵引，以見林先生對臺灣學術的實質貢獻，比較妥適的做法，當然除了必須關注林先生自身學術論著徵引的情況外，徵引林先生編纂的學術文獻與目錄的情況，當然也應該納入討論。

考察臺灣大學院校研究生學位論文徵引林先生論著、編纂文獻及目錄的實際表現，碩士研究生第一位徵引林先生論著者，係淡江大學80學年畢業的翁聖峰，徵引的是林先生主編的《詩經學研究論集》。博士研究生第一位徵引者係中山大學87學年畢業的黃順益，徵引林先生的學術專書《明代考據學研究》。總體而言，截至105學年為止，26年來臺灣各大學研究生學位論文徵引林先生論著、編纂文獻與目錄的數量如下表：

徵引林先生論著與編纂文獻的學位論文數量表

學年	80	81	82	83	84	85	86	87		88		89	
篇數	1	0	0	0	0	0	2	13	7	27	4	32	13
學位	碩士	0	0	0	0	0	碩士	碩士	博士	碩士	博士	碩士	博士

學年	90		91		92		93		94		95	
篇數	31	10	44	11	50	10	46	16	44	14	68	14
學位	碩士	博士	碩士	博士	碩士	博士	碩士	博士	碩士	博士	碩士	博士

---

30 案：《民國時期經學叢書》（臺中：文听閣圖書公司，2008），當即是林先生編輯的第一部大型學術叢書。

學年	96		97		98		99		100		101	
篇數	73	19	95	18	59	19	70	17	70	15	64	26
學位	碩士	博士	碩士	博士	碩士	博士	碩士	博士	碩士	博士	碩士	博士

學年	102		103		104		105	
篇數	51	28	39	18	45	13	26	22
學位	碩士	博士	碩士	博士	碩士	博士	碩士	博士

統計臺灣各大學研究生徵引林先生的論著、編纂文獻與目錄的學位論文，雖自80學年開始，但其中有5年沒有徵引的記錄，真正關注林先生相關學術編著成果者，應該從86學年開始，除林先生指導的研究生外，直至105學年止，總共有1244篇學位論文徵引，博士論文294篇，碩士論文950篇。考察總數1245篇學位論文的研究生，有56位研究生的碩博士論文皆有徵引，[31] 因此總共來自1189位研究生，且還有7位同名同姓者。[32] 若就年度徵引的學位論文數量而論，97學年的113篇徵引最多；96學年的92篇其次；101學年的90篇居三；99學年的87篇居四；100學年的85篇第五。徵引的學位論文大致以97學年達到巔峰，然後向兩端下降。若就整體徵引的表現而論，自87學年以後，19年來

---

31 56位碩博士論文皆徵引林先生學術論著與編纂文獻者：翁聖峰、張曉芬、竺靜華、陳冠至、劉秀蘭、林美娟、江右瑜、翁敏修、楊正顯、洪然升、李鵑娟、施輝煌、何淑雅、張瑞麟、胡婉庭、伍純嫻、林佳蓉、盧詩青、魏明政、吳伯曜、孫華璟、簡澤峰、張政偉、歐修梅、蔡琳堂、林菁菁、黃世豪、楊雅婷、李智平、孫守真、蔡翔任、陳昇輝、王家泠、陳孟君、林惟仁、陳怡如、劉正偉、姜義泰、李威侃、廖育菁、徐其寧、陳慧娟、陳韋銓、鍾永興、林俞佑、姜龍翔、許惠琪、劉柏宏、王博玄、黃羽璿、洪靖婷、江毓奇、邱鉦倫、洪博昇、劉月卿、魏綵瑩（魏怡昱）等。

32 7位同名同姓者：陳宜均、陳怡如、林佳蓉、陳俊良、陳惠美、陳琪薇、陳琬婷、黃馨儀等。

每年徵引的學位論文至少都在20篇以上，甚至高達百篇以上，從這些實際徵引的表現，應該可以證明林先生學術成果對臺灣學界的影響與貢獻。

徵引林先生學術論著、編著等成果的研究生，就出身的學校而論，歸納起來總共來自49所大學，[33]除一般設有文史哲相關系所的綜合性大學外，還包括有大葉大學、南臺科技大學、臺灣藝術大學、藝術學院、體育大學、臺北科技大學、臺灣海洋大學、樹德科技大學等9所科技藝術性質的大學。這些大學研究生歸屬的系所，除「中文領域」的科系、[34]「歷史領域」的科系、[35]「哲學領域」的科系等之

---

33 49所大學依照研究生徵引論文數量的多寡排列是：高雄師範大學：147人、臺灣師範大學：125人、政治大學：76人、臺灣大學：70人、彰化師範大學：69人、中國文化大學：54人、輔仁大學：47人、中央大學：44人、淡江大學：43人、成功大學：41人、玄奘大學（玄奘人文學院）：41人、東吳大學：36人、銘傳大學：35人、臺北市立大學：34人、南華大學：33人、中山大學：33人、東海大學：31人、清華大學：27人、中正大學：25人、中興大學：25人、華梵大學：25人、暨南國際大學：23人、雲林科技大學：19人、逢甲大學：15人、臺北大學：14人、東華大學：14人、世新大學：14人、屏東教育大學（屏東師範學院）：8人、國立臺北教育大學（臺北師範學院）：7人、嘉義大學：7人、臺南大學：7人、臺東大學（臺東師範學院）：7人、元智大學：5人、新竹教育大學：5人、靜宜大學：5人、佛光大學：4人、明道大學：4人、臺中教育大學（臺中師範學院）：3人、大葉大學：1人、南臺科技大學：1人、臺灣藝術大學：1人、藝術學院：1人、體育大學：1人、國防大學：1人、臺北科技大學：1人、臺灣海洋大學：1人、樹德科技大學：1人等。

34 「中文領域」的科系包括：中國文學系、中國語文學系、應用中國文學系、國文學系、國語文學系、漢學資料整理研究所、臺灣文學研究所、臺灣文學與創意應用研究所、臺灣文學與跨國文化研究所、臺灣語言與語文教育研究所、經學研究所、國學研究所、文學系、比較文學系、古典文獻學研究所、語文教學研究所、語文與創作學系、國際漢學研究所、古典文獻與民俗藝術研究所、華語文教學研究所、應用語言文學研究所、兒童文學研究所、中國語文研究所、語文教育學系、翻譯研究所等。

35 「歷史領域」的科系包括：歷史系、臺灣文化研究所、客家社會文化研究所、客家文化研究所、東亞學系、漢語文化暨文獻資源研究所、文化資產維護系等。

外。[36]還有來自與文史哲科系關係比較疏遠的系所，諸如：「傳播類」科系、[37]「法律類」科系、[38]「政治類」科系、[39]「圖書出版類」科系、[40]「地區研究類」科系、[41]「藝術類」科系、[42]「教育類」科系，[43]以及「其他類」科系，[44]總共44個學系的75名研究生。

---

36 「哲學領域」的科系包括：哲學系、宗教系、東方人文思想研究所、哲學與生命教育學系、生命與宗教學系、生死學系等。

37 「傳播類」科系包括：大眾傳播研究所（羅麗秋）、資訊傳播學研究所（石馥瑄、沈翔）、傳播管理學研究所（鄭伊琇）等3個學系4名研究生。括弧「（）」內為研究生姓名，以下皆同。

38 「法律類」科系包括：法律學系（周志宏、鄒勤文、詹朝欽）、財經法律研究所（王舜魁）等2個學系4名研究生。

39 「政治類」科系包括：政治學系（彭繼中、陳靜宜、楊中立、曾宗廉、李茂輝、安井伸介、林凱蒂）、大陸研究所（蔡宗哲）、國際事務與戰略研究所（李國瑞）、都市計劃研究所（李得全）、公共事務研究所（詹雅琬）等5個學系11名研究生。

40 「圖書出版類」科系包括：出版事業管理研究所（嚴嘉雲）、出版學研究所（黃婉玉）、資訊與圖書館學系（陳凱誌）、圖書資訊學系（吳介宇、蔡惠如、范芝熏、詹惠媛、林龍志、劉純純、李明俠、楊玉文）等4個學系11名研究生。

41 「地區研究類」科系包括：日本研究所（劉容朱）、歐洲研究所（曹伯睿）、法國語文學系（劉佳燕）等3個學系3名研究生。

42 「藝術類」科系包括：書畫藝術學系（吳麗琴）、藝術史研究所（高明一）、藝術學研究所（張啟文、姜又文、陳祐增）、視覺藝術研究所（郭宜芬、盧姵綺、鄭如意）、美術研究所（游宜群、范品蓁、林秋萍）、造形藝術研究所（熊永生）、視覺傳達設計系（陳怡芳）、音樂學系（王信惠）、民族音樂研究所（張春梅）、舞蹈學系（張以暄）等10個學系16名研究生。

43 「教育類」科系包括：教育學系（陳俞志、薛瑞君、徐秋玲、楊淑媛、王綉菁、黃儀婷）、教育政策與行政學系（王鳳雄）、教育資料科學學系（廖緩宙、林靜芬）、商業教育學系（邱美玲）、國民教育研究所（林珍羽、韓孝輝）、社會科教育學系（樊其玲）、社會教育研究所（陳仲彥）、自然科學教育學系（余婉榆）、技術及職業教育研究所（陳裕宏）、輔導與諮商學系（傅淑娟）、人類性學研究所（林瓊雯）等11個學系18名研究生。

44 「其他類」科系包括：數學系（林倉億、蘇俊鴻、楊瓊茹）、經濟學系（張筱琳）、社會學系（徐瑋瑩）、休閒事業管理學系（何淑娟）、運動科學研究所（陳五洲）、工業設計學系（張馨心）等6個學系8名研究生。

　　考察徵引林先生學術成果研究生出身的學校與系所，即可了解林
先生在臺灣學術界影響層面的實際情況。根據前述實證性文獻的統計
分析，可知林先生學術影響的學校，除40所綜合性的大學之外，同時
還擴及其他9所科技類與藝術類的大學。在影響學科系所方面，除
「中文領域」的25個系所、「歷史領域」的7個系所、「哲學領域」的6
個系所之外，同時還影響文史哲科系之外的其他44個系所。整體的來
看，在105學年之前，臺灣研究生的學位論文徵引林先生論著與編輯
的學術成果者總共有1245篇，來自1189名研究生，出自49所大學的82
個系所，這也就是臺灣學術界接受林先生的學術，以及接受之系所的
實況，同時也是林先生對臺灣學術實質貢獻的呈現。

四　學位論文徵引論著的實際分析

　　臺灣學界最基層、最具有未來學術發展潛能的大學研究生，截至
105學年為止，26年來總共有1189位寫作學位論文之際，不約而同的
徵引了林先生的論著或編纂的學術文獻，且由於研究生學位論文的徵
引，必須在指導教授同意或至少不反對的前提下，方才有可能出現在
畢業的學位論文之內，從而可知研究生的學術徵引，同時表達了研究
生及其指導教授對林先生學術研究成果的接受與肯定，這當然也就是
林先生學術成果影響臺灣學術的實況。

　　林先生無論本人著作或編輯的文獻、目錄，成果都非常豐碩，根
據並非十分完整的蒐集統計，截至2015年8月底為止，包括專書和單
篇論文已有641筆，[45]以40年時間書寫、編輯數量如此之多的成果，平

---

45 張晏瑞等編輯：〈林慶彰教授著作目錄〉，孫劍秋、張曉生主編：《經學研究四十
　年：林慶彰教授學術評論集‧附錄》，頁491-559。如果用比較嚴格的標準，將上下
　冊歸為1冊；相同書名的叢書或目錄歸為1冊，亦有464筆的研究成果。無論六百多
　或四百多，成果都相當豐碩。

均每年發表出版都有12-16筆以上的成果，真可謂勤奮不懈。然則林先生學術成果實際受到臺灣學界肯定並接受的有哪些論著？這些被接受的論著屬於哪方面的內容？這應該是最直接了解林先生學術實質影響的答案，同時也是對探索「臺灣學」的研究者有意義與價值的參考答案。這種透過實際的探索分析，不僅可以如實地探知林先生影響臺灣研究生學術成果的實情，同時還能進而推知林先生對臺灣整體學術研究方面的影響貢獻。如前所述，80學年畢業的翁聖峰，最先徵引林先生主編的《詩經學研究論集》，這是臺灣研究生徵引林先生學術成果之始；接著是86學年畢業的吳介宇，徵引林先生自著的論文集：《圖書文獻學研究論集》，以及單篇論文：〈《大辭典》的一些疏忽〉。86學年後直至105學年，均有學位論文徵引林先生的學術成果。

　　林先生已發表、出版的論著與編輯等學術成果，筆者先將訛誤之書篇名糾正統一後，[46] 再依據各該成果的來源，將其大致分成三大類：一是林先生本身研究而發表的「自著類」成果；二是林先生參與並主持翻譯的「編譯類」成果；三是林先生主持、共同主持或審閱的「編輯類」成果。以這「三大類」的分類為準，考察統計自80學年以來1245篇學位論文徵引林先生學術成果的實況是：1308篇學位論文徵引「編輯類」成果；839篇學位論文徵引「自著類」成果；154篇學位論文徵引「編譯類」成果。由於許多學位論文徵引林先生的論著不止一種，是以統計徵引的論文篇數超過1245篇。以下即詳細統計探討研

---

46 部分研究生徵引之際並不謹慎，導致書篇名訛誤，稍舉2例明之：（一）《中國經學史論文選集》，即有《中國經學史論文集》（楊瑞嘉：87）、《中國經學史論著選集》（廖雲仙：90）、《中國經學史研究論文選集》（劉德明：92）等之名。（二）《學術論文寫作指引》，另有《學位論文寫作指引》（馮翠珍：88）、《學術論文寫作指導》（李婉君：91）、《學術論文寫作引導》（李翠華：99）、《論文寫作指引》（林永盛：100）、《學術論文指導索引》（曾子芸：101）等稱號。括弧「（ ）」內為研究生姓名與畢業學年。

究生徵引的論著對象及徵引篇數的多寡，以見這些論著受到研究生及其指導教授青睞的狀況。

首先，觀察「自著類」研究成果徵引的實況，總共有839篇學位論文，徵引了林先生的專書、論文集和單篇論文等，總共121種的研究成果。全部「自著類」論著受到學位論文徵引的篇數，以及最早徵引該論著學年的具體情況，謹製成下表以明之。

「自著類」論著的徵引篇數及每篇最早徵引學年等實況表

論著名稱	徵引篇數	學年
《學術論文寫作指引》	146	87
《清初的群經辨偽學》	102	87
《明代經學研究論集》	81	97
《明代考據學研究》	68	87
《清代經學研究論集》	37	88
〈兩漢章句之學重探〉	22	87
〈明末清初經學研究的回歸原典運動〉	17	89
《讀書報告寫作指引》	14	90
〈王陽明的經學思想〉	13	89
〈中國經學史上的回歸原典運動〉	13	95
〈晚明經學的復興運動〉	11	88
《中國經學研究的新視野》	10	101
〈「實學」概念的檢討〉	9	88
〈《五經大全》之修纂及其相關問題研究〉	9	88
〈明代的漢宋學問題〉	9	89
《豐坊與姚士粦》	9	92
〈臺灣近四十年（1953-1992）詩經學研究概況〉	9	93

論著名稱	徵引篇數	學年
〈《孔子詩論》與《詩序》之比較研究〉	9	95
〈毛奇齡、李塨與清初的經書辨偽活動〉	8	87
〈當代文學「禁書」研究〉	8	89
〈姚際恆對朱子《詩集傳》的批評〉	7	87
〈從《詩經》看古人的價值觀〉	7	91
《圖書文獻學研究論集》	6	86
〈經學史研究的基本認識〉	6	90
〈顧頡剛論《詩序》〉	6	92
〈朱子《詩集傳・二南》的教化觀〉	6	95
〈何楷《詩經世本古義》析論〉	5	87
〈「清乾嘉揚州學派研究」計畫述略〉	5	89
〈實證精神的尋求──明清考據學的發展〉	5	89
〈清乾嘉考據學者對婦女問題的關懷〉	5	89
〈劉宗周與《大學》〉	5	91
〈對楊、劉兩先生文評的回應〉	5	95
〈明清實學研究的現況及展望〉	5	95
〈朱子對傳統經說的態度──以朱子詩經著述為例〉	5	98
〈《毛詩序》在詩經解釋傳統上的地位〉	5	99
〈當代新儒家的《周禮》研究及其時代意義〉	4	88
〈《詩經》中人文思想的脈動〉	4	88
〈姚際恆與顧頡剛〉	4	89
〈《詩經》中的人文精神〉	4	89
〈元儒陳天祥對《四書集注》的批評〉	4	90
〈熊十力關係書目〉	4	92
〈顧頡剛與錢玄同〉	4	93

論著名稱	徵引篇數	學年
〈民國初年的反詩序運動〉	4	95
〈錢穆先生的經學〉	4	96
〈詩經學史的回顧與前瞻〉	3	86
〈陳奐《詩毛氏傳疏》的訓釋方法〉	3	86
〈日本漢學研究近況〉	3	90
〈張純甫的《左傳》研究〉	3	91
〈焦循《孟子正義》及其在孟子學中之地位〉	3	95
〈屈翼鵬先生的《詩經》研究〉	3	95
〈鄭樵的《詩經》學〉	3	96
〈近二十年臺灣研究三禮成果之分析〉	3	99
〈劉逢祿《左氏春秋考證》的辨偽方法〉	3	102
〈名家推薦字辭典——臺灣當前字辭典巡禮〉	2	86
〈《大辭典》的一些疏失〉	2	86
〈近十五年來經學史的研究〉	2	87
〈評徐復觀著《中國經學史的基礎》〉	2	87
〈四庫館臣纂改《經義考》之研究〉	2	88
〈古老的民歌《詩經》〉	2	89
〈唐代後期經學的新發展〉	2	89
〈論《國語活用辭典》〉	2	91
〈請多寫學術性書評〉	2	91
〈吳德功《瑞桃齋文稿》所反映的儒學思想〉	2	91
〈熊十力對清代考據學之批評〉	2	92
〈明代詩經學五種提要〉	2	92
〈熊十力的《春秋》學及其時代意義〉	2	92
〈《孟子外書》板本知見考〉	2	93

論著名稱	徵引篇數	學年
〈黃道周儒行集傳及其時代意義〉	2	93
〈楊慎之經學〉	2	94
〈釋詩「彼其之子」〉	2	96
〈現有專科目錄體例的探討〉	2	96
〈清初考辨群經風氣的探討〉	2	97
〈傳記之學的形成〉	2	101
《偽書與禁書》	2	101
〈《通志堂經解》之編纂及其學術價值〉	2	102
〈《中國文化基本教材》舉誤〉	2	103
〈中國經學發展的幾種規律〉	2	104
〈朱睦㮮及其《授經圖》〉	1	88
〈文化中心出版品應廣為流傳〉	1	88
〈由研究生圖書利用引起的一些問題〉	1	88
〈陳耀文及其考證學〉	1	89
〈《日據時期臺灣儒學參考文獻》之編譯經過及其價值〉	1	90
〈吳德功古文中所反映的思想〉	1	90
〈徐復觀研究經學史的得失〉	1	91
〈姚際恆研究文獻目錄〉	1	92
〈姚際恆研究年表〉	1	92
〈熊十力論讀經應有之態度〉	1	92
〈如何整理戒嚴時期出版的偽書〉	1	93
〈研讀《詩經》的入門書〉	1	94
〈偽書概觀——以華聯（五州）出版社的文史書為例〉	1	94
〈揭開世界現存最大百科全書的奧秘——「《古今圖書集成‧經籍典》的文獻價值」專輯緒言〉	1	95

論著名稱	徵引篇數	學年
〈萬斯大的《春秋》學〉	1	95
〈竹添光鴻《左傳會箋》的解經方法〉	1	95
〈思想史研究與考據學方法——姜廣輝先生在中國思想史研究上的成績〉	1	95
〈當代偽書問題〉	1	96
〈大陸出版品對臺灣學術研究的意義〉	1	96
〈近五十年來經學史的研究〉	1	97
〈知識的水庫——歷代對圖書文獻的整理與保藏〉	1	97
〈經學史的基本認識〉	1	97
〈姚際恆的《春秋》學〉	1	98
〈我研究經學史的一些心得〉	1	98
〈經學與文學的關涉〉	1	98
《當代新編專科目錄述評》	1	98
〈作家與讀者的橋樑——《作家與書的故事》（隱地著）讀後〉	1	99
〈滄桑的十年，不變的理想-回顧萬卷樓的艱辛路〉	1	99
〈我看中國大陸的「國學熱」〉	1	100
〈鄭樵與顧頡剛〉	1	101
〈鄭振鐸論《詩序》〉	1	101
〈鐘鳴旦教授與中西文化交流研究〉	1	101
〈屈萬里先生和他的《龍門集》——編輯《屈萬里先生文存》的意外發現〉	1	101
〈李先芳《讀詩私記》研究〉	1	102
〈張舜徽先生著作在臺灣的翻印及流傳〉	1	102
〈袁仁《毛詩或問》研究〉	1	102

論著名稱	徵引篇數	學年
〈楊慎研究論著目錄〉	1	102
〈民國時期經學研究的現況和展望〉	1	104
〈四書學史的研究跋〉	1	104
〈禮的對話：禮學之體與用（實錄）〉	1	105
〈幾種經學史中的禮學論述〉	1	105

林先生自著的121種論著中，以指導研究生寫作論文的專著《學術論文寫作指引》（1996年9月），[47]獲得146位研究生的青睞，高居「自著類」論著的首位，每年有將近8篇論文徵引；[48]其次是探討經學的專著，包括：《清初的群經辨偽學》（1990年3月）有102位研究生徵引，每年平均超過5篇徵引；《明代經學研究論集》（1994年5月）有81位研究生徵引，每年平均有9篇論文徵引；《明代考據學研究》（1983年7月）有68位研究生徵引，每年平均有超過3篇論文徵引；《清代經學研究論集》（2002年8月）有37名研究生徵引，每年平均有超過2篇徵引，這幾部書分居徵引篇數的2-5名，探討研究的都屬於明代與清代經學的範圍。再者林先生極少數涉及漢代經學研究的單篇論文〈兩漢章句之學重探〉（1990年5月）也有22名研究生的徵引，可見這篇論文也受到不少經學研究者的重視。另外有41種論著僅有1篇論文徵引；24種論著僅有2篇徵引，兩者總數佔了徵引林先生「自著類」論著總數的56.20%，這是較低徵引率的論著，雖然徵引者不多，但依然是受到關注的對象。這是研究生學位論文徵引林先生「自著類」研究成果的實際狀況。

---

47 括弧「（ ）」內為初版的出版時間，以下皆同。

48 這個平均徵引數量，係根據最早徵引學年到105學年共19年的徵引平均數計算，以下皆同。

其次，觀察「編譯類」成果徵引的實際表現。「翻譯」當然不能與「自著」等同，但根據現在對翻譯過程的一般性了解，翻譯必須透過翻譯者對該學科知識及語言表述的轉譯，方有可能確實完成，因此翻譯不僅只是不同語言文字的直白轉換而已，實際上在翻譯過程中總在自覺或不自覺的情況下，加入翻譯者提供的某些可能與原作者並不相干的「創意」，翻譯實質上比較接近「改寫」，因此排在「自著類」成果之後討論。實際考察研究生徵引林先生「編譯類」論著成果的表現，總共有154篇學位論文的徵引，實際徵引的狀況如下表。

「編譯類」論著的徵引篇數及每篇最早徵引學年等實況表

論著名稱	篇數	學年
《經學史》	96	86
《論語思想史》	35	95
〈竟陵派的詩經學——以鍾惺的評價為中心〉	4	88
〈董仲舒災異說的構造解析〉	4	89
〈近代日本漢學家（1）——那珂通世（1851-1908）〉	2	92
〈近代日本漢學家（11）——鈴木大拙（1870-1966）〉	2	96
〈崔述《讀風偶識》的側面——和戴君恩《讀風臆評》的關係〉	1	88
〈鍾伯敬《詩經鍾評》及其相關問題〉	1	88
〈近代日本漢學家（6）——大谷光瑞（876-948）〉	1	92
〈近代日本漢學家（9）——濱田耕作（88-938）〉	1	92
〈近代日本漢學家（23）——青木正兒（887-964）〉	1	92
〈姚際恆及其著述〉	1	92
〈毛奇齡《論語稽求篇》——清初的《集注》批判〉	1	94
〈林兆恩《四書標摘正義》——三教合一論者的「心即	1	98

論著名稱	篇數	學年
仁」）		
〈近代日本漢學家（8）——服部宇之吉（867-939）〉	1	99
〈近代日本漢學家（9）——狩野直喜（868-947）〉	1	99
《上代支那正樂考-孔子的音樂論》	1	100

這154篇論文，徵引了林先生17種「編譯類」的論著，其中有兩部最受研究生青睞：一是安井小太郎（1858-1938）等著的《經學史》（1996年10月）有96位研究生徵引；一是松川健二（1932-）編《論語思想史》（2006年2月）有35位研究生徵引。以《經學史》一書而論，考察同一時段（86-105學年）學位論文徵引不同作者「經學史」著作的實況：皮錫瑞（1850-1908）《經學歷史》853篇、徐復觀（1904-1982）《中國經學史的基礎》239篇、馬宗霍（1897-1976）《中國經學史》179篇、本田成之（1882-1945）《中國經學史》174篇等，相對於這些老牌經學史徵引的表現，林先生等新翻譯的《經學史》，竟然也有96篇，每年徵引超過4篇的徵引量；《論語思想史》每年也平均超過3篇的徵引，顯然都已相當受到重視了。至於其他15種的翻譯成果，固然徵引數量不高，受到關注的程度不高，但在實質上依然提供某些臺灣研究生寫作論文時的參考。這是林先生「編譯類」論著成果對臺灣研究生學術貢獻的實情。

最後，觀察「編輯類」成果徵引的實況。學術文獻和學術目錄的「蒐輯」與「編輯」工作，長期以來都被認為無法與學術著作的貢獻相比，如果從「學術創發」的角度來看，這種觀點當然沒有問題，但如果從學術貢獻的角度來看，恐怕就大有斟酌之餘地了。因為研究的進行必須要能說明研究議題值得研究的理由，同時學術研究本來就是立基於前人成果之上的累積性工作，因此研究過程必然要針對前人研

究成果有所了解，了解得越透澈，研究的意義和貢獻就越能更清楚的表現，這是寫作論文之初非常重要的基礎工作，如果沒有目錄學的知識，根本難以有效進行。研究過程中必須參考的文獻散居各方，對於研究者必然構成困擾與困難，蒐集相關文獻編輯成冊或叢書，自然是對研究者功德無量的工作。從而可知「目錄」與「文獻」的編輯，對學術研究的重大貢獻，林先生長期在「目錄」工作上的用心耕耘，不客氣的說，應該是臺灣無人比得上，同時也是最有成就與最重要的目錄學編輯學者；林先生同時也相當重視文獻的編輯工作，成果也相當豐碩。考察80學年以來學位論文徵引林先生「編輯類」成果的實際表現，如下表所示。

「編輯類」論著的徵引篇數及每篇最早徵引學年等實況表

論著名稱	篇數	學年
《中國經學史論文選集》	184	86
《詩經研究論集》	118	80
《經學研究論著目錄》	111	86
《經學研究論叢》	103	86
《五十年來的經學研究》	80	93
《中國學術思想研究輯刊》	69	98
《乾嘉學者的義理學》	55	91
《明代經學國際研討會論文集》	47	87
《朱子學研究書目（1912-1987）》	47	88
《清代揚州學術研究》	39	89
《民國時期經學叢書》	39	98
《乾嘉學術研究論著目錄（1900-1993）》	36	86
《中國文化新論學術篇——浩瀚的學海》	32	87

論著名稱	篇數	學年
《點校補正經義考》	28	89
《姚際恆著作集》	26	87
《楊慎研究資料彙編》	20	88
《日據時期臺灣儒學參考文獻》	20	90
《新出土文獻與先秦思想重構》	20	97
《啖助新春秋學派研究論集》	18	92
《學術資料的檢索與利用》	13	93
《近代中國知識分子在臺灣》	12	94
《日治時期臺灣知識分子在中國》	11	97
《日本研究經學論著目錄（1900-1992）》	9	89
《經典的形成、流傳與詮釋》	9	97
《民國文集叢刊》	9	98
《張壽林著作集》	9	101
《陳奐研究論集》	8	89
《國際漢學論叢》	8	90
《近代中國知識分子在日本》	8	93
《晚清經學研究文獻目錄（1912-2000）》	8	96
《《通志堂經解》研究論集》	8	97
《姚際恆研究論集》	7	86
《朱彝尊《經義考》研究論集》	7	101
《楊復再脩儀禮經傳通解續卷祭禮》	7	101
《晚清四部叢刊》	7	102
《晚清常州地區的經學》	6	100
《首屆國際尚書學學術研討會論文集》	6	100
《李源澄著作集》	6	100

論著名稱	篇數	學年
《民國時期哲學思想叢書》	6	100
《清代經學國際研討會論文集》	5	97
《經義考新校》	5	101
《專科目錄的編輯方法》	3	88
《日本儒學研究書目》	3	89
《越南漢喃文獻目錄提要補遺》	3	97
《中國經學相關研究博碩士論文目錄》	3	99
《中國歷代經書帝王學叢書（宋代編）》	3	101
《清領時期臺灣儒學參考文獻》	3	104
《汪中集》	2	89
《二十七松堂集》	2	96
《晚清四川經學家傳記資料》	2	101
《晚清四川經學家著作提要》	2	101
《晚清四川經學家著作知見錄》	2	101
《晚清四川經學家研究論文集	2	101
《正統與流派──歷代儒家經典之轉變》	2	103
《第二屆國際尚書學學術研討會論文集》	2	104
《蘇輿詩文集》	1	96
〈周易研究著述分類目錄〉	1	97
《國文天地叢書》	1	97
《中國歷代文學總集述評》	1	97
〈辜鴻銘來臺相關報導彙編〉	1	97
〈香港近六十年《詩經》研究文獻目錄〉	1	104
《變動時代的經學與經學家──民國時期（1912-1949）經學研究》	1	105
《當代臺灣經學人物》	1	105

考察統計徵引林先生「編輯類」63種成果的學位論文總共有1308篇，以《中國經學史論文選集》（1992年10月）184篇的徵引最多，每年平均有超過9篇論文的徵引量；其次是《詩經研究論集》（1983年11月）也有118篇論文徵引，每年平均超過4篇論文的徵引；《經學研究論著目錄》（1989年12月）亦有111篇的徵引，每年平均超過5篇論文的徵引；《經學研究論叢》（1994年4月）有103篇論文徵引，每年平均超過5篇論文徵引；《五十年來的經學研究》（2003年5月）有80篇論文徵引，平均每年超過6篇論文徵引；《中國學術思想研究輯刊》（2009年1月）有69篇論文徵引，平均每年超過8篇論文徵引；《乾嘉學者的義理學》（2003年2月）有55篇論文徵引，每年有3篇以上論文徵引。這是學位論文超過50篇徵引的7種「編輯類」成果的實際表現。其他56種「編輯類」的成果，無論徵引篇數的多寡，當然也都實質上提供研究生寫作論文的助力，這自然也是林先生對臺灣研究生學術研究上的貢獻。

　　臺灣的研究生自80學年到105學年總共26年的時間，有1189位研究生在完成的1245篇學位論文中，徵引林先生「自著類」、「編譯類」、「編輯類」等三大類學術成果的201種論著，若依徵引篇數的多寡排列，超過50篇以上論文徵引者，以《中國經學史論文選集》184篇最多，其後依次為：《學術論文寫作指引》146篇、《詩經研究論集》118篇、《經學研究論著目錄》111篇、《經學研究論叢》103篇、《清初的群經辨偽學》102篇、《經學史》96篇、《明代經學研究論集》81篇、《五十年來的經學研究》80篇、《中國學術思想研究輯刊》69篇、《明代考據學研究》68篇、《乾嘉學者的義理學》55篇等，其中「編譯類」1種、「自著類」4種、「編輯類」7種。若依照每年論文平均徵引篇數多寡排列，以每年徵引平均超過5篇者為例，以《明代經學研究論集》9篇最多，以下依次為《中國學術思想研究輯刊》8篇

多、《學術論文寫作指引》近8篇、《中國經學史論文選集》7篇多、《五十年來的經學研究》6篇多；《清初的群經辨偽學》、《經學研究論叢》和《經學研究論著目錄》等都超過5篇，其中「自著類」3種、「編輯類」5種，沒有「編譯類」。

　　統合前述的整體表現，可以確定研究生徵引林先生的201種論著，以「編輯類」成果最多，其次為「自著類」成果，「編譯類」成果最少。其中《中國經學史論文選集》、《中國學術思想研究輯刊》、《五十年來的經學研究》、《明代考據學研究》、《明代經學研究論集》、《乾嘉學者的義理學》、《清初的群經辨偽學》、《經學史》、《經學研究論著目錄》、《經學研究論叢》、《詩經研究論集》、《學術論文寫作指引》等12種論著最受研究生青睞，這12種論著當該就是林先生被徵引的201種論著中，尤其受到關注的研究論著。此外如：《中國經學史論文選集》、《中國學術思想研究輯刊》、《五十年來的經學研究》、《明代經學研究論集》、《清初的群經辨偽學》、《經學研究論著目錄》、《經學研究論叢》、《學術論文寫作指引》等8種論著，無論總體徵引的論文數量或每年論文平均徵引數量，都名列前茅，更是研究生與指導教授接受度最高的論著。這當然也就是林先生對研究生學術研究實質貢獻的表現，同時也代表臺灣學界對林先生研究肯定的方向與範圍：既是經學學術研究的「經學專家」，同時也是目錄和資料等編輯的「文獻學家」。

五　結論

　　臺灣現代形式的學術研究，以中文相關研究的學術領域而論，雖源起於日本帝國主義統治臺灣的時代，但日本帝國主義戰敗投降離開臺灣後，當初剛剛在臺灣萌芽的現代學術研究，由於語文上的差距和

敵我意識形態的作祟，因而也就跟著開始沒落而失去原有的影響力。
真正負起引導建構臺灣現代學術研究的學者，實際上是國共戰爭後，
逃避戰禍、迫害，以及跟隨國民黨政府移居臺灣的學者，這也就是中
文學界稱為「第一代學者」的諸如：屈萬里先生、林尹先生……等等
學者，在第一代學者的用心栽培啟發下，如今大致已成長到第四、第
五代學者。學術的發展，原本就是上一代引導影響下一代的累積性過
程，在這個學術累積過程中，所有參與的學者雖然影響與貢獻的程度
有別，但必然都有其影響與貢獻。然而觀察以往中文相關科系學者的
研究，在研究取材上不免表現出類似葛洪（283-343）所謂「貴遠賤
近」；[49]或劉勰（465-522）所謂「貴古賤今」，[50]這類在研究對象上比
較著重遙遠時代學者的表現與貢獻，對於與自己關係密切的現代學者
的表現與貢獻，反而很少加以重視的偏頗現象。筆者以為這是個有必
要認真思考的學術重要問題，因此借助現代電腦科技的蒐藏與搜尋等
的技術，針對二十世紀重要學者的學術影響與貢獻，設計議題進行研
究。根據筆者1990年以來的實際觀察，林慶彰先生無論在學術表現上
或文獻編輯上，均有相當豐碩的研究成果，無愧於中文學界「北牛」
之稱，是以設計此文，除探討林先生指導研究生等涉及學術傳播的表
現外，還透過研究生學位論文徵引的實際表現，以了解並確定林先生
在臺灣學術發展上影響與貢獻的地位，用以提供臺灣學術發展研究學
者的參考，同時更希望可以因此而引發其他相同理念者，重視臺灣本
地學者學術表現與貢獻的研究，因而可以更深入的了解臺灣中文學界
學術的發展實況。經由前述實證性的歸納與分析，此文大致可以獲得
下述幾項結果。

　　首先，林先生自1978年在大學任教，至今依然沒有從學界退休。

49　〔晉〕葛洪：《抱朴子外篇・鈞世》（《四庫全書》本），卷3，頁13。
50　〔南朝・梁〕劉勰：《文心雕龍・知音》（《四庫全書》本），卷10，頁8。

指導畢業的第一位碩士生是81學年取得學位的邱惠芬；第一位畢業的博士生是84學年取得學位的劉醇鑫。截至105學年由林先生指導取得學位的研究生總共77位，完成博士論文21篇，碩士論文64篇。林先生指導的研究生中有20位留在學術界服務，其中有5位學生接續指導研究生的工作。此即林先生在臺灣學術傳播上的實質貢獻。

其次，林先生自1976年6月發表第一篇學術論文開始，直至今日依然筆耕不輟，出版的各種類型學術成果，以寬鬆的方式計算至少有六百多筆，以較嚴格的標準統計也至少超過四百筆。林先生這些豐碩的學術成果，在80學年即有畢業的學位論文徵引，81學年起有五年未見徵引，86學年後即成常態性徵引，截至105學年止，總共有1189位研究生完成的1245篇學位論文，選擇性的徵引林先生的學術成果，包括博士論文294篇，碩士論文951篇，其中以97學年113篇的徵引量最多，80學年的1篇最少，86學年2篇居次，87年以後每年都在20篇到100篇之間。學位論文的文獻徵引，需要經過指導教授的同意，從而可知林先生的學術成果，除研究生外也同樣獲得1245篇學位論文指導老師的肯定。這是林先生學術成果獲得臺灣學界肯定的實際情況。

其三，徵引林先生學術成果的1245篇學位論文，來自49所大學院校，除一般綜合性大學外，還包括9所科技類大學。研究生來自82個學系所，除「中文領域」、「歷史領域」和「哲學領域」外，還有「傳播類」、「法律類」、「政治類」、「圖書出版類」、「地區研究類」、「藝術類」、「教育類」等科系，以及數學、經濟學、社會學、休閒事業管理學、運動科學、工業設計學等6個系所。這是林先生學術成果影響的學術研究專業範圍的實情。

其四，統計歸納臺灣1189位研究生的1245篇學位論文，徵引林先生學術成果總共為2301筆，全數來自林先生的201種論著。其中「自著類」121種、「編譯類」17種、「編輯類」63種。徵引篇數超過50篇

的有12種，年平均徵引篇數超過5篇的有8種，統合徵引量與年均徵引數均佳者有：《中國經學史論文選集》、《中國學術思想研究輯刊》、《五十年來的經學研究》、《明代經學研究論集》、《清初的群經辨偽學》、《經學研究論著目錄》、《經學研究論叢》、《學術論文寫作指引》等8種。這些也就是林先生學術成果最受學界肯定的對象。

　　其五，本文以學位論文為對象，借助電腦搜尋技術的協助，透過統計歸納而進行分析，獲得林慶彰先生在臺灣學術傳播、學術影響與學術貢獻等的實情。研究成果對於林先生的學術成就，以及臺灣學術發展的了解，提供了非常具體的答案。這對於有心探討了解林先生學術及臺灣學術發展的研究者，當該有比較實質的助益功能，此即設計此文進行研究的意義與價值所在。

引述文獻

一　傳統古籍

〔晉〕張湛：《列子注》（臺北：臺灣商務印書館，1983年影印文淵閣《四庫全書》本）

〔晉〕郭象：《莊子注》（《四庫全書》本）

〔晉〕葛洪：《抱朴子外篇》（《四庫全書》本）

〔北周〕庾信著，〔清〕倪璠纂註：《庾子山集》（《四庫全書》本）

〔南朝・梁〕劉勰：《文心雕龍》（《四庫全書》本）

〔清〕王先謙撰，沈嘯寰、王星賢點校：《荀子集解》（北京：中華書局，1992）

〔清〕世續等編：《德宗景皇帝實錄》（北京：中華書局，1986年《清實錄》縮影本）

〔清〕永瑢等編，王伯祥斷句：《四庫全書總目》（北京：中華書局，1965）

二　現代專著

山東省圖書館、魚臺縣政協編：《屈萬里書信集・紀念文集》（濟南：齊魯書社，2002）

中華書局編輯部編：《中研院歷史語言研究所集刊論文類編（歷史篇・先秦卷）》（北京：中華書局，2009）

王學典、孫延傑：《顧頡剛和他的弟子們》（濟南：山東畫報出版社，
　　2000）

王靜芝：《詩經通釋》（臺北：輔仁大學文學院，1968）

朱守亮：《詩經評釋》（臺北：臺灣學生書局，1984）

余培林：《詩經正詁》（臺北：三民書局，1995）

李辰冬：《詩經通釋》（臺北：水牛出版社，1972）

屈萬里：《古籍導讀》（臺北：臺灣開明書店，1979）

屈萬里：《先秦文史資料考辨》（臺北：聯經出版事業公司，1983）

屈萬里：《屈萬里先生文存》（臺北：聯經出版事業公司，1985）

屈萬里：《書傭論學集》（臺北：臺灣開明書店，1980）

屈萬里：《詩經詮釋》（臺北：聯經出版事業公司，1983）

屈萬里：《詩經選注》（臺北：正中書局，1955）

屈萬里：《詩經釋義》（臺北：中華文化出版事業委員會，1952）

屈萬里先生治喪委員會編：「《中研院院士屈翼鵬先生哀思錄》」（臺
　　北：屈萬里先生治喪委員會，1979）

林尹等：《易經論文集》（臺北：黎明文化事業公司，1981）

林慶彰、陳仕華、何淑蘋等主編：《近代中國知識分子在臺灣》（臺
　　北：萬卷樓圖書公司，2002）

林慶彰主編：《五十年來的經學研究（1950-2000）》（臺北：臺灣學生
　　書局，2003）

林慶彰主編：《日治時代臺灣知識分子在中國》（臺北：臺北市文獻委
　　員會，2004）

林慶彰編：《日據時代臺灣儒學參考文獻》（臺北：臺灣學生書局，
　　2000）

林慶彰編：《詩經研究論集》（臺北：臺灣學生書局，1983）

林慶彰編《詩經研究論集（二）》（臺北：臺灣學生書局，1987）

竺家寧主編：《五十年來的中國語言學研究（1950-2000）》（臺北：臺灣學生書局，2006）

邱炯友、周彥文主編：《五十年來的圖書文獻學研究（1950-2000）》（臺北：臺灣學生書局，2004）

柯慶明：《昔往的輝光》（臺北：爾雅出版社，1988）

洪國樑：《詩經、訓詁與史學》（臺北：「國家出版社」，2015）

洪國樑：《詩經訓詁之「亦通」問題：屈翼鵬先生《詩經釋義》、《詩經詮釋》「亦通」例釋》（臺北：學海出版社，1995）

胡適：《胡適日記全集》（臺北：聯經出版事業公司，2004）

孫劍秋、張曉生主編：《經學研究四十年：林慶彰教授學術評論集》（臺北：萬卷樓圖書公司，2015）

馬持盈：《詩經今註今譯》（臺北：臺灣商務印書館，1984）

臺灣大學中國文學系等編：《屈萬里先生百歲誕辰國際學術研討會論文集》（臺北：臺灣大學中國文學系，2006）

臺灣大學中國文學系編：《臺灣大學中國文學系系史稿（1929-2001）》（臺北：臺灣大學中國文學系，2002）。

張以仁：《張以仁語文學論集》（上海：上海古籍出版社，2012）

張昌華：《曾經風雅：文化名人的背影》（桂林：廣西師範大學出版社，2007）

陳槃：《陳槃著作集》（上海：上海古籍出版社，2009-2010）

程發軔主編：《六十年來之國學》（臺北：正中書局，1972）

馮作民編著：《詩經》（臺北：星光出版社，1980）

黃兆強編：《二十世紀人文大師的風範與思想：後半葉》（臺北：臺灣學生書局，2007）

黃忠慎：《詩經簡釋》（臺北：駱駝出版社，1995）

楊儒賓：《1949禮讚》（臺北：聯經出版事業公司，2015）

賴貴三：《臺灣易學人物志》（臺北：里仁書局，2013）

錢穆：《莊子纂箋》（香港：東南印務出版社，1955增訂版）

糜文開、裴普賢：《詩經欣賞與研究》（臺北：三民書局，1991改編版）

鍾彩鈞主編：《中國文哲的回顧與展望論文集》（臺北：中研院中國文哲研究所，1992）

蘇雪林：《詩經雜俎》（臺北：臺灣商務印書館，1995）

顧潮編：《顧頡剛年譜》（北京：中國社會科學出版社，1993）

顧頡剛：《顧頡剛日記》（臺北：聯經出版事業公司，2007）

顧頡剛：《顧頡剛讀書筆記》（臺北：聯經出版事業公司，1990）

龔鵬程：《四十自述》（臺北：印刻出版公司，2002）

龔鵬程主編：《五十年來的中國文學研究（1950-2000）》（臺北：臺灣學生書局，2001）

〔日〕白川靜著，杜正勝譯：《詩經研究：中國古代歌謠》（臺北：幼獅月刊社，1974）

〔美〕庫恩（Thomas S. Kuhn）著，金吾倫、胡新和譯：《科學革命的結構》（北京：北京大學出版社，2003）

〔荷蘭〕弗克馬（Fokkema, Douwe）、〔荷蘭〕蟻布思（Ibsch, Elrud）著，俞國強譯：《文學研究與文化參與》（北京：北京大學出版社，1996）

三　學位論文

于弘洋：《陳槃簡牘研究述評》（長春：東北師範大學中國古代史碩士論文，2018）

田晉芳：《中外現代陶淵明接受之研究》（上海：復旦大學比較文學與

世界文學博士論文，2010）

吳小玲：《王叔岷《莊子校釋》訂補稿》（上海：華東師範大學中國語言文學系碩士論文，2006）

姚蔓嬪：《戰後臺灣古典詩發展考述》（臺北：臺灣師範大學國文研究所博士論文，2013）

張百文：《《莊子》和諧觀》（高雄：高雄師範大學經學研究所碩士論文，2009）

陳玟諭：《《莊子》層遞修辭研究》（臺北：東吳大學中文研究所碩士論文，2013）

曾家瑩：《《禮記・內則》倫理思想研究》（桃園：元智大學中國語文學系碩士論文，2013）

馮慶東：《屈萬里研究》（濟南：山東師範大學中國近代史碩士論文，2004）

楊之嫻：《《世說新語》歷代重要評注的比較研究》（臺北：臺北大學古典文獻學研究所碩士論文，2011）

顧雯：《王叔岷莊學思想研究》（上海：華東師範大學中國語言文學系碩士論文，2013）

四　單篇論文

王宏德：〈學術研究趨勢之分析與探討：以100學年度臺灣學位論文為例〉，「《圖書館館刊》」102年第1期（2013年6月），頁75-98。

王宗石：〈《詩》義新探三則〉，《人文雜志》1995年第3期，頁80-83、頁96。

王梅玲：〈電子期刊興起及其對學術傳播影響的探討〉，《中國圖書館

學會會報》第71期（2003年12月），頁61-78。

王發國、曾明：〈水流花放老樹春深──評王叔岷《鍾嶸詩品箋證
　　　稿》〉，《文學遺產》1996年3期，頁18-22。

王寧：〈林尹先生的學術成就與章黃之學的繼承發展〉，《孔孟月刊》
　　　第599-600期（2012年8月），頁50-53。

王爾敏：〈悼念國學大師王叔岷夫子〉，《傳記文學》第95卷第2期
　　　（2009年8月），頁117-129。

王德毅：〈王叔岷教授八秩慶壽專號作者簡介〉，《書目季刊》第27卷
　　　第4期（1994年3月），頁3-7。

包兆會：〈二十世紀莊子研究的回顧與反思〉，《文藝理論研究》2003
　　　年第2期，頁30-39。

向熹：〈論《詩經》語言的性質〉，《中國韻文學刊》1998年第1期，頁
　　　33-40。

何定生：〈《詩經釋義》評介〉，《學術季刊》第2卷第1期（1953年9
　　　月），頁136-138。

吳璵：〈魯實先先生與其文字學〉，《中國語文通訊》第17期（1991年
　　　11月），頁22-27。

呂珍玉：〈讀屈萬里先生《詩經詮釋·雅頌》疑義〉，《東海大學文學
　　　院學報》第43卷（2002年7月），頁1-22。

呂珍玉：〈讀屈萬里先生《詩經詮釋》（國風）疑義〉，《第五屆中國訓
　　　詁學全國學術研討會論文集》（臺中：逢甲大學中國文學
　　　系，2000年12月），頁147-169。

巫麗雪、葉秀珍、蔡瑞明等：〈遇見另一半：教育婚配過程中的介紹
　　　人與接觸場合〉，《臺灣社會學》第26期（2013年12月），頁
　　　147-190。

李振興：〈〔王叔岷著〕「古書虛字新義」評介〉，《書評書目》第84期

（1980年4月），頁69-72。

李振興：〈細說王叔岷教授的「郭象莊子注校記」——兼述他的「列子補正」〉，《孔孟月刊》第34卷第4期（1995年2月），頁47-49。

李　慶：〈關於《詩經・周頌》中〈大武〉諸詩的探討——王國維〈周大武樂章考〉商榷〉，《復旦學報（社會科學版）》2005年第5期，頁80-87、頁128。

車行健：〈何定生與《古史辨》的《詩經》研究〉，《中國文哲研究通訊》第93期（2014年3月），頁107-132。

車行健：〈指南山下經師業，渡船頭邊百年功：政治大學在臺復校初始階段（1954-1982）的經學教育〉，《中國文哲研究通訊》第27卷第2期（2017年6月），頁45-82。

車行健、徐其寧輯錄：〈何定生教授論著目錄〉，《中國文哲研究通訊》第20卷第2期（2010年6月），頁29-33。

亞　菁：〈談王叔岷教授的「斠讎學」〉，《東方雜誌》第23卷第4期（1989年10月），頁72-75。

屈萬里：〈罔極解〉，《大陸雜誌》第1卷第1期（1950年7月），頁5-6。

林祥征：〈二十世紀中國《詩經》研究述略〉，《泰安師專學報》第21卷第2期（1999年3月），頁2-7。

林慶彰：〈屈翼鵬先生的詩經研究〉，《書目季刊》第18卷第4期（1985年3月），頁178-191。

治喪委員會：〈陳槃庵先生事略〉，「《國史館館刊》」第26期（1999年6月），頁264-267。

金周生：〈戴君仁先生與其學術成就〉，《孔孟月刊》第605-606期（2013年2月），頁4-9。

金培懿：〈日據時代臺灣儒學研究之類型〉，成功大學中國文學系主編：《第一屆臺灣儒學研究國際研討會論文集》（臺南：臺南

市文化中心，1997年6月），頁283-328。

姚榮松：〈林景伊先生的語言文字學〉，《漢學研究之回顧與前瞻國際
　　　學術研討會論文集》（臺北：臺灣師範大學國文系，2006），
　　　頁1-27。

柯淑齡：〈一代宗師潘重規石禪先生及其語言文字學〉，《孔孟月刊》
　　　第619-620期（2014年4月），頁9-17。

柯淑齡：〈當代儒宗林景伊先生及其對章黃聲韻學之弘揚〉，臺灣師範
　　　大學國文學系主辦「紀念林尹教授國際學術研討會」（2012
　　　年5月26日）論文。

胡開全：〈校讎名家洛帶鄉賢——歷史語言學家王叔岷先生事略〉，
　　　《成都大學學報（社會科學版）》2012年第6期，頁40-43、
　　　頁67。

孫立堯：〈釋興：論一種歷史的詩學觀〉，《學術論壇》1997年第6期，
　　　頁70-74。

秦賢次：〈臺灣新文學運動的奠基者：張我軍〉，《臺北縣作家作品集
　　　（4）‧評論集》（新北：臺北縣立文化中心，1993年6月），
　　　頁32-57。

馬德五：〈江河水廣自涓涓——悼念王叔岷恩師〉，《傳記文學》第94
　　　卷第1期（2009年1月），頁116-121。

張明宜、吳齊殷：〈友誼網絡中誰的獲益更多：青少年友誼網絡與學
　　　業成就的動態分析〉，《臺灣社會學》第26期（2013年12
　　　月），頁97-146。

張健：〈評介王叔岷先生《鍾嶸詩品箋證稿》〉，《中國文哲研究通訊》
　　　第2卷第2期（1992年6月），頁116-118。

張啟成：〈海外與臺灣的詩經研究〉，《貴州大學學報（社會科學版）》
　　　1995年第2期，頁49-53。

張啟成：〈論朱熹《詩集傳》〉，《貴州文史叢刊》1995年第3期，頁31-36。

許建平：〈潘重規先生對《詩經》研究的貢獻〉，《敦煌學》第25期（2004年9月），頁359-405。

許錟輝：〈吾愛吾師，吾師即真理──魯實先先生「尚書」學記要〉，《書目季刊》第33卷第3期（1999年12月），頁75-80。

陳恆嵩：〈王叔岷先生主要著作目錄〉，《中研院歷史語言研究所集刊》第74本第4分（2003年12月），頁765-781。

陳逢源：〈高明先生之學術成就〉，《孔孟月刊》第607-608期（2013年4月），頁15-23。

陳雯津：〈陳鐵凡之生平及其研究經學之貢獻〉，《問學集》第15期（2008年4月），頁145-154。

陳新雄：〈百年身世千年慮之林尹教授〉，《中國語文通訊》第8期（1990年5月），頁34-38。

陳鴻森：〈師門識略：槃庵先生側記〉，《書目季刊》第32卷第4期（1999年3月），頁5-6。

陳鴻森：〈陳槃先生學術譔著要目〉，《書目季刊》第32卷第4期（1999年3月），頁9-22。

程發軔：〈高鴻縉君對文字學之貢獻〉，《學粹》第7卷第3期（1965年4月），頁56-58。

楊之水：〈詩經名物新證之五──《小雅・斯干》〉，《中國文化》第15、16期（1997年），頁46-56。

楊承祖：〈故中研院院士陳槃庵先生事略〉，《書目季刊》第32卷第4期（1999年3月），頁1-4。

楊晉龍：〈經學對通俗文學的滲透：論《西遊記》的「引經據典」〉，《漢學研究》第28卷第3期（2010年9月），頁63-97。

楊晉龍：〈臺灣近五十年詩經學研究概述（1949-1998）〉，《漢學研究
　　　通訊》第20卷第3期（2001年8月），頁28-50。

楊晉龍：〈論《埤雅》及其在宋代《詩經》專著中的傳播〉，《中國學
　　　術年刊（春季號）》第35期（2013年03月），頁25-62。

楊晉龍：〈論兒童讀經的淵源及從理想層面探討兩種讀經法的功能〉，
　　　《（高雄師大）國文學報》第8期（2008年6月），頁71-120。

楊儒賓：〈導論：該禮讚或詛咒：《1949禮讚》的反思〉，《文化研究》
　　　第22期（2016年春季），頁210-211。

萬紹章：〈陳槃（一九〇五-一九九九）〉，《中外雜誌》第65卷第5期
　　　（1999年5月），頁85-87、頁96。

葛曉音：〈「毛公獨標興體」析論〉，《中國文化研究》2004年春之卷，
　　　頁40-51。

劉德漢：〈中華民國文史界學人著作目錄〉，《書目季刊》第6卷第1期
　　　（1971年9月），頁61-74。

劉德漢：〈中華民國文史界學人著作目錄——王叔岷、弓英德〉，《中
　　　國書目季刊》第15卷第1期（1981年6月），頁158-164。

蔡明月：〈引用文獻分析與引用動機研究〉，《教育資料與圖書館學》
　　　第38卷4期（2001年6月），頁385-406。

鄭良樹：〈王叔岷教授與新、馬〉，《書目季刊》第35卷第3期（2001年
　　　12月），頁1-7。

錢玄同：〈林尹中國聲韻學通論序〉，《制言》第39期（1937年4月），
　　　頁1-6。

謝明陽：〈王叔岷《莊子校詮》勝義舉隅〉，《臺大中文學報》第28期
　　　（2008年6月），頁197-229。

鍾彩鈞：〈王叔岷先生學行簡述〉，《中國文哲研究通訊》第1卷第3期
　　　（1991年9月），頁79-100。

鍾雲鶯：〈論一貫道《學庸淺言新註》的注疏意義〉，《臺灣東亞文明研究學刊》第3卷第1期（2006年6月），頁163-187。

羅彥民：〈莊學史上的里程碑——論王叔岷《莊子校詮》的學術價值〉，《內江師範學院學報》第25卷第5期（2010年），頁25-27。

羅思嘉：〈引用文獻分析與學術傳播研究〉，《中國圖書館學會會報》第66期（2001年6月），頁98-112。

五　報刊、訪問稿等

何定生：《日記》（1949年11月2日-1970年6月23日）

李靜採訪編寫：〈才性超逸校讎大家——任繼愈談王叔岷〉，《中華讀書報》第5版（2007年8月22日）

楊晉龍：〈何定生先生家屬何王淑儀女士、何光慈先生訪問稿〉（2009年2月26日下午三點和平東路臺北市召會第三聚會所）（未刊稿）

肖伊緋：〈劉文典落選中研院始末——兼及王叔岷〈評劉文典《莊子補正》〉〉，《中華讀書報》第14版（2013年06月26日）

六　網路文獻

http://140.122.127.247/cgi-bin/gs/gsweb.cgi?o=d1：《師範院校聯合博碩士論文系統》。

http://blog.sina.com.cn/s/blog_960c09db0102vrk5.html：劉克雄：〈當代儒宗林尹先生年表〉，《劉克雄的博客》2015年4月22日。

http://blog.udn.com/chanz/7430438：張成秋：〈林尹大師親炙記1-2：訓詁學講話〉，《張成秋部落格》2013年3月26日。

http://ch.ntnu.edu.tw/files/archive/544_f5893b14.pdf：賴貴三：〈一甲子
　　　菁莪樂育，五十年薈萃開新〉2006年10月16日。

http://ch.ntnu.edu.tw/intro/super_pages.php?ID=intro1：臺灣師大國文系
　　　官網。

http://ch.ntnu.edu.tw/per3/archive.php?class=604：臺灣師範大學國文學
　　　系碩博士論文目錄。

http://etd.lib.nctu.edu.tw/cgi-bin/gs32/gsweb.cgi/login?o=dwebmge&cache=
　　　1478146968815：臺灣聯合大學系統博碩士論文系統。

http://hanji.sinica.edu.tw/：中研院《漢籍電子文獻資料庫》。

http://ndltd.ncl.edu.tw/cgi-bin/gs32/gsweb.cgi/login?o=dwebmge：《臺灣
　　　博碩士論文知識加值系統》。

http://olddoc.tmu.edu.tw/chiaushin/shiuleh-5.htm：《臺語天地》。

http://ulist.moe.gov.tw/Home/Index：《臺灣大學教師查詢網》。

http://www.airitilibrary.com/：《華藝線上圖書館》。

http://www.cl.ntu.edu.tw/intro/super_pages.php?ID=intro1：臺大中文系
　　　官網。

http://www.cl.ntu.edu.tw/people/bio.php?PID=146#personal_writing：〈臺
　　　灣大學中國文學系簡介〉。

http://www.jingyilin.org/linyin/biography.php：林尹：〈自傳〉，《景伊文
　　　化藝術基金會》網站。

http://www2.ihp.sinica.edu.tw/staffProfile.php?TM=3&M=1&uid=97：〈中
　　　研院歷史語言研究所簡介〉。

https://arsp.most.gov.tw/NSCWebFront/modules/talentSearch/talentSearch
　　　.do：《科技部研究人才查詢網》。

陳郁夫：《古今圖書集成仿真版》（臺北：東吳大學、故宮博物院，
　　　2001）

劉俊文策畫:《中國基本古籍庫》(北京:愛如生數字化技術研究中心,2006)

劉俊文策畫:《永樂大典》(北京:愛如生數字化技術研究中心,2007)

附錄一
饒選堂先生與臺灣地區的學術研究
——香港在地學者對臺灣地區學術的影響初探[*]

一　前言

　　中國國民黨蔣介石（1887-1975）主政下的中華民國政府，因為失去大陸民心而導致軍事與政治上的失利，被迫從南京遷移到臺北，其後更因韓戰爆發，導致原本不支持蔣介石政府的美國杜魯門（Harry S. Truman, 1884-1972）政府，改變立場而強力介入，[1]同時不斷的壓逼國民黨政府，最終迫使蔣介石在1958年金門八二三炮戰後，承諾放棄「反攻大陸」的政策，以取得美軍「第七艦隊」的協防；尤其在1965年臺灣海軍在馬祖烏坵海戰慘敗之後，美國政府更是嚴密監控臺灣的任何軍事行動，即使到1987年解嚴，甚至1991年中止「動員戡亂時期」以後，美國政府的軍事監控，依然未曾稍有鬆懈。於是國民黨政府所謂「一年準備，兩年反攻，三年掃蕩，五年成功」的「光復大

* 此文原係應邀參加2015年5月6-7日香港浸會大學中國語言文學系及新亞研究所合辦的「『香港經學研究的回顧與前瞻』國際學術研討會」而寫的論文。關於該次會議的相關訊息，可參閱蔣秋華編輯：〈香港經學研究專輯〉，《中國文哲研究通訊》第27卷第3期（2017年9月），頁1-100的報導。感謝與會學者及未具名審查委員等睿智意見的提點，使得本文的成果更為可信，訛誤也因之而減至最低，謹此致謝。再者此文係筆者執行中研院中國文哲研究所重點研究計畫「臺灣經學研究計畫」的成果，謹此說明。
1 杜魯門曾在1950年1月5日宣佈不介入國民黨與共產黨「內戰」的「不干涉」立場，因此不會軍援臺灣。當時的國務卿艾奇遜（Dean Acheson）也強調軍援臺灣國民黨政府的非必要性。

陸，解救同胞」及「反攻大陸，收復失土」的承諾，只能成為安撫跟隨國民黨政府到臺灣的大陸軍民之政治性謊言。雖然實際的局勢如此，但蔣介石也確實從未放棄過「重返大陸」的任何可能性，[2]於是當時還被歐洲老牌帝國主義英國政府殖民下的「東方之珠」——香港，就成為蔣介石了解大陸局勢及指揮發動攻擊的前哨戰場。

　　臺灣與香港交流最先因政治而產生，但在政治的利用與局勢的操控之外，國民黨政府為了鞏固香港這個「反攻前哨站」，不僅資助香港的珠海學院，還大量招收香港學生到臺灣就讀大學，並承認香港的大學學歷。於是香港的大學教師或培養的學者，也被禮聘到臺灣，[3]到臺灣留學有成者也留在臺灣任教，[4]港臺兩地學術的交流，因此也就越來越頻繁，香港學者對臺灣學術的影響從而可見。此外，行政院於1953年7月依據《臺灣省戒嚴令》頒布《臺灣省戒嚴期間新聞紙雜誌圖書管制辦法》，除中研院和調查局等極少數單位外，[5]居住大陸學者的著作及大陸出版的書籍，均不准公開販售或擁有，否則就會觸犯「為匪宣傳」的罪責，很可能被定罪而送到綠島管訓。於是在「戒嚴時期」那個特殊的年代，一般想要或必須閱讀大陸學者相關書籍的教

2　例如筆者在1971-1975年服志願役期間，部隊駐防在小金門（烈嶼）「麒麟坑道」時，軍中曾有招募志願軍前往越南作戰之計畫，窺其用意當是想從越南反攻進入大陸。筆者曾主動向當時的連長熊燮臣先生及連輔導長蕭在昆先生表達志願前往之意，但因有近視眼之故，體格非甲等，因此未能被接受。審查委員提醒完整書寫長官名諱並不恰當，不過熊連長已經過世而蕭輔導長至今依然與筆者保持密切聯繫，是以當不至於有冒犯之虞。感謝審查學者的提醒。

3　就筆者所知，受禮聘到臺灣的大學教授如：劉述先先生、吳汝鈞先生、勞思光先生等等。香港培養到臺灣的學者如：何佑森老師、柳立言教授、岑溢成教授、何廣棪教授等等。

4　就筆者所知，香港學生留在臺灣的學者有：李雲光教授、文幸福教授、劉少雄教授等等。

5　筆者1988年寫碩士論文需要大陸學者的相關資料時，只能委請先師張以仁教授從中研院史語所傅斯年圖書館影印，上面還蓋有「匪偽資料」的藍色大印章。

師或學生，除非本身擁有「黨政」特殊身份，[6]否則最方便者，莫過
於委請外籍生或香港同學帶入，[7]這應該也是港臺兩地學術交流的另
一種實質表現，從而可知香港在臺灣學術研究上的某些重要功能。

　　港臺兩地學術交流熱絡關係密切的認知，當該是學界無庸置疑的
共識，但除了這個理所當然的「共識」之外，似乎還未見有實際探討
追索香港學者對臺灣學術實質影響貢獻的實況，[8]如果沒有實證研究
結果支撐，所謂臺港學術交流熱絡，以及隨之產生的相互影響情形，
當然也就無法確實的了解。為了彌補這個「應是卻難以確認必是」的
模糊認知狀態，因此設計此一研究議題，希望從實證性的「外部研
究」角度，透過實際表現的「歷史分析」方式，觀察「香港本地學

6　例如：戲曲界大老級專家俞大綱先生，即因擁有「黨政」特殊身分，因而可以不受
　　約束。王秋桂先生甚至透過俞先生的協助，取得甚多大陸學者的學術研究專著，最
　　可敬的是秋桂先生並未藏私，反而選擇其中較重要者編輯出版，嘉惠臺灣學界。另
　　外潘重規先生也以不同的方式，傳播大陸學者的學術。潘先生在戒嚴時代為了推廣
　　經學，不僅免費教導《論語》，還以當時學界無法方便獲得的楊伯峻《論語譯註》
　　為底本，寫作《論語今注》一書，此書雖當時未能實際出版，當也可見潘先生想嘉
　　惠臺灣學界的苦心。潘先生免費教導《論語》及其《論語今注》與楊伯峻《論語譯
　　註》的關係，可參閱山東曲阜師大李東峰教授2018年元月12日下午3點在中國文哲
　　研究所發表的〈潘重規《論語今注》的成書及其價值的再認識〉一文所論。
7　筆者1980年就讀臺灣大學夜間部中文系時，曾選修樂蘅軍老師的「現代小說」課
　　程，上課需要閱讀魯迅等30年代的小說作品。記得當時是委請美國籍同學在香港購
　　買《魯迅全集》，然後把封面撕掉，改換成其他書的封面後帶進臺灣。我在收到書
　　後，馬上請當時任職於重慶南路臺灣中華書局的歷史系李慧敏同學，下班後偷偷影
　　印，再私下發給修課同學。至於書我可不敢留下，還是請美國同學保存。
8　2015年4月筆者以「臺灣學術」為關鍵詞，進入：香港《Timway》、臺灣《Google》、
　　大陸《百度》、日本《YAHOO》等搜尋網站。以及《香港大學學術庫》、《港澳期刊
　　網》；《臺灣期刊論文索引系統》、《漢學研究中心跨資料庫檢索》、「《科技單位研究
　　報告資料庫》、」《華藝線上圖書館》、《臺灣全文資料庫》；大陸國家圖書館《文津
　　搜索》、《中國知網跨庫檢索》；日本《東洋學文獻類目》等網路資料庫搜尋，未發
　　現有直接相關的研究成果。僅趙飛鵬：〈張舜徽之學術著述在臺灣的傳播及其影
　　響〉，《成大中文學報》第35期（2011年12月），頁129-154一文比較接近。

者」對臺灣學術研究的影響貢獻，因而可以比較明確證實港臺兩地學術交流的熱絡及其產生的影響狀況，這對研究港臺兩地學術的研究者，例如探討香港學術傳播擴散的研究者，或者追索影響臺灣學術淵源的研究者，應該都具備了提供可信有效答案的意義與價值，甚至還可以提供香港政府單位補助學術研究之際的重要參考，這也就是設計此研究議題的主要理由與目的。

港臺兩地由於學術交流關係熱絡之故，不少學者曾在兩地的大學或學術單位擔任專職，指導研究生，以中文相關研究領域而論，例如：錢穆（1895-1990）、牟宗三（1909-1995）、勞思光（1927-2012）、劉述先（1934-2016）、何廣棪、吳汝鈞等諸先生，都有此種狀況，這類學者們對臺灣學術的影響很重要也很理所當然，若將他們歸入臺灣學者的行列，似乎也並無不可，是以並非此文研究的對象。此文要探討的是未曾在臺灣的大學或學術單位任職，長期在香港的大專院校任教的學者，因為這類學者對臺灣學術的影響並非理所當然，研究這類學者們對臺灣學術的影響，當然也就比港臺雙棲的學者們具有更高的證據效力，因而可以更有效的證明香港學者對臺灣學術的影響作用，這也就是此文選擇香港「本地學者」做為探討對象的理由。

香港的面積雖然不大，人口也僅有七百多萬，但由於居中西學術文化交流的重要地位，[9]同時也保留有傳統中國文化特別重視教育的

---

9 筆者1986年就讀高雄師範學院國文研究所碩士班時，時任所長的應裕康老師敦請黃永武教授演講敦煌出土唐詩的問題，黃教授演講時認為這些敦煌出土的唐詩較傳世唐詩可信，因此可以檢證世傳唐詩的訛誤。筆者以為謂敦煌唐詩提供不同的詩作文本則可，但在沒有任何可信的資料證明之前，就認定這些不知何許人抄錄的文本，一定比世傳的唐詩文本更正確，筆者不能同意，因此當場質疑黃教授過度推崇敦煌出土唐詩資料的地位與價值。黃教授回應筆者說：「敦煌就像現在的香港，居中西學術文化交流的重要位置，因此流傳的文本當然較為可信。」筆者同意香港具備「居中西學術文化交流的重要位置」之評價，但不同意唐朝的敦煌在學術文化交流上的地位可以類比現在的香港。黃教授該次演講的內容，後來寫成〈敦煌斯555號

觀點，因此現存的大專院校，就有：香港大學、香港中文大學、香港
科技大學、香港理工大學、香港城市大學、香港浸會大學、香港教育
學院、香港嶺南大學、香港演藝學院、香港公開大學、香港樹仁大
學、珠海學院、東華學院、明德學院、恆生管理學院、明愛專上學
院、香港能仁專上學院、香港高等科技教育學院等18所，即使僅是中
文相關領域的本地學者，人數也甚多，一篇小論文自無法全面性的研
究，因此必須有所抉擇。此文既是此類型研究的首篇，選擇標準必須
具備較重要的代表性，於是乃選擇在國際學術界享有大名，精通多種
外語，自學成家，沒有正式學位，卻作育英才無數，堅持「求真、求
是、求正」的做人與治學原則；提倡研究古典史事，必須綜合「傳世
古籍文獻」、「有文字出土文物」、「沒有銘文的禮器」、「民族學的資
料」、「同期域外資料」等互相參考比較的「五重證據法」；主張放棄
容易造成混淆的「漢學」或「國學」之詞，以「華學」代表研究中華
文化之學；並在2001年提出以經書做為推進現代精神文明建設基礎的
「新經學」；[10]學術研究範圍涉及上古史、甲骨學、簡帛學、經學、禮
樂學、宗教學、楚辭學、史學、中外關係史、敦煌學、目錄學、古典
文學及中國藝術史等13個學科門類，在許多學術領域內，都有開創性
研究成果，獲得多種學術獎項，中文相關研究領域及國際漢學界，無
人不知而皆敬稱為「饒公」的饒宗頤先生（1917-2018），[11]做為香港

背面三十七首唐詩研究〉一文，刊登於《漢學研究》第5卷第2期（1987年12月），
頁547-557。黃教授對敦煌唐詩的研究狀況，可參閱黃教授的高足林聰明教授：〈論
黃永武教授斠理敦煌唐詩的貢獻〉，《文學新鑰》第14期（2011年12月），頁19-48。

10 見《國學網》：http://www.guoxue.com/xzcq/ddxz/raozongyi/xjxdtc.htm。饒宗頤：〈新
經學的提出——預期的文藝復興工作〉（2015年4月30日搜尋）。

11 以上介紹饒公在學術及其他各方面成就的說明，係參考鄭煒明、林愷欣：〈饒宗頤
教授學術歷程述要〉，鄭煒明、林愷欣編：《饒宗頤教授著作目錄新編》（濟南：齊
魯書社，2010），頁1-6；劉慶倫、陳競新：〈饒宗頤開拓中華文化新領域〉，《亞洲週
刊》第26卷第27期（2012年7月8日）等兩處相關討論而成。

本地學者的代表。[12]以饒公的學術成就，及其在香港作育英才將近一甲子的經歷，此一選擇或當不至於太過唐突。此外，筆者有幸在臺北中研院中國文哲研究所籌備創立時，即成為其中一員，饒公自1989年起即受中研院故院長吳大猷（1907-2000）禮聘擔任中國文哲研究所籌備處設所諮詢委員，饒公不僅在1993年書寫大字對聯「珪璋既文府；雲水淨聰明」惠賜文哲所外；擔任諮詢委員期間，對文哲所後輩更是多所厚愛提攜，[13]這種難以實質討論的貢獻，筆者感受甚深，覺得有

---

12 黃偉豪：〈香港南來學者的經學思想：以陳湛銓及其交遊圈為中心〉，《中國學術年刊》第34期（春季號）（2012年3月），頁57-86。曾提及香港有來自全國各地，然後定居或長期居留的學者群，這些民國以來香港開創性的學者，即是此文定義下香港在地學者的一環，這就如同：屈萬里、林尹、熊公哲、戴君仁、何定生等諸先生為臺灣本地學者的意義相同。

13 舉兩個筆者親歷的事件為證：多才多藝現在任職於南華大學民族音樂學系的周純一教授，1990-1991年間曾以學士學歷，經文哲所籌備處設所諮詢委員會通過，受聘為中國文哲研究所籌備處唯一的專任研究助理，筆者當時雖已在臺大博士班就讀，但也僅能擔任每年一聘的約聘研究助理而已，可見純一兄受器重的程度。純一兄曾於1990年7月11日在臺北（臺灣）圖書館會議廳舉辦的「第二屆敦煌學學術研討會」的第九場發表〈敦煌古劇質疑〉一文，宣讀論文時不小心把「嫂」的俗字「㛮」看作是「㛮」字，饒公因為關心敦煌學，因而帶著筆者在場聆聽純一兄的報告，饒公雖當場即私下告知筆者純一兄之口誤，但因擔心打擊後輩的信心，並沒有發言糾正。因饒公和純一兄不熟，乃告知當時籌備處主任吳宏一老師，請吳老師轉知純一兄。吳老師不僅告知純一兄，同時為防止類似狀況再度發生，於是要求純一兄，爾後若要發表學術論文，須先將論文送經同意後纔可發表。純一兄認為這是干涉學術研究自由之舉，憤而主動提出辭職，在1991年5月離開文哲所籌備處。關於「第二屆敦煌學學術研討會」的實況，可參閱汪娟：〈第二屆敦煌學學術研討會紀要〉，《漢學研究通訊》第9卷第3期（1990年9月），頁160-166，涉及純一兄的報導在頁165。再則筆者1993年曾在《中國文哲研究集刊》第3期發表〈神統與聖統：鄭玄王肅感生說異解探義〉一文，饒公不僅在諮詢委員會中公開讚美，還把筆者找去，鼓勵筆者繼續研究這方面的議題，並順路帶筆者到新文豐出版社，告知哪些書籍可以買來看，真是讓筆者受寵若驚。雖然筆者後來並沒有依照饒公的指示，繼續探討相關的議題，但饒公的厚愛，至今不感稍有或忘。饒公此種面對後輩訛誤不當場糾正；面對稍有成績者即當面讚美的表現，皆可見饒公的胸襟及其對後生晚輩的厚愛。饒公對臺灣學術研究貢獻的事實，就筆者所知還有一件，就是饒公曾因獲知

必要將饒公這種難以言宣的無形學術貢獻表出，這就是此文選擇饒公為研究對象的另一個原因，這應當也不能說與臺灣的學術無關吧。

饒公在學術上的成就無庸置疑，探討饒公學術貢獻者是以相當多，但主要都是從「內部研究」角度討論，[14]此文立足於「外部研究」角度，希望藉由實證的歷史分析，探討饒公對臺灣學術研究的影響，以為認識港臺兩地學術關係，以及香港學者對臺灣學術影響貢獻的狀況。依照外部研究的要求，當該全面性搜尋臺灣所有學術論著，至少應該包括：會議論文、期刊論文、學位論文、升等論文、學術專著、學術論文集等六大類，引用饒公研究成果為說的實際表現，這個要求固然合乎理想，但操作上確實存在許多難以克服的困難，此文因此選擇六大類論著中較具學術指標性的學位論文，[15]做為此一研究議題分析的基礎。雖然無法百分之百的準確，但對一篇初步研究的論文而言，選取這類學術指標性甚高的對象，當該已具備足夠的研究代表性了。至於此文的研究方式，將充分利用二十世紀新發展的電腦網路搜尋系統功能，亦即透過臺北（臺灣）圖書館「臺灣博碩士論文知識加值系統」，[16]以及臺灣師範系統的許多大學共同建構的「師範校院聯

臺大中文系的吳守禮教授在整理《荔鏡記戲文》，於是在1957年贈送吳教授牛津本《荔鏡記》全套影本，使得吳教授可以更方便的對照整理。見楊秀芳老師：〈敬悼吳守禮教授‧吳教授大事年表〉：http://www.cl.ntu.edu.tw/people/bio.php?PID=143#personal_writing。（2015年4月30日搜尋）。

14 稍舉一例言之，如胡曉明：《饒宗頤學記》（香港：香港教育圖書公司，1996），頁115-117〈在學術史上的影響與地位〉之類。

15 學位論文較具學術指標性說明的理由，請參閱張高評：〈唐宋文學研究概況〉，龔鵬程師主編：《五十年來的中國文學研究》（臺北：臺灣學生書局，2001），頁180；以及王宏德：〈學術研究趨勢之分析與探討：以100學年度臺灣學位論文為例〉，「《圖書館館刊》」102年第1期（2013年6月），頁75-98等的相關討論。

16 網址為：http://ndltd.ncl.edu.tw/cgi-bin/gs32/gsweb.cgi/ccd=Gi.tic/webmge?Geticket=1。

合博碩士論文系統」,[17]這兩個網站收錄的自45學年度(1956年7月
起)到102學年度(2014年6月止)的學位論文為對象,篩選統計研究
生引用或參考饒公論著為說的實況,[18]藉以了解饒公對臺灣學術界產生
哪些實質性的影響。研究成果除提供相關研究領域的學者參考之外,
同時還希望可以經由此文研究而引發後續更多的研究,讓學界更清楚
了解港臺學術交流的實際表現,以及香港學者和臺灣學術研究的密切
關係;另外則提供一種有別於以往探討學者學術貢獻的研究方式。

二　學位論文引用參考狀況

　　饒公固然未在臺灣任教,但卻也曾共同指導過一位研究生,[19]這
位研究生參引饒公的論著,自是理所當然之舉,是以不列入討論。除
此之外,綜觀臺灣自1956年開始收錄的學位論文,最先參引饒公論著
的是1972年7月畢業於省立臺灣師範學院(臺灣師範大學前身)國文
研究所戴四維的碩士論文《殷虛文字考異》,指導教授是魯實先
(1913-1977),引述的是《殷代貞卜人物通考》。這表示在二十世紀
七〇年代之前,臺灣學界已知饒公的學術研究與成就,但不知是何原
因?饒公論著第二次出現在臺灣研究生學位論文的參考文獻中,卻要

---

17 網址為:http://140.122.127.247/cgi-bin/gs/gsweb.cgi?o=d1。

18 某些學位論文在「參考文獻」中出現饒公的論著,但在論文正文中卻未見有實際引
　　述的案例,如:趙惠瑜:《楊寬的中國神話研究》(臺北:東吳大學中文研究所碩士
　　論文,2009);盧冠如:《比興寄託說在詞學史上的演繹與詮釋》(花蓮:東華大學
　　中文研究所碩士論文,2011)等均有此現象。正文雖未見引述,但必然有所參考,
　　否則當不至於列入,本文因此以「引用或參考」一詞指涉有實際引述和未有實際引
　　述等兩種狀況,下文則以「參引」一詞表述之。

19 馬俊國:《楊時百與近代琴學》(臺北:華梵大學東方人文思想研究所碩士論文,
　　2000),此論文係饒公與何廣棪教授共同指導。

等到26年後，亦即1998年6月同樣畢業於臺灣師範大學國文研究所，
由季旭昇與鍾柏生共同指導的陳美蘭《西周金文地名研究》碩士論
文，參考引述的是《隨縣曾侯乙墓鐘磬銘辭研究》和《楚地出土文獻
三種研究》等兩書。臺灣的博士研究生論文參考參引饒公論著，要到
二十世紀最後一年的1999年，纔同時出現在七篇論文中：臺灣大學歷
史學研究所韓復智（1930-2014）指導的李訓詳；臺灣大學哲學研究
所張永儁指導的李妍承；臺灣師範大學國文研究所黃慶萱指導的曾守
正和簡宗梧指導的許秀霞；政治大學中國文學研究所董金裕指導的張
森富和呂愷指導的吳曉青；輔仁大學中文研究所李豐楙指導的張美櫻
等。總計二十世紀臺灣研究生博碩士論文參引饒公論著者僅有29位，
相對於饒公的學術成就及其在國際學術界的大名，這種狀況實在有點
怪異。不過臺灣的大學研究生參引饒公論著，也自1999年以後成為常
態性的行為。這是饒公論著進入臺灣的大學研究生學位論文的過程與
狀況。

　　考察饒公論著進入臺灣的學位論文，以87學年的1999年為界，其
前僅出現2篇論文參引，此後即成為常態性的參引，統觀臺灣研究生
學位論文實際的參引狀況如下表所述：

學年度參引饒公論著的學位論文數量表

學年	61	86	87	88	89	90	91	92	93	94	95	96	97	98	99	100	101	102
論文篇數	01	01	27	35	35	36	62	69	61	57	63	62	76	63	68	63	58	44

除之前的2篇碩士論文外，統計自1999年之後共有879篇學位論文，其
中博士學位論文234篇，碩士論文649篇，從上表可見到參引饒公論著
的學位論文以97學年度（2008-2009）的引述達到最高峰，這些學位

論文的出處，若依照現在已經合併後的大學來看，總共來自42所大學院校，實際的引述狀況如下表：

學位論文參引饒公論著的學校及其篇數表

學校名稱	臺灣師範大學	臺灣大學	政治大學	高雄師範大學	成功大學	中國文化大學	彰化師範大學	東華大學	中興大學	清華大學	東吳大學	中央大學	輔仁大學	東海大學	玄奘大學	中正大學	淡江大學	中山大學	華梵大學	臺南大學	暨南國際大學
篇數	116	73	64	50	47	40	39	32	31	29	29	27	27	26	24	23	21	21	19	17	13

學校名稱	佛光大學	靜宜大學	臺北市立大學	逢甲大學	臺北藝術大學	銘傳大學	臺灣藝術大學	臺南藝術大學	嘉義大學	臺北大學	南華大學	世新大學	新竹教育大學	臺中教育大學	屏東大學	明道大學	慈濟大學	元智大學	雲林科技大學	大葉科技大學	嶺東科技大學
篇數	13	11	11	11	10	8	7	7	7	6	4	4	3	2	2	2	1	1	1	1	1

觀察這些學校分佈的地區，遍及全臺灣北中南及東部等各地區的大學，其中參引論文數量較多的都是歷史較為悠久的大學，參引最多的前三名正與臺灣的大學排行榜相符合。這除了設校較早的因素外，很可能與這些大學國際化視野的寬廣度相關，是以教師比較能了解國際學術的動態，指導教授或研究生纔有比較深的學術認識，對饒公學術成就因而較為了解，於是纔有較多的引述參考。若再進一步分析，則會發現師範院系的大學，包括合併後的大學，諸如：臺灣師範大學、

高雄師範大學、彰化師範大學、東華大學、臺南大學、臺北市立大學、嘉義大學、新竹教育大學、臺中教育大學、屏東大學等10所共有279篇論文，佔全數引述篇數的三分之一左右，可能的因素則是師範院校的教師，絕大多數出身臺灣師範大學，臺灣師範大學是臺灣研究生學位論文最早參引饒公論著及參引論文數量最多的大學，是以有此自然的傳承故也。

考察這881位研究生出身的研究所，來自中文領域相關系所者659位；[20]來自歷史研究相關系所者95位；[21]來自音樂藝術相關系所者54位；[22]來自宗教哲學相關系所者46位，[23]這是參引饒公論著較多的研究所。此外還有政治所5位；教育所3位；人類所2位；地理所2位；社會所2位；建築所2位；設計所2位；以及日本所、民族所、地質所、城鄉所、管理所、體育所、公共行政所、圖書資訊所、文化資產維護所等9個研究所，各有1位研究生的論文參引饒公的論著。觀察前述研究生出身的系所狀況，可見饒公的學術論著確實受到不同系所研究生的引述參考，由此可知饒公在學術層面上表現的多元性。

再考察881篇來自不同研究所的論文，研究生指導教授的狀況，總計有444位教授，參與這些學位論文的指導，個別教授指導論文篇數的狀況如下：

---

20 包括：中文所、國文所、語文所、經學所、國學所、文獻所、臺語所、翻譯所、文學所、漢語文化所等。
21 包括：歷史所、臺灣文化所、東亞所等。
22 包括：藝術所、戲劇所、音樂所、舞蹈所、民俗藝術所等。
23 包括：哲學所、宗教所、東方人文思想所等。

指導教授指導學位論文篇數表

指導篇數	39篇	25篇	13篇	12篇	11篇	10篇	9篇	8篇	7篇	6篇	5篇	4篇	3篇	2篇	1篇
人數	1	1	2	2	2	1	3	2	4	5	9	18	47	79	268

這444位論文指導教授中，指導39篇者為季旭昇、指導25篇者是王偉勇、指導13篇者是黃文吉和蔡哲茂、指導12篇者為林文欽與鄭阿財、指導11篇的是許錟輝（1934-2018）與朱岐祥、指導10篇的是陳麗桂、指導9篇的有李豐楙與許進雄及羅宗濤（1938-2018）、指導8篇的是沈寶春和邱德修（1948-2017）；指導7篇的有王文進、朱曉海、林清源、陳文華；指導6篇者為王吉林、周芳美、周鳳五師（1947-2015）、徐照華、劉漢初等。若以這23位居前的指導教授學術專長觀之，屬於文字學類研究專長者有：季旭昇、蔡哲茂、許錟輝、朱岐祥、許進雄、沈寶春、邱德修、林清源、周鳳五師等9位；詞學專長者有：王偉勇、黃文吉、徐照華等；其他一般文學（小說、散文、文論）專長者有：王文進、陳文華、劉漢初、羅宗濤等；思想專長者有：朱曉海、林文欽、陳麗桂等；藝術專長者有：王吉林、周芳美等；民俗宗教者有：鄭阿財、李豐楙等。從這些指導教授的學術專長，大致可以了解饒公論著在臺灣學術界受到文字學、詞學、藝術、思想、一般文學、民俗宗教等幾方面研究學者的重視，尤其文字學範圍僅這9位教授指導的論文就有112篇，佔全數論文的12%以上，這應該是饒公學術較受臺灣學術界注意的研究成果。

　　觀察881篇學位論文研究探討的主要內容，若以較為粗略的標準歸納統計之，這些學位論文大致可以涵括在17種學術研究的專業範圍之內，實際表現的狀況如下表：

參引饒公論著學位論文學術研究專業分類及篇數表

學科類別	思想類研究	文字類研究	詞學類研究	史學類研究	文學類研究	藝術類研究	經學類研究	詩學類研究	宗教類研究	民俗類研究	辭賦類研究	文獻類研究	聲韻類研究	訓詁類研究	戲劇類研究	管理類研究	生物類研究
篇數	146	125	113	98	84	82	59	36	32	27	22	20	15	9	9	3	1

觀察881篇學位論文隸屬的學術專業研究範圍，可以了解饒公論著對臺灣學位論文的影響層面，大致以「思想類」、「文字學類」及「詞學類」等為深；其次「史學類」、「一般文學類」和「藝術類」等；再其次是「經學類」、「詩學類」及「宗教類」等。若以傳統的經史子集四部分類觀之，「經部類」（文字、聲韻、訓詁、文獻、經學等）有228篇；「史部類」有98篇；「子部類」（思想、藝術、宗教、民俗、管理、生物等）有291篇；「集部類」（詞學、一般文學、詩學、辭賦、戲劇等）有264篇，除「史部類」較少之外，其他三類以「子部類」最多，「集部類」次之，「經部類」又次之，但大致算是在伯仲之間，可見饒公在經子集等三部受到的注意相當一致，史部重視者較少。

　　臺灣各大學研究生參引饒公論著為說的狀況，經由上述的歸納討論，應該可以比較清楚的了解，饒公的學術成就在國際上赫赫有名，臺灣學術界也早在二十世紀七○年就有學位論文徵引饒公論著為說，但實際上整個二十世紀學位論文引述饒公論著的狀況並不熱烈，不僅只有零星的徵引，中間竟然還有二十多年未見參引的空白實況，這種現象直到二十一世紀以後，纔獲得有效的改善。從此饒公的論著即成為臺灣許多相關研究生學位論文的一部分，並且持續不斷的引導與影響著許許多多臺灣的學術研究者。然則饒公引導與影響臺灣書寫學位論文研究生的是哪些論著呢？或者說饒公被臺灣學位論文接受的論著

到底是哪些篇章呢？以下即根據881篇學位論文實際引述的篇章歸納分析之。

三　學位論文引述饒公論著之分析

　　饒公自1934年18歲時在《禹貢半月刊》發表〈廣東潮州舊志考〉後，[24]從此研究與創作從未間斷，直至21世紀未見止息。饒公雖自謙「為學貴精不貴多」，並自評說稱「觀堂」時「以精取勝」；稱「選堂」後則「以多取勝」，[25]但實際上饒公學術多方且言不虛發，每篇論文必有他人無法企及的創見，不僅量多且質精，根據鄭煒明和林愷欣的蒐集統計，截至2010年止，饒公出版有學術著作46部、編纂書刊22部、編輯叢刊3種、主編期刊4種、詩詞集14部、書畫集45部、學術論文513篇、賦與駢文42篇、散文388篇。[26]不過就學術研究的角度來看，許多被鄭、林二氏歸類為「賦與駢文」與「散文」者，同樣具有學術研究的參考價值。雖然這些論文有許多被重複收錄在不同論著中，但整體而言饒公的著作確實數量龐大，同時涉及的學術研究領域也確實非常多元，因此能夠提供學界的學術資源相對的也非常豐富，以下即就881篇學位論文參引饒公論著的實際表現論之。

　　考察參引饒公論著881篇論文，總共引述饒公論著1229種，扣除

24　王振澤：《饒宗頤先生學術年歷簡編》（香港：香港藝苑出版社，2001），頁11說「是目前能讀到的先生最早發表的論文。」

25　嚴海建：《香江鴻儒：饒宗頤傳》（南京：江蘇人民出版社，2012），頁7。

26　見鄭煒明、林愷欣編：《饒宗頤教授著作目錄新編》之收錄。根據祁曉慶2010年7月30日的統計則：專著86部、論文409篇、書畫集6部、詩集20部；敦煌學論著：專著21部、論文69篇。見http://public.dha.ac.cn/Content.aspx?id=983907320776&Page=12&types=1：《敦煌石窟公共網》。祁曉慶：〈饒宗頤論著目錄總錄〉（2015年4月30日搜尋）。

重複者則實際來自285種論著，[27]實際稱引饒公篇章的狀況如下表：

學位論文參引饒公論著篇數狀況表

論文參引篇數	89	75	61	44	43	42	39	25	17	14	13	11	10	9	8	7	6	5	4	3	2	1
饒公論著篇數	1	1	2	1	1	1	1	1	3	3	1	4	5	3	6	2	9	6	16	18	59	141

總計臺灣研究生在學位論文中參引饒公的論著有285種，其中最多的有89位研究生稱引；其次是75位研究生稱引；以下依次是61位、44位、43位、42位、39位、25位、17位、14位、13位、11位，一直到僅有1位研究生稱引。受到10位以上研究生參引的饒公論著狀況如下：

27　此將《老子想爾注校證》與《老子想爾注校箋》；《詞籍考》與《詞集考》等均併為一書計算，若分別計算則是287種論著。

研究生實際參引饒公論著狀況表

參引人數	論著標題
89位	中國史學上之正統論（思想類）[28]
75位	老子想爾注校證+老子想爾注校箋（宗教類）
61位	殷代貞卜人物通考（甲骨類） 楚帛書（簡帛類）
44位	饒宗頤二十世紀學術文集[29]
43位	全明詞（詞學類）
42位	詞籍考+詞集考（詞學類）
39位	楚地出土三種文獻研究（文獻類）
25位	雲夢秦簡日書研究（文獻類）
17位	論清詞在詞史上之地位（詞學類） 符號・初文與字母——漢字樹（文字類） 畫䋹：國畫史論集（藝術類）
14位	中國宗教思想史新頁（宗教類、思想類） 文轍——文學史論文集（一般文學類） 敦煌書法叢刊（藝術類）

28 謹依審查學者之提點，將此徵引最多的25種饒公論著予以歸類，感謝審查學者的提醒。

29 案：《饒宗頤二十世紀學術文集》本是一套叢書，就一般正常狀況下應該明確標明實際參引的書名或篇章名，但有不少研究生卻直接將這套叢書當成一本書，例如：張家維：《殷人宗教觀：以巫術、諸神及祭祀為例》（嘉義：中正大學中文研究所碩士論文，2012）在前幾章直接將此叢書當作一部書引用。陳宜青：《敦煌舞的佛教藝術思想研究》（高雄：高雄師範大學國文研究所博士論文，2013）雖在正文中一再提及饒公名諱，但卻未將實際參引的篇章標明，僅在「參考文獻」中列出此叢書。這裡即是按照這些研究生使用的實際表現統計，另外《敦煌書法叢刊》亦有相同的狀況。

參引 人數	論著標題
13位	天神觀與道德思想（思想類）
11位	敦煌曲續論（詞學類） 選堂集林（一般文學類） 隨縣曾侯乙墓鐘磬銘辭研究（辭賦類） 饒宗頤史學論著選（歷史類）
10位	甲骨文通檢（甲骨類） 神道思想與理性主義（思想類） 張惠言《詞選》述評（詞學類） 楚繒書疏證（簡帛類） 饒宗頤新出土文獻論證（文獻類）

　　觀察這些被參引較多的論著，除《饒宗頤二十世紀學術文集》屬於多種學科領域的叢書外，其他論著大致可粗略歸類為：文字學類（甲骨學、簡帛學）、藝術類、詞學類、文獻學類（出土文物）、宗教類、思想類（《老子》、正統思想）、一般文學類等六大類，若以傳統的四部分類觀之，饒公的研究成果無論在經部小學類、文獻學類；子部的思想類、宗教類、藝術類；集部的詞學類、一般文學類等，均有研究生徵引為說。這也是饒公眾多論著中，比較受到臺灣研究生青睞的篇章。

　　統觀這881篇學位論文444位指導教授的學術研究專業，主要都是在文字學、詞學、藝術、思想、一般文學、民俗宗教等幾方面學術領域的學者，這些論文研究的學科範圍，主要以「集部類」的研究範圍，包括詞學、一般文學、詩學、辭賦、戲劇等研究領域最多；其次是「子部類」，包括思想、藝術、宗教、民俗等研究範圍；其三是包括文字、聲韻、訓詁、文獻、經學等在內的「經部類」研究範圍；較少的是「史部類」的研究範圍。將前述指導教授的學術專業研究領域、學位論文探討內容的學科範圍，以及參引饒公論著的總體狀況等

三者結合觀察，就可以了解饒公對臺灣學術界的影響，大致在文字學類、詞學類、藝術類及思想類等研究領域，尤其是包括敦煌、楚簡等出土文物方面的研究，影響的狀況最為顯著，這應當也就是饒公對臺灣學術界較大貢獻的部分。

　　除學術專業領域的影響與貢獻之外，考察這些參引饒公論著的學位論文，分別來自隸屬於中文所、國文所、語文所、經學所、國學所、文獻所、臺語所、翻譯所、文學所、漢語文化所、哲學所、宗教所、東方人文思想所、歷史所、臺灣文化所、東亞所、藝術所、戲劇所、音樂所、舞蹈所、民俗藝術所、政治所、教育所、人類所、地理所、社會所、建築所、設計所、日本所、民族所、地質所、城鄉所、管理所、體育所、公共行政所、圖書資訊所、文化資產維護所等37個不同學科領域的研究所，不僅含括了許多人文學科、社會科學與藝術等領域的學門，更涉及政治、管理、行政、建築、設計、地理、地質、體育等等學門的學位論文，由此可見饒公學術研究成果影響範圍之廣泛，這當然也是饒公對臺灣學術界另一項重要的影響與貢獻。

四　結論

　　香港在冷戰時期，不僅是退守臺灣的國民黨與大陸共產黨鬥爭的前哨地區，同時也是許多逃難的大陸學者落腳之地，更是中國傳統文化與歐美文化匯流之區，並且也是臺灣學者獲得大陸出版品的供應處，居於政治與文化等等的關係，港臺兩地學術交流一直不曾間斷。關於兩地學術交流狀況的熱絡人人能講，但對於香港學者實際對臺灣學術研究的影響實情，至今依然處於模糊認知的混沌狀態，本文於是以稱名於國際學術界，且長期在香港作育英才，學界無論知與不知皆敬稱為饒公的饒宗頤先生為對象，透過最能代表學術研究指標的學位

論文參引饒公論著的表現，分析饒公對臺灣學術界影響貢獻的實情，以便提供比較實際說明香港學者對臺灣學術影響的部分實況，經由前述實證性的外部研究之後，大致可以獲得下述幾點結果：

港臺兩地學術交流一直相當熱絡，兩地學者來往也非常頻繁，許多香港本地學者和來臺留學而選擇留居臺灣者，均對臺灣學術界帶來某些實質性的影響，這應該是無庸置疑的事實。無論就臺灣本地學術形成的了解而言，或就國際學術交流的研究而論，港臺兩地學者在學術上相互影響的狀況，自有進行比較實際探索的必要，然而由於相關學者人數眾多，無法在一篇短文中全面性探討，是以選擇具有相當重要代表性的饒公為對象，進行初步的研究探討。

饒公自1949年移居香港以來，一直在國際學術界享有大名，不過臺灣學術界一開始對饒公的認知似乎相當生疏，是以直到二十世紀七〇年代纔首次有研究生參引饒公的論著，不過也僅有一位研究生稱引而已，從此以後進入沉寂狀態，直到二十世紀結束，整個臺灣學術界，對饒公的學術成績，似乎缺乏應有的重視，故而在學位論文的參引表現上非常的缺乏，直到進入二十一世紀以後，饒公的學術纔受到臺灣學界應有的重視，因而饒公論著出現在學位論文的參引遂逐漸增多，並且從此成為學位論文常態性參引為說的對象。

統計2014年以前完成的學位論文，總共有881篇或者在寫作過程中參考，或者在論文中直接引述饒公的論著，其中博士學位論文有234篇，碩士論文有649篇，這些學位論文來自42所大學37個不同學門的研究所，不僅有人文學科、社會科學等學門，同時還包括有藝術、政治、管理、行政、建築、設計、地理、地質、體育等學門的學位論文。這些論文研究的範圍來自17個學術研究門類，總體而言，主要以思想、宗教、藝術等子部類者為多，詞學與其他文學的集部類次多，然後是文字學與文獻學為主的經部類，最後是史部相關議題的研究。

這些學位論文總共參引了饒公285種論著1229次，被引述最多的專著依次是《中國史學上之正統論》、《老子想爾注校證》、《殷代貞卜人物通考》、《楚帛書》、《全明詞》、《詞籍考》、《楚地出土三種文獻研究》、《雲夢秦簡日書研究》等書。統合前述的結果，可以確定饒公對臺灣學術界的影響，不僅在文史哲相關系所，同時還影響到社會科學及政治、管理、藝術、建築與地理等科系。在學術研究領域上，對文字學、詞學和藝術等領域的影響特別明顯深刻，這也就是饒公對臺灣學術界影響貢獻的實情。

　　本文以饒公為對象，經由學位論文的引述，分析說明饒公對臺灣學術界的影響與貢獻，以做為進一步全面性探討港臺兩地學術交流，以及香港學者對臺灣學術研究影響貢獻的初步成果。所得研究成果除可以有效說明饒公對臺灣學界的實質貢獻之外，同時對港臺兩地學術交流的了解，應該都可以提供某些有效的證據。因而對香港學術傳播的研究者，饒公學術貢獻的研究者，還有臺灣學術交流的研究者，應該都有某些協助研究的功能，此或即本文研究之意義與價值所在。

引述文獻

一　學術專著

龔鵬程主編：《五十年來的中國文學研究》（臺北：臺灣學生書局，
　　　2001）。

王振澤：《饒宗頤先生學術年歷簡編》（香港：香港藝苑出版社，
　　　2001）。

鄭煒明、林愷欣編：《饒宗頤教授著作目錄新編》（濟南：齊魯書社，
　　　2010）。

嚴海建：《香江鴻儒：饒宗頤傳》（南京：江蘇人民出版社，2012）。

二　學位論文

趙惠瑜：《楊寬的中國神話研究》（臺北：東吳大學中文研究所碩士論
　　　文，2009）。

盧冠如：《比興寄託說在詞學史上的演繹與詮釋》（花蓮：東華大學中
　　　文研究所碩士論文，2011）。

張家維：《殷人宗教觀：以巫術、諸神及祭祀為例》（嘉義：中正大學
　　　中文研究所碩士論文，2012）。

陳宜青：《敦煌舞的佛教藝術思想研究》（高雄：高雄師範大學國文研
　　　究所博士論文，2013）。

三　單篇論文

黃永武：〈敦煌斯555號背面三十七首唐詩研究〉，《漢學研究》第5卷
　　　第2期（1987年12月），頁547-557。

汪娟：〈第二屆敦煌學學術研討會紀要〉,《漢學研究通訊》第9卷第3
　　　期（1990年9月）,頁160-166。

林聰明：〈論黃永武教授斠理敦煌唐詩的貢獻〉,《文學新鑰》第14期
　　　（2011年12月）,頁19-48。

趙飛鵬：〈張舜徽之學術著述在臺灣的傳播及其影響〉,《成大中文學
　　　報》第35期（2011年12月）,頁129-154。

黃偉豪：〈香港南來學者的經學思想：以陳湛銓及其交遊圈為中心〉,
　　　《中國學術年刊》第34期（春季號）（2012年3月）,頁57-
　　　86。

劉慶倫、陳競新：〈饒宗頤開拓中華文化新領域〉,《亞洲週刊》第26
　　　卷第27期（2012年7月8日）。

王宏德：〈學術研究趨勢之分析與探討：以100學年度臺灣學位論文為
　　　例〉,「《圖書館館刊》」102年第1期（2013年6月）,頁75-
　　　98。

蔣秋華編輯：〈香港經學研究專輯〉,《中國文哲研究通訊》第27卷第3
　　　期（2017年9月）,頁1-100。

李東峰：〈潘重規《論語今注》的成書及其價值的再認識〉,2018年元
　　　月12日下午3點在中國文哲研究所發表。

四　網路網站資訊

http://www.guoxue.com/xzcq/ddxz/raozongyi/xjxdtc.htm《國學網》。饒
　　　宗頤：〈新經學的提出——預期的文藝復興工作〉（2015年4
　　　月30日搜尋）。

http://www.cl.ntu.edu.tw/people/bio.php?PID=143#personal_writing。楊
　　　秀芳：〈敬悼吳守禮教授〉（2015年4月30日搜尋）。

http://public.dha.ac.cn/Content.aspx?id=983907320776&Page=12&types=

　　1：《敦煌石窟公共網》。祁曉慶：〈饒宗頤論著目錄總錄〉
　　（2015年4月30日搜尋）。

http://ndltd.ncl.edu.tw/cgi-
　　bin/gs32/gsweb.cgi/ccd=Gi.tic/webmge?Geticket=1。臺北（臺
　　灣）圖書館「臺灣博碩士論文知識加值系統」。

http://140.122.127.247/cgi-bin/gs/gsweb.cgi?o=d1。「師範校院聯合博碩
　　士論文系統」。

附錄二
孺慕回歸隱故里　洛帶鄉賢天下知：
王叔岷先生著作在大陸地區學位論文的引述及意義探論

一　前言

　　中國傳統文化傳入臺灣本島，就歷史記載乃在十七世紀的明清之際，隨後鄭成功（1624-1662）驅逐荷蘭人在臺灣建立政權，從此傳統中國文化逐漸在臺灣發芽生根，臺灣終至於成為傳統中國文化圈的一分子，可惜滿清皇朝不重視這個偏遠的海島地區，因此在甲午戰敗後的1895年割讓給日本，日本帝國接收統治臺灣之後，雖不禁止傳統中國文化的流傳，但禁止與大陸的文化與學術交流，使得臺灣與文化母國的交流中斷了半個世紀，1945年抗戰勝利後，雖有短暫的交流，但接下來則又因為國共政治鬥爭的關係，導致1949年之後文化交流全面中斷，必須等到1976年大陸地區結束「文化大革命」的「十年動亂」，1978年來自四川的鄧小平（1904-1997）提議「改革開放」和「一國兩制」，被中共中央接受之後，兩岸纔又逐漸恢復交流；1987年臺灣政府開放人民赴大陸，但時間又過了四十年左右了；1990年林慶彰先生（1948-）引進大陸書籍在臺灣販售，正式開啟了兩岸的學術交流。總計自滿清皇朝將臺灣割給日本帝國之後，臺灣與大陸有將近百年的時間，無法進行正常的文化與學術交流。但也就因為國共的政治鬥爭，國民黨敗退臺灣，許多大陸學者跟隨國民黨遷移臺灣，在這些大陸學者的帶領建構之下，臺灣於是有機會擺脫日本殖民統治者

政治與文化的牽絆，重新回歸到傳統中國文化的懷抱，學術研究也因而與大陸重新接軌，開展出了與大陸意識形態不同的學術研究。就中文學界的狀況而論，大陸學者來臺引導建構的學術傳承，從1949年以來到2014年，大致已傳到第五、六代了。[1]

　　1949年以後跟隨國民黨從大陸到臺灣的中文學界第一代學者，大致上可以分成兩個不同來源的學術體系，一是北京大學系統的學者；[2]一是南京大學系統的學者，[3]這些學者們任教於臺灣大學、臺灣師範大學、政治大學等等各大學，造就了臺灣許多學術研究人才，由於這些抵達臺灣的第一代中文學者，大致都經過五四新文化運動的洗禮，臺灣的學術研究因此乃直接與大陸五四以來的學術接軌，以往日本帝國殖民下的學術研究，對臺灣學術的影響力於是越來越式微，[4]終至於消弭於無形。

　　這些因國共鬥爭從大陸移居臺灣的學者，不僅對臺灣學術界的貢獻良多，同時在兩岸重啟交流之後，學術成果也跟著回饋大陸，對大

1　胡適之先生和傅斯年先生等學者，到臺灣後主要是擔任行政職，因此不列入排序。

2　臺灣大學有來自北京大學的毛子水先生、董作賓先生、洪炎秋先生、臺靜農先生、戴君仁先生、張敬先生、李孝定先生、王叔岷老師；來自燕京大學的鄭騫老師；來自清華大學的董同龢先生；來自中山大學與燕京大學的何定生先生，以及章太炎先生門下的許壽裳先生；還有自學有成的屈萬里先生；家學淵源的孔子後裔孔德成老師等等。

3　任教於臺灣師範大學、政治大學有黃侃先生的三位著名弟子：林尹先生、潘重規先生、高明老師等。政治大學也有出身北京大學的陳大齊先生、熊公哲先生；出身中央政治學校的成惕軒先生；留學日本的王夢鷗先生。臺灣師範大學也有出身北京大學的何容先生，留學日本的程發軔先生；留學英國的高鴻縉先生，以及自學有成的魯實先先生等等。

4　臺灣大學中國文學系初設立之時，曾聘任原畢業於臺北帝國大學文政學部文科東洋文學專攻畢業的文學士吳守禮先生和黃得時先生為副教授。見臺灣大學中國文學系編：《臺灣大學中國文學系系史稿（1929-2001）》（臺北：臺灣大學中國文學系，2002），頁11。

陸的學術也造成某種程度的影響。在這些既對臺灣學術界有重大貢獻，同時也對大陸學術界有所貢獻的臺灣第一代學者中，出生於四川簡陽縣（今成都市龍泉驛區洛帶鎮），就讀於四川大學中文系本科及北京大學文科研究所，其後移居臺灣，最後再回歸「生於斯，長於斯」的四川故鄉，以開創臺灣斠讐學研究，並在《莊子》、陶淵明及《史記》等研究上，獲得卓越成就，任職於中研院歷史語言研究所及臺灣大學的王叔岷老師（1914-2008），自是其中相當重要的一員。有關王老師的生平、經歷、論著及出版狀況，還有對臺灣學術界的影響及貢獻，以及兩岸學者與研究生對王老師的研究、引述及評論等等，筆者已在2014年5月14日臺灣大學中國文學系舉辦的「王叔岷先生百歲冥誕國際學術研討會」中發表論文探討說明，[5]因此不再重複贅述。然而為了更確實了解王叔岷老師對整個中國學術界的影響與貢獻，因此延續該論文的研究構思，從「外部研究」的角度，並以較具學術指標性的學位論文為對象，經由大陸研究生論文引述表現的實證性探討，以見王叔岷老師對大陸學術研究的影響狀況，從而了解王老師對大陸學術界的實質性貢獻。

　　本研究研究將透過筆者設計建構的以學術論著實際應用表現為根據的「傳播研究」方式進行探討。[6]資料的來源有三：一是「中國知網」（CNKI）中的「中國優秀碩士學位論文全文數據庫」[7]、「中國優秀博士學位論文全文數據庫」；[8]二是「華藝線上圖書館」；[9]三是「萬

5　楊晉龍：〈引導與典範：王叔岷先生論著在臺灣學位論文的引述及意義探論〉，本書頁87-116。

6　「傳播研究」方式的相關說明，請參考楊晉龍：〈論《埤雅》及其在宋代《詩經》專著中的傳播〉，《中國學術年刊（春季號）》第35期（2013年03月），頁25-62一文。

7　網址為：http://cnki50.csis.com.tw/kns50/Navigator.aspx?ID=CMFD。

8　網址為：http://cnki50.csis.com.tw/kns50/Navigator.aspx?ID=CDFD。

9　網址為：http://www.airitilibrary.com/。

方數據庫」。[10]以這三個網站收錄的1999-2013年的學位論文為對象，輸入「王叔岷」三字進入「全文」搜尋，進而統計這三個網站收錄的大陸地區學位論文引述王老師論著為說的實情，並歸納分析引述王老師論著的表現狀況，藉以彰顯王叔岷老師在1948年跟隨中研院史語所離開大陸之後，因著大陸改革開放的政策，於是學術論著也跟著回饋故國，因而對大陸學術界產生影響的實情。研究進行的程序，除本節說明研究緣由的「前言」之外，以下將再分四小節進行探討：首先說明王老師學術論著進入大陸地區學術界的概況；其次搜尋歸納1999-2013年大陸研究生學位論文中引述王老師論著的實際表現；接著歸納分析這些引述表現的內涵及其在學術影響上的狀況；最後則統合前述所得的研究成果，分析探討這些成果背後的意義與研究上的價值做為結束。

二 學術回饋大陸學界概說

王叔岷老師在還沒有移居臺灣之前，就以《莊子校釋》一書，獲得大陸許多當代學者的讚賞青睞。移居臺灣之後，學術創作不僅質精且量多，總計王老師一生總共出版了學術專著24部、單篇學術論文245篇及非學術論著9部，單篇論文扣除收入專書者外，實際出版的有52篇。[11]論著中探討的書籍與學科，若以《四庫全書總目》分類的

---

10 網址為：http://g.wanfangdata.com.hk/。

11 陳恆嵩：〈王叔岷先生主要著作目錄〉，《中研院歷史語言研究所集刊》第74本第4分（2003年12月），頁765-781；「〈中研院歷史語言研究所簡介〉」著作目錄網址：http://www2.ihp.sinica.edu.tw/staffProfile.php?TM=3&M=1&uid=97；〈臺灣大學中國文學系簡介〉，網址：http://www.cl.ntu.edu.tw/people/bio.php?PID=146#personal_ writing 等。王老師另有〈讀《紅樓夢》札記一則〉，《（南京）中央日報》，1947年5月5日第9版《文史週刊》第40期；〈讀《莊》論叢〉，《道家文化研究》第10輯（1996）；〈《淮南子》引《莊》舉偶〉，《道家文化研究》第14輯（1998）等三文，前述三處目錄皆漏收。

經、史、子、集四部為標準，則「經部」有：《尚書》、《左傳》、《論語》、《孟子》，以及「斠讎學」、「虛字研究」等。「史部」有：《晏子春秋》、《史記》、《漢書》等。「子部」有：《老子》、《莊子》、《列子》、《文子》、《管子》、《墨子》、《慎子》、《鶡冠子》、《荀子》、《韓非子》、《商君書》、《申子》、《呂氏春秋》、《淮南子》、《列仙傳》、北齊劉晝（514-565）《劉子》、《顏氏家訓》、《世說新語》，隋代王通（584-617）《中說》，以及「先秦道法思想」等。「集部」有：《文心雕龍》、《詩品》、《紅樓夢》，以及曹植（192-232）、左思（250-305）、陶淵明（365-427）、謝靈運（385-433）、林逋（967-1028）等人的詩作。王老師的著作橫跨了四部的書籍，以上是王老師學術論著研究探討範圍的說明。

　　就王叔岷老師論著流傳的情況觀之，在大陸還沒有改革開放之前，主要流傳在大陸之外的世界其他地區；大陸改革開放之後，某些研究者固然也開始引述王老師的論著為說，但並不十分普遍，且多以引述王老師未移居臺灣前在大陸發表的論著為主，甚至僅是轉引前輩學者論著中的二手資料，[12]必須等到北京中華書局2007年出版了《王叔岷著作集》之後，[13]王老師論著在大陸纔取得正式的學術地位，學界因而有了公然引述的依據，學術引述的狀況纔比較趨向於正常，不

---

12 舉例說明之。振亞：〈從語言的運用角度對《列子》是托古偽書的論證〉，《四平師院學報（哲學社會科學版）》1982年第2期，頁69引述王老師之論，轉引楊伯峻：《列子集釋・黃帝篇》（北京：中華書局，1979），卷2，頁67。張自然：《〈史記志疑〉研究》（開封：河南大學中國古代文學碩士論文，2003），頁9-10註26引述王叔岷老師發表在《史語所集刊》的〈校讎通例〉，轉引程千帆、許有富：《校讎廣義》（濟南：齊魯書社，1998），頁25等之類。

13 王叔岷老師：《王叔岷著作集》（北京：中華書局，2007），該著作集將《斠讎別錄》附入《斠讎學》；將《慕廬演講稿》、《慕廬雜著》、《慕廬雜稿》、《世說新語補正》、《文心雕龍綴補》、《顏氏家訓斠注》、《呂氏春秋校補》等合編為《慕廬論學集》一部，故全部學術著作為13部。

再刻意製造訛誤的訊息。[14]

　　大陸改革開放後引述王老師論著，若以前述三個網站收錄的學術論著為例，則北京大學哲學系李中華教授（1944-）發表於1981年的〈論郭象與莊子人生哲學之異同〉一文，或當是大陸改革開放後第一位引述王老師論著者，文中說明《莊子·逍遙遊》「乘天地之正」，郭象《註》云：「為能无待而常通，豈〔獨〕自通而已哉」中之「獨」字，「依王叔岷說補」。[15]其後斷斷續續有研究者引述，如：1982年、1985年、1986年、1988年皆有引述者；[16]自1990年以後，則年年均有引述王老師論著者，但數量依然稀少。[17]觀察2000年之前的引述都在

---

14 「不正常」引述，除刻意轉引二手資料，以便取得某種保護外，如：四川師範學院圖書館陳淑容：〈精平裝漢文圖書版本簡論〉，《四川圖書館學報》1997年第3期一文，引述《史記斠證》，出版單位不寫「臺北中研院歷史語言研究所」，卻寫印刷廠商「臺北久忠實業有限公司」；天津城市職業學院圖書館張愛萍：〈鍾嶸《詩品》研究論著索引（1926年-1996年）〉，《許昌師專學報》2000年第6期一文。引述《鍾嶸《詩品》箋證稿》誤作《鍾嶸《詩品》箋稿》，出版單位不寫「中研院中國文哲研究所」而寫印刷廠商「久忠實業公司」；青島大學中文系王今暉：〈鍾嶸四言詩論解析〉，《萊陽農學院學報（社會科學版）》第15卷第3期（2003年9月）一文，引述《鍾嶸《詩品》箋證稿》，出版單位作「臺北：臺灣久忠實業有限公司」；北京大學哲學系王博：〈說「寓作于編」〉，《中國哲學史研究》2006年第1期一文，引述《先秦道法思想講稿》出版單位也作「久忠實業有限公司」等之類。

15 李中華：〈論郭象與莊子人生哲學之異同〉，《晉陽學刊》1981年第2期，頁75，註3。

16 1982年一篇：振亞：〈從語言的運用角度對《列子》是托古偽書的論證〉。1983年、1984年未見有引述者。1985年一篇：孫以昭：〈評莊子的散文藝術〉，《文學評論》1985年第2期。1986年一篇：歐揚：〈《莊子》中的若干語法現象〉，《江漢大學學報（社會科學版）》1986年第2期。1987年未見。1988年一篇：劉紹瑾：〈尋找中國純藝術精神的根〉，《學術研究》1988年第1期。1989年未見。

17 1990年一篇：曹旭〈論西晉詩人張華〉，《上海師範大學學報》1990年第4期。1991年三篇：孫以昭：〈莊子哲學與養生學〉，《安徽大學學報（哲學社會科學版）》1991年第1期；孫明君：〈試論莊子的天人思想〉，《寶雞師院學報（哲學社會科學版）》1991年第3期；趙明：〈道家詩學原論——兼論道家哲學由認知向審美的衍變〉，《社會科學輯刊》1991年第5期。1992年一篇：白亞仁（Alian H. Barr）：〈《田七郎》與

《聶政傳》關係探源〉,《文史哲》1992年第4期。1993年三篇：曹慕樊：〈《莊子‧
逍遙游》篇義〉,《樂山師專學報（社會科學版）》1993年第4期；周先民：〈高山仰
止景行行止——讀《史記‧孔子世家》〉,《齊魯學刊》1993年第3期；王暉：〈論先
秦道家「體用不二」的本體構建〉,《徐州師範學院學報（哲學社會科學版）》1993
年第3期。1994年二篇：郝逸今：〈莊子與《莊子》〉,《內蒙古大學學報（哲學社會
科學版）》1994年第1期；張永言：〈馬譯《世說新語》商兌續貂（一）——為紀念
呂叔湘先生九十壽辰作〉,《古漢語研究》1994年第4期。1995年六篇：支宇：〈論郝
經「內游」說的美學意義〉,《山西師大學報（社會科學版）》第22卷第4期（1995年
10月）；李翔海：〈批判的繼承與創造的詮釋——傅偉勳哲學方法論述評〉,《北京社
會科學》1995年第3期；蔣宗許：〈《世說新語校箋》札記〉,《古籍整理研究學刊》
1995年第4期；陳鼓應先生：〈先秦道家研究的新方向——從馬王堆漢墓帛書《黃帝
四經》說起〉,《管子學刊》1995年第1期；索介然：〈《慎子佚文》簡介〉,《管子學
刊》1995年第4期；張愛萍〈鍾嶸《詩品》研究論文索引（1920年1月-1983年12
月）〉,《周口師專學報》第12卷第2期（1995年6月）。1996年四篇：閻艷：〈《列子集
釋》的音義訓詁〉,《語文學刊》1996年第1期；王發國、曾明：〈水流花放，老樹春
深——評王叔岷《鍾嶸詩品箋證稿》〉,《文學遺產》1996年第3期；陳建樑：〈吳王
闔廬身世考辨〉,《學術月刊》1996年第6期；李華：〈鍾優民《陶學史話》述評〉,
《江西社會科學》1996年第8期。1997年七篇：李長庚：〈訓詁與文化習俗四證〉,
《古漢語研究》1997年第2期；劉可欽：〈「游」與莊子詩學的主體精神〉,《南京大
學學報（哲學‧人文‧社會科學）》1997年第2期；李華：〈近20年陶淵明研究綜
述〉,《江西社會科學》1997年第3期；陳淑容：〈精平裝漢文圖書版本簡論〉；王曉
毅：〈向秀《莊子注》研究〉,《山東大學學報（哲學社會科學版）》1997年第3期；
陳應鸞：〈論鍾嶸對四言詩的態度〉,《四川大學學報（哲學社會科學版）》1997年第
4期；汪少華：〈也談孫臏的「坐」與趙太后的「持踵」〉,《南昌大學學報（社會科
學版）》第28卷第2期（1997年6月）。1998年五篇：李賢中：〈尹文子思想探析〉,
《安徽大學學報（哲學社會科學版）》1998年第1期；洪濤：〈《紅樓夢》英譯本中的
改譯和等效問題〉,《紅樓夢學刊》1998年第2輯；饒宗頤先生：〈（傳老子師）容成
遺說鉤沉——先老學初探〉,《北京大學學報（哲學社會科學版）》1998年第3期；傅
剛：〈世紀的盛會——記北京：北京大學漢學研究國際會議〉,《北京大學學報（哲
學社會科學版）》1998年第4期；魏正申：〈陶淵明壽年63歲說辨證〉,《九江師專學
報》1998年增刊號。1999年六篇：黃麗麗：〈試論《漢書‧藝文志》「諸子出于王
官」說（下）〉,《中國歷史博物館館刊》1999年第2期；謝文學：〈鍾嶸交游五考〉,
《許昌師專學報（社會科學版）》1999年第2期；裘錫圭：〈漢簡中所見韓朋故事的
新資料〉,《復旦學報（社會科學版）》1999年第3期；王發國等：〈曹旭《詩品集
注》補正〉,《西南民族學院學報（哲學社會科學版）》總20卷第4期（1999年7月）；

10篇以下，[18]直到2001年以後，纔有超過10篇的引述，2007年之後，則每年的引述都在40篇以上，且有引述者越來越多的趨勢，2013年即有83篇論文的引述。這是王叔岷老師論著在大陸單篇學術論文引述的大概，同時也就是王老師在大陸改革開放政策之後，學術回歸故鄉的狀況。接著討論大陸研究生在學位論文中引述王老師論著的實際表現。

三　大陸學位論文引述探實

　　大陸地區學位論文引述王叔岷老師的論著情況，博士論文最早引述的是在單篇論文引述21年後的2001年5月獲得北京大學中國古代文學學位的馬慶洲（1958-），論文是《《淮南子》研究》，由費振剛教授（1935-）指導。[19]碩士論文最早引述則是在單篇論文引述23年後的2003年5月獲得河南大學中國古代文學學位的張自然（1970-），論文是《《史記志疑》研究》，由王立群教授（1945-）指導。[20]此後學位論文的引述即沒有間斷，但也僅是零零星星的引述，從2007年開始纔逐漸增多，終至於成為學術研究者的常態性作為。

　　張豐乾：〈關于「韓非讀過《文子》」及其他〉，《管子學刊》1999年第4期；洪曉楠：〈傅偉勳與中國哲學重建的方法論〉，《瀋陽師範學院學報（社會科學版）》第23卷第2期（1999年）。

18　2000年有八篇：李水海：〈老子學于商容考證〉，《無錫教育學院學報》第20卷第1期（2000年3月）；汪維輝：〈《世說新語》詞語考辨〉，《中國語文》2000年第2期；曉名：〈《列子集釋》補正一例〉，《四川師範大學學報（社會科學版）》2000年第2期；任朝霞：〈《劉子校釋》簡評〉，《古籍整理研究學刊》2000年第5期；張愛萍：〈鍾嶸《詩品》研究論著索引（1926年-1996年）〉，《許昌師專學報》2000年第6期；程國賦：〈鍾嶸《詩品》研究70年〉，《許昌師專學報》2000年第6期；陳友冰：〈五十年來海峽兩岸唐代文學研究比較〉，《文學評論》2000年第6期；蕭旭：〈《說苑校證》校補（四）〉，《江海學刊》2000年第6期等。

19　馬慶洲：《《淮南子》研究》（北京：北京大學中國古代文學博士論文，2001）。

20　張自然：《《史記志疑》研究》（開封：河南大學中國古代文學碩士論文，2003）。

　　本文以「王叔岷」三字搜尋前述三個網路資料庫，觀察其中學位論文引述王老師論著及引述者學術專業範圍的結果如下：（一）2001年博士論文2篇。[21]出自「中國文學類」1篇；[22]出自「藝術學類」1篇。[23]（二）2002年博士論文3篇。[24]出自「哲學類」2篇；[25]出自「教育學類」1篇。[26]（三）2003年共4篇：博士論文3篇，碩士論文1篇。[27]出自「中國文學類」2篇；出自「哲學類」1篇；出自「藝術學類」1篇。（四）2004年共6篇：博士論文4篇；碩士論文2篇，[28]均出自「中國文學類」專業。（五）2005年共14篇：博士論文6篇；碩士論文8篇。[29]出自「中國文學類」7篇；出自「語言學類」2篇；[30]出自「哲學類」4篇；出自「史學類」1篇。[31]（六）2006年共9篇：博士論文3

21 北京大學馬慶洲；北京中央美術學院美術史系韋兵。

22 「中國文學類」包括：古代文學、古典文學、文藝學、古典文獻學、語言文學、古籍研究、現當代文學、文學理論等專業。

23 「藝術學類」包括：美術史、美術學、藝術學等專業。

24 北京中國社會科學院張豐乾與金德三；上海華東師範大學高等教育學劉貴華。

25 「哲學類」包括：哲學、思想文化、藝術哲學、文化哲學、科技哲學、倫理思想、美學、倫理學、宗教學、文化史等專業。

26 「教育學類」包括：教育學、心理學、課程與教學等專業。

27 博士：南京藝術學院美術學劉亞璋；北京大學中國哲學黃聖平；南京師範大學中國古代文學趙生群。碩士：開封河南大學中國古代文學張自然。

28 博士：成都四川大學漢語言文字學李占平；上海復旦大學中國古代文學劉強；蘭州西北師範大學文學院葛剛岩；北京首都師範大學中國古代文學阮氏明紅。碩士：成都四川大學古代文學李晶；濟南山東師範大學文藝學王培娟。

29 博士：上海復旦大學中國古代文學沈振奇與刁生虎；北京清華大學歷史學李銳；西安西北大學中國思想文化史潘俊杰；杭州浙江大學古典文獻學楊玲；北京大學哲學黃藿。碩士：南昌大學中國古典文獻學李智耕；南昌大學漢語言文字學周振風；南昌江西師範大學中國古代文學蔡欣；上海師範大學中國古代文學邱慧蕾；武漢華中科技大學中國哲學秦曉慧；開封河南大學漢語言文字學高鈺京；長春東北師範大學文藝學鄂霞；西安陝西師範大學中國哲學魏冬。

30 「語言學類」包括：漢語言文字學、語言學及應用語言學、古代漢語等專業。

31 「史學類」包括：歷史學、古代史、專門史、歷史文獻學、歷史地理學、考古學及博物館學、史學史、史學理論及史學史、近現代史、民俗學等專業。

篇；碩士論文6篇。出自「中國文學類」7篇；出自「哲學類」1篇；出自「政治學類」1篇。（七）2007年共21篇：博士論文8篇；[32]碩士論文13篇。[33]出自「中國文學類」10篇；出自「語言學類」3篇；出自「哲學類」4篇；出自「史學類」1篇；出自「藝術學類」1篇；出自「政治學類」1篇；出自「法律學類」者1篇。[34]（八）2008年共45篇：博士論文15篇；[35]碩士論文30篇。[36]出自「中國文學類」23篇；

32 博士：合肥安徽大學漢語言文字學楊世鐵；武漢華中師範大學中國古典文獻學彭樹欣；上海華東師範大學中國哲學臧要科和萬勇華；西安西北大學中國古代文學張克鋒；上海華東政法學院中國法律史王沛；南京師範大學中國古典文獻學王永吉；杭州浙江大學文藝學王焱等。

33 碩士：桂林廣西師範大學藝術哲學林秀麗；廣西師範大學漢語言文字學晁瑞蓮；濟南山東師範大學中國古代史胡岳潭；北京首都師範大學文化哲學許傳昆；長春吉林大學政治學理論趙榮華；長春東北師範大學中國古典文獻學楊棟；武漢華中師範大學中國古典文獻學楊瑰瑰；武漢華中科技大學漢語言文字學劉俊；揚州大學文藝學劉昱；南京師範大學中國古典文獻學蔡德龍和蘇芃；呼和浩特內蒙古師範大學中國語言文學劉海燕；昆明理工大學科技哲學顧德志。

34 「法律學類」包括：法律史、法學等專業。

35 博士：南京師範大學中國古典文獻學周錄祥；長春吉林大學中國古代史張錚；長春東北師範大學中國古代史張居三；武漢華中師範大學專門史袁清湘；華中師範大學中國古代文學韓國良；華中師範大學歷史文獻學區永圻；北京中國中醫科學院中國醫學史劉聰；福州福建師範大學中國古代文學陳德福；蘭州西北師範大學中國古代文學史國良；揚州大學中國古代文學范正群；廈門大學歷史文獻學陳家寧；廈門大學中國古代史黃亦錫；杭州浙江大學中國古代文學孫寶；浙江大學文藝學孫旭輝；北京大學中國哲學鄧聯合。

36 碩士：北京中央民族大學中國古代文學韓永紅；福州福建師範大學漢語言文字學方艷霞；福建師範大學中國古代文學黃綺煒；桂林廣西師範大學中國古代文學王永青；曲阜師範大學文藝學宋東陽；武漢理工大學設計藝術學周愛民；天津師範大學中國古代史孫小妹；哈爾濱黑龍江大學中國傳統倫理思想史楊輝；成都四川師範大學文藝學趙琰；蘇州大學漢語言文字學顧莉丹；湘潭大學漢語言文字學王卉和陳艷；湘潭大學中國哲學馮登立；武漢華中科技大學馬克思主義哲學王江兵；華中科技大學中國哲學李智福；大連大學專門史何勝冰；南京師範大學中國古代文學李俊；南京師範大學中國古典文獻學龔碧虹；鄭州大學中國古代文學李建婷；鄭州大學中國古典文獻學祿書果；西安陝西師範大學中國古代文學李苗苗；陝西師範大學

出自「語言學類」4篇；出自「哲學類」7篇；出自「史學類」9篇；
出自「藝術學類」1篇；出自「中醫學類」1篇。（九）2009年總共63
篇：博士論文19篇；[37]碩士論文44篇。[38]出自「中國文學類」29篇；
出自「語言學類」5篇；出自「哲學類」14篇；出自「史學類」13

中國哲學李路兵；呼和浩特內蒙古大學中國古代文學李雪梅；揚州大學文藝學宗亞
玲；揚州大學中國古代文學劉彩霞；長春東北師範大學中國古代文學姜陸陸；開封
河南大學中國古代文學胡曉杰；長沙湖南大學專門史黃敏；蘇州大學中國哲學宋
智；成都西南交通大學文藝學郭格婷。

[37] 博士：武漢華中師範大學專門史肖海燕；西安西北大學專門史夏紹熙；西安陝西師
範大學中國哲學魏冬；杭州浙江大學中國古代文學陳偉娜；北京中國社會科學院中
國哲學余強軍；上海華東師範大學中國哲學孫穎和朱曉鵬；華東師範大學中國古代
文學葉蓓卿；華東師範大學文藝學劉泰然；北京首都師範大學專門史王英杰；濟南
山東師範大學中國古代文學王守亮；蘇州大學文藝學徐國超；蘇州大學中國哲學劉
小剛；瀋陽遼寧大學文藝學胡海迪和楊鵬飛；揚州大學中國古代文學金永健；西安
西北大學中國古代文學儲曉軍和李小山；濟南山東大學專門史張魯君。

[38] 碩士：濟南山東大學漢語言文字學李元朋；山東大學專門史王美美；山東大學中國
古代文學鄭偉；濟南山東師範大學美學王振民；山東師範大學專門史林飛飛；曲阜
師範大學漢語言文字學牛和林與劉相山；曲阜師範大學專門史李春紅；上海華東師
範大學中國古代文學王云；石家莊河北師範大學中國古代文學王海霞；河北師範大
學中國現當代文學李偉超；北京首都師範大學中國哲學王強與羅娟容；首都師範大
學中國古代史李昭；首都師範大學中國古代文學談笑；南京師範大學中國古典文獻
學吳昱昊；長春吉林大學古籍研究所孟巖；南京藝術學院藝術學連凱文；上海復旦
大學語言學及應用語言學劉佳；復旦大學中國古代文學張旭；貴陽貴州師範大學馬
克思主義哲學劉昆；西安西北大學中國專門史路傳頌；西安陝西師範大學中國古代
文學王勝奇與朱聞宇；陝西師範大學歷史文獻學高皓彤；陝西師範大學漢語言文字
學張蓉；杭州中國美術學院美術學李良；武漢華中師範大學中國古代文學李奕；開
封河南大學歷史文獻學李強；蘇州大學中國美學姚高峰；蘇州大學中國古代文學張
新安與章繼成；長沙湖南師範大學中國古代文學范國華；湖南師範大學歷史文獻學
陳湘君；長沙湖南大學中國哲學雷吉振；合肥中國科學技術大學中國哲學倪永強；
成都西南交通大學中國古代文學張克然；南昌江西師範大學歷史文獻學劉鵬；蘭州
西北師範大學中國哲學何少甫；西北師範大學中國古代文學李淑霞；揚州大學中國
古代文學汪小燕；無錫江南大學中國古代文學辛文與鹿博；南京林業大學倫理學葛
富蓮。

篇；出自「藝術學類」2篇。（十）2010年共66篇：博士論文24篇；[39]
碩士論文42篇。[40]出自「中國文學類」33篇；出自「語言學類」8篇；
出自「哲學類」8篇；出自「史學類」9篇；出自「外國文學類」3
篇；[41]出自「教育學類」1篇；出自「政治學類」1篇；出自「法律學
類」2篇；出自「管理學類」1篇。（十一）2011年共87篇：博士論文

---

39 博士：長春東北師範大學中國古代文學劉兵；上海復旦大學歷史地理學周運中；復
旦大學比較文學與世界文學田晉芳；復旦大學中國古代文學肖能；開封河南大學中
國古典文獻學李培志；上海師範大學文藝學劉永；曲阜師範大學中國古代文學袁
梅；上海華東師範大學文藝學武重淑子；華東師範大學中國古代文學李秀華和陳
冬；北京中央民族大學中國古代文學賈海建；濟南山東大學考古學及博物館學朱
磊；山東大學中國哲學李季；山東大學史學史劉秀俊；長沙湖南師範大學中國哲學
劉白明；揚州大學中國古代文學孫豔慶；天津南開大學歷史學王偉；蘭州西北師範
大學中國古代文學王興芬；瀋陽東北大學中國古代文學劉洪波；瀋陽遼寧大學文藝
學楊艾璐；保定河北大學中國哲學邢文祥；廣州中山大學中國哲學陳曦；福州福建
師範大學中國古代文學潘葦杭；長春吉林大學中國古代史林榮。

40 碩士：北京中國政法大學政治學理論陳陽；重慶師範大學英語語言文學康年華；重
慶大學法學理論葛鑫；鄭州大學中國古代史王明強與王鵬；鄭州大學英語語言文學
鄢莉；桂林廣西師範大學漢語言文字學任連明；廣西師範大學中國古代文學李文勝
與周如月；廣西師範大學文藝學陳博；金華浙江師範大學中國古代文學李勝男；鄭
州大學課程與教學論胡金萍；西安陝西師範大學中國古代文學苗慧；大連遼寧師範
大學專門史楊銘；開封河南大學漢語言文字學葉飛；濟南山東師範大學漢語言文字
學韓剛；山東師範大學中國古典文獻學孫興國；濟南山東大學漢語言文字學林琳；
濟南大學文藝學楊陽；長春東北師範大學旅遊管理王金偉；湘潭大學中國哲學朱小
略；重慶大學法學理論李為；廣州暨南大學中國古代文學李燕、劉永濤和李征松；
臨汾山西師範大學專門史卓志峰；上海復旦大學中國哲學張鋒賓；揚州大學漢語言
文字學瞿悅英；揚州大學中國古代文學韓麗敏；延吉延邊大學漢語言文字學趙麗
麗；開封河南大學漢語言文字學劉麗；長沙湖南師範大學漢語言文字學鄧慧愛；哈
爾濱師範大學文藝學關學銳；烏魯木齊新疆師範大學中國古代文學王琰；昆明雲南
大學美學成春菊；西寧青海師範大學中國古代文學高敏；長春東北師範大學古典文
獻學張金玲；無錫江南大學中國古代文學陳天旻；咸陽西藏民族學院中國古代文學
閻文亮；蘭州西北師範大學中國古代文學靳婷婷；西安西北大學中國古典文獻學魏
曉娟；南昌大學中國哲學賴偉鈞。

41 「外國文學類」包括：英語語言文學、比較文學與世界文學等專業。

18篇；[42]碩士論文69篇。[43]出自「中國文學類」50篇；出自「語言學類」9篇；出自「哲學類」11篇；出自「史學類」13篇；出自「外國文學類」2篇；出自「教育學類」1篇；出自「藝術學類」1篇。（十

---

42 博士：杭州浙江大學中國古典文獻學郜同麟；上海復旦大學中國古代文學吳增輝；復旦大學中國哲學左國毅與汲廣林；上海華東師範大學中國古代文學張屏；曲阜師範大學專門史宋立林；長春吉林大學文藝學李希；吉林大學中國古代文學李谷喬；哈爾濱師範大學文藝學丁媛；成都四川師範大學中國古代文學李斯斌；昆明雲南大學文藝學楊園；南京師範大學中國古代文學黃瑩；杭州浙江大學中國古典文獻學金少華；浙江大學宗教學朱文信；濟南山東大學歷史文獻學李勇慧；山東大學專門史孟鷗；西安西北大學中國審美文化史王娟；哈爾濱師範大學中國古代文學高方。

43 碩士：泉州華僑大學中國古代文學張晶璐；上海復旦大學漢語言文字學趙夢；復旦大學中國古代文學張翔與陸樂；上海華東師範大學中國古代文學岳賢雷；華東師範大學古代漢語趙思木；華東師範大學中國近現代史徐珊；華東師範大學中國哲學徐漢相；上海師範大學中國哲學金麗文；上海師範大學中國古代文學曹琦華；北京首都師範大學宗教學閆恒；首都師範大學歷史文獻學趙樹龍；成都理工大學科學技術哲學王挽瀾；開封河南大學漢語言文字學王楠；石家莊河北師範大學中國古代文學王麗偉、曹麗靜與李明霞；河北師範大學漢語言文字學王紅；瀋陽遼寧大學中國古代文學史慧；遼寧大學文藝學任莎莎與李晶晶；武漢華中師範大學中國古代文學李存興；鄭州大學中國古代史李金陽；濟南山東大學中國古代史周曉玲；山東大學漢語言文字學劉靜；桂林廣西師範大學中國古典文獻學武良成；廣西師範大學中國古代文學葛海燕與劉向輝；漢中陝西理工學院中國古代文學張金偉與武宏璞；大連遼寧師範大學古典文獻學張亮；昆明雲南大學美學莊鵬；重慶師範大學中國古代文學郭寧；烏魯木齊新疆師範大學漢語言文字學齊秀秀；長沙湖南大學中國古代文學劉偉；長沙湖南師範大學中國古代文學周嬪；湘潭大學中國古代文學劉琦；北京中央民族大學中國古代文學劉愛蓮；西安陝西師範大學史學理論及史學史卜鑫；陝西師範大學中國哲學李彥榮；陝西師範大學美學程澤明；陝西師範大學中國古代文學程維；哈爾濱師範大學文藝學于晏如；延吉延邊大學比較文學與世界文學千光玉；南京大學漢語言文字學王錄芳；南京師範大學中國古代文學李曉菲、張翩、梁加花與張寧；南京師範大學基礎心理學蔣東平；蘭州西北師範大學中國古代文學石龍巖；呼和浩特內蒙古大學中國古代史安子毓；呼和浩特內蒙古師範大學中國古代文學李云；內蒙古師範大學漢語言文字學田俊杰；咸陽西藏民族學院中國古代文學胡發萍；南昌江西師範大學中國古代文學張慧玲；漳州師範學院中國古代文學許彥龍；昆明雲南大學民俗學楊雨；青島大學專門史耿文風；南昌江西科技師範學院美術學張利利；保定河北大學中國古典文獻學張麗艷。

二）2012年共72篇：博士論文18篇；[44]碩士論文54篇。[45]出自「中國文學類」41篇；出自「語言學類」9篇；出自「哲學類」12篇；出自「史學類」8篇；出自「政治學類」1篇；出自「法律學類」1篇。（十

---

[44] 博士：上海華東師範大學中國語言文學王懷義；上海復旦大學歷史系秦蓁；合肥安徽大學中國哲學周葉君；揚州大學文藝學尹泓；揚州大學中國古代文學宋展云與高勝利；北京中國社會科學院哲學周貞余；上海師範大學中國古典文獻學魏現軍；北京大學中國文學辛曉娟與金溪；長春吉林大學歷史學曲文；保定河北大學中國哲學張乃芳；武漢大學美學黃沁茗；天津南開大學中國古代文學徐利華；南開大學哲學吳保平；杭州浙江大學中國古代文學楊健；浙江大學中國古代史孔祥來；浙江大學漢語言文字學金相圭。

[45] 碩士：溫州大學文藝學韓曉蕾；北京大學古典文獻學陳思；北京大學古代文學陳菡思；北京中央民族大學中國古代文學譚笑；北京首都師範大學美學李娜；長沙理工大學中國古代文學尹綺；長沙湖南師範大學中國古代史李靖華；長沙湖南大學中國哲學鄧夢軍；曲阜師範大學歷史文獻學王延朋；瀋陽遼寧大學中國哲學王春莉；重慶師範大學漢語言文字學王洋河；重慶師範大學中國古代文學張瑞鑫；重慶西南大學中國古代文學胡鈴鳳；開封河南大學中國古代文學吳鑫宇、楊煜、梁育與曾潔；新鄉河南師範大學中國古代文學呂春暉；上海復旦大學漢語言文字學李果；復旦大學中國哲學張榕坤；上海華東政法大學法律裴乾坤；上海華東師範大學中國哲學王央央；華東師範大學漢語言文字學吳銘；南寧廣西民族大學政治學理論白少華；南寧廣西師範大學中國古代文學李敬；廣西師範大學中國古典文獻學趙保勝；廣西師範大學中國古代史丁陽；南寧廣西師範學院語言學及應用語言學王鳳年；西安西北大學中國哲學張麗萍；西安陝西師範大學中國古代文學白楊青；石家莊河北師範大學中國古代文學田雅寧和宋蒙；南京大學中國古典文獻學朱亞棟；南京大學漢語言文字學洪一麟；南京師範大學中國古代文學郭成波；徐州江蘇師範大學中國古代文學高華與王艷；長春東北師範大學中國古典文獻學高磊與楊富軍；鄭州大學中國古典文獻學張陽；蘭州大學歷史文獻學陳光文；杭州浙江大學中國古代文學渡邊優子；濟南山東大學漢語言文字學賀光耀；天津師範大學中國古代文學楊楊；蘇州大學中國古代文學潘靜如；重慶工商大學中國古代文學朱慧；廣州暨南大學漢語言文字學李淑蓮；西寧青海師範大學中國古代文學孫貴蓉；南昌江西師範大學歷史文獻學孫黎生；錦州渤海大學漢語言文字學張依；漳州師範學院中國古代文學黃明芳；太原山西大學中國古典文獻學楊挺；湘潭大學中國哲學龔瑤；武漢華中師範大學中國古代文學葉艷玲。

三）2013年共41篇：博士論文14篇；[46]碩士論文27篇。[47]出自「中國
文學類」24篇；出自「語言學類」5篇；出自「哲學類」3篇；出自
「史學類」6篇；出自「藝術學類」1篇；出自「圖書館學類」2篇。
以上即自2001年至2013年大陸學位論文引述王叔岷老師論著及引述之
學術專業的狀況，為求更清楚的展示，以下即以表格方式示之。

---

46 博士：北京中央民族大學中國現當代文學鄧芳寧；中央民族大學宗教學林冬子；長
沙湖南師範大學漢語言文字學鄧慧愛；南京師範大學中國古典文獻學郭萬青；武漢
華中師範大學歷史學關萬維；武漢華中科技大學語言學及應用語言學康盛楠；上海
華東師範大學古籍研究所陳才；華東師範大學歷史學鄒建麟；華東師範大學中國
古代文學劉佩德；北京首都師範大學歷史學胡紅偉；北京大學圖書館學周余姣；北
京大學文藝學呂亭淵；瀋陽遼寧大學文藝學楊楠；西安陝西師範大學中國古代文學
張華。

47 碩士：上海師範大學中國古代文學李石磊與張秋霞；上海師範大學中國古代史竇
葳；上海華東師範大學中國各體文學理論顧雯；金華浙江師範大學法學院民俗學李
富祥；銀川寧夏大學漢語言文字學戴環宇；濟南山東大學中國古典文獻學王倩倩；
濟南山東師範大學中國現當代文學呂素云；南京師範大學中國古典文獻學朱珠與郭
林；瀋陽遼寧大學中國古代文學邵永會；重慶西南大學中國古代文學胡穎佳；開封
河南大學中國古代文學張記忠；河南大學漢語言文字學徐勝利；長春東北師範大學
中國古代文學李由與黃金艷；成都四川師範大學中國古代文學肖嬌嬌；西安陝西師
範大學中國哲學侯依汐；陝西師範大學中國古代文學龔思；杭州師範大學漢語言文
字學胡俊佳；杭州浙江大學中國哲學張曉俊；鄭州大學中國古代史孫瑞芳；鄭州大
學圖書館學劉怡君；石家莊河北師範大學文藝學徐超；南寧廣西大學中國古代文學
李蓉；安慶師範學院中國古代文學陶張印；北京服裝學院藝術學曹海洋。

引述王叔岷老師論著的學位論文數量及學術專業統計表

年代＼專業	中國文學類	語言學類	哲學類	史學類	外國文學類	藝術學類	教育學類	政治學類	法律學類	中醫學類	圖書館學類	管理學類	總計
2001年	1					1							2
2002年			2			1							3
2003年	2		1			1							4
2004年	6												6
2005年	7	2	4	1									14
2006年	7		1					1					9
2007年	10	3	4	1		1		1	1				21
2008年	23	4	7	9			1			1			45
2009年	29	5	14	13		2							63
2010年	33	8	8	9	3		1	1	2			1	66
2011年	50	9	11	13	2	1	1						87
2012年	41	9	12	8				1	1				72
2013年	24	5	3	6		1					2		41
總計	233	45	67	60	5	8	3	4	4	1	2	1	433

經由前述的實際搜尋統計，則大陸學界在改革開放政策之後，自1981年起即有單篇學術論文引述王老師的論著，不過學位論文則要到2001年纔開始有引述者。根據前表的統計顯示，可知在2006年之前的引述狀況較為稀少。自2007年起學術論文引述纔呈現較熱絡的狀態，並且從此成為相關學術專業研究生寫作學位論文之際的常態性作為。自2001年起至2013年止的13年間，大陸各級大學中12類學術專業的研究

生，總共有433位引述王老師的論著為說，平均每年有超過33位的研究生引述王老師的論著進入其論文之中，這也就表示這些研究生們在研究及寫作過程中，確實都受惠於王老師的學術論著。以下即探討這些受惠於王老師的研究生們的學校及其論文研究內容的概況，以見王老師論著對大陸學術研究實質影響的概況。

四　引述意義與範圍的分析

考察王叔岷老師的學術論著對大陸學界產生的實質影響，大致可以根據前述的歸納統計而獲得初步的了解。經由前表呈現狀況的分析，可知大陸地區研究生學位論文引述王老師論著的學科專業，至少包括12類的專業，若依引述數量的多寡排列則是：中國文學類233篇、哲學類67篇、史學類60篇、語言學類45篇、藝術學類8篇、外國文學類5篇、法律學類4篇、政治學類4篇、教育學類3篇、圖書館學類2篇、管理學類1篇、中醫學類1篇等。若以引述數量的多寡論之，則王老師對中國文學類的專業研究者影響與貢獻最大，對哲學類、史學類與語言學類等研究者的影響也不小。至於藝術學類、外國文學類、法律學類、政治學類、教育學類、圖書館學類、管理學類與中醫學類等專業的影響則較為普通。以傳統中國學術而論，文史哲的互動關係一向密切，一般人文學界因此大致有三者不分家的基本認知，出身中文系的王老師，學術著作對中國文學、哲學、史學與語言學等四大類學術專業研究者有較大的學術影響，以及對外國文學研究者稍有影響，自也理所當然。但居然也對文史哲學術專業之外的藝術學、法律學、政治學、教育學、圖書館學、管理學、中醫學等專業研究者有所影響，這在學術越來越專精，學術視野越來越趨向於狹窄專業範圍的現代學術界，恐怕就不是那麼理所當然了，從而也就可推知王老師在

學術上的影響，不僅在人文學術研究的層面而已，實際上已跨出了人
文學研究的範圍，直接影響到社會科學及藝術與中醫學的研究者。這
也就是王老師對大陸地區學術專業影響範圍的實際狀況，同時也表現
了王老師對大陸學術專業貢獻的範圍。

　　了解王老師學術研究影響的範圍之後，接著探討王老師影響貢獻
的研究內容。歸納前述433篇學位論文12大類的研究，若依照《四庫
全書總目》的四部分類再加以細分，則大致可以獲得下述的結果：
（一）經部類研究46篇。包括：「語詞研究」17篇、[48]《左傳》研究15
篇、[49]「版本文獻研究」10篇、[50]「斠讐學」研究2篇、《詩經》和
「孔孟」研究各1篇。[51]（二）史部類研究25篇。包括：《史記》學21
篇、[52]《國語》研究3篇、《漢書》研究1篇。[53]（三）子部類研究248
篇。包括：《莊子》學97篇、[54]「哲學思想」研究18篇、[55]「日常生

---

48 即：楊世鐵、劉海燕、劉佳、任連明、韓剛、翟悅英、劉麗、鄧慧愛、王楠、王錄
　　芳、王央央、吳銘、魏現軍、鄧慧愛、康盛楠、戴環宇、徐勝利等之論文。

49 即：趙生群、蘇芃、方艷霞、金永健、朱聞宇、趙麗麗、郜同麟、高方、曹琦華、
　　樊瑩瑩、洪一麟、張陽、孫黎生、李石磊、張秋霞等之論文。

50 即：彭樹欣、黃綺煒、牛和林、孟巖、金少華、李勇慧、張麗艷、王延朋、陳光
　　文、肖嬌嬌等之論文。

51 即：「斠讐學」研究：周余姣、劉怡君。《詩經》研究：陳才。「孔孟」研究：李銳等。

52 即：張自然、李智耕、周振風、王永吉、蔡德龍、龔碧虹、周錄祥、陳家寧、吳昱
　　昊、王明強、王鵬、王金偉、李晶晶、張金偉、郭寧、卜鑫、安子毓、田俊杰、耿
　　文風、陳思、郭林等之論文。

53 即：《國語》研究：張居三、張金玲、郭萬青。《漢書》研究：朱珠等。

54 即：金德三、李占平、李晶、沈振奇、刁生虎、秦曉慧、魏冬、吳小玲、侯曉麗、
　　廖靜梅、徐治初、單紅、馬曉樂、王永豪、萬勇華、王焱、林秀麗、顧德志、王永
　　青、王卉、王江兵、李智福、馮登立、黃敏、宋智、陳德福、史國良、鄧聯合、肖
　　海燕、夏紹熙、葉蓓卿、魏冬、楊鵬飛、李元朋、王云、王振民、王強、劉昆、羅
　　娟容、姚高峰、范國華、陳湘君、雷吉振、何少甫、李淑霞、鹿博、路傳頌、李勝
　　男、苗慧、朱小略、林琳、張鋒賓、鄢莉、關學銳、劉兵、武重淑子、劉白明、陳
　　曦、左國毅、丁媛、史慧、周曉玲、岳賢雷、金麗文、張亮、莊鵬、齊秀秀、于晏
　　如、石龍巖、李彥榮、張慧玲、劉靜、趙陽、蔣祥瑞、甘愛燕、李羽茜、尹旖、王

活」研究13篇、[56]「繪畫藝術」研究11篇、[57]《韓非》研究10篇、[58]
《淮南子》研究9篇、[59]《世說新語》研究9篇、[60]「審美鑑賞」研究8
篇、[61]「郭象」研究7篇；[62]《文子》與「道教」研究各5篇；[63]《列
子》、《老子》、《荀子》、「法家」、「黃老思想」、「教育與心理」、「政治
思想」等研究各4篇；[64]《呂氏春秋》、《劉子》、《顏氏家訓》、「玄
學」、「類書」等研究各3篇；[65]《管子》、《鶡冠子》、「雜家」、「中醫

春莉、王洋河、吳鑫宇、李果、張瑞鑫、張榕坤、張麗萍、宋蒙、賀光耀、楊煜、
鄧夢軍、李淑蓮、孫貴蓉、王倩倩、張記忠、顧雯、李由、胡俊佳、李蓉、陶張印
等之論文。

55 楊輝、李路兵、朱曉鵬、葛富蓮、卓志峰、劉永、肖能、潘葦杭、朱文信、閻恒、
程澤明、陸樂、龔瑤、金溪、張乃芳、孔祥來、鄔建麟、李富祥等之論文。

56 即：孫小妹、黃亦錫、儲曉軍、高皓彤、陳陽、周運中、朱磊、王挽瀾、徐珊、梁
加花、楊雨、丁陽、竇葳等之論文。

57 即：韋兵、劉亞璋、李雪、張克鋒、周愛民、劉泰然、張魯君、李良、李燕、尹
泓、曹海洋等之論文。

58 即：何勝冰、孫穎、劉小剛、康年華、李為、陳冬、周嬪、曲文、吳保平、宋立林
等之論文。

59 即：馬慶洲、劉愛敏、楊棟、林飛飛、李秀華、胡鈴鳳、梁育、周葉君、楊楠等之
論文。

60 即：劉強、高鈺京、楊瑰瑰、陳艷、趙夢、呂春暉、張依、秦蓁、黃沁茗等之論文。

61 即：王培娟、劉昱、韓國良、徐國超、連凱文、楊陽、成春菊、王娟等之論文。

62 即：黃聖平、趙榮華、趙琰、賴偉鈞、李希、任莎莎、徐漢相等之論文。

63 即：《文子》研究：張豐乾、葛剛岩、姜陸陸、孟鷗、李存興；「道教」研究：袁清
湘、余強軍、李昭、趙樹龍、張曉俊等。

64 即：《列子》研究：李俊、楊富軍、侯依汐、劉佩；《老子》研究：王英杰、邢文
祥、黃云川、白少華；《荀子》研究：張錚、李季、楊艾璐、王紅；「法家」研究：
楊玲、區永圻、王美美、劉相山；「黃老思想」研究：王沛、葛鑫、胡海迪、李培
志；「教育與心理」研究：劉貴華、胡金萍、劉秀俊、蔣東平；「政治思想」研究：
黃薏、裴乾坤、關萬維、胡紅偉等。

65 即：《呂氏春秋》研究：顧莉丹、王偉、林榮；《劉子》研究：蔡欣、晁瑞蓮、劉向
輝；《顏氏家訓》研究：邱慧蕾、劉俊、陳天旻；「玄學」研究：臧要科、倪永強、
鄭偉；「類書」研究：武良成、趙思木、金相圭等。

學」等研究各2篇；[66]《慎子》、《墨子》、《孔子家語》、「名家」、《抱朴子》等研究各1篇。[67]（四）集部類研究114篇。包括：「詩歌」研究37篇、[68]「小說」研究16篇、[69]「魏晉南北朝文學」研究16篇、[70]「陶淵明」研究12篇、[71]「神話」研究5篇；[72]「詞作」與「辭賦」等研究各4篇；《詩品》與「戲劇」等研究各3篇。[73]此外還有散文、文論、文學思想等文學相關內容之研究14篇。[74]此即以傳統中國四部分類為原則的分析。

歸納前述四大類的論文篇數，若依據數量多寡排列，則「子部類」248篇最多，其次「集部類」114篇，接著「經部類」46篇、「史部類」25篇最少。前述的統計顯示了王老師在大陸學術專業研究範圍內影響與貢獻的強弱，子部思想類的影響最強，史學類的影響則最

---

66 即：《管子》研究：汲廣林、周貞余；《鶡冠子》研究：祿書果、林冬子；「雜家」研究：潘俊杰、胡岳潭；「中醫」研究：劉聰、劉鵬等。

67 即：《慎子》研究：許傳昆；《墨子》研究：李強；《孔子家語》研究：李春紅；「名家」研究：高磊；《抱朴子》研究：李金陽等。

68 即：陳博、王鳳年、程維、李曉菲、張翔、白楊青、楊楊、王艷、朱慧、韓永紅、李建婷、宗亞玲、胡曉杰、郭格婷、李小山、王海霞、李奕、張蓉、談笑、李偉超、汪小燕、辛文、張旭、周如月、孫興國、韓麗敏、李斯斌、黃瑩、王麗偉、劉偉、劉琦、葉艷玲、辛曉娟、徐利華、胡穎佳、陳偉娜、李征松等之論文。

69 即：李苗苗、范正群、王守亮、張克然、賈海、張晶璐、李明霞、李敬、鄧芳寧、邵永會、呂素云、高華、陳菡思、黃明芳、張新安、王興芬等之論文。

70 即：呂亭淵、孫寶、葉飛、劉永濤、靳婷婷、孫豔慶、高勝利、楊健、田雅寧、楊圉、劉坤、曾潔、李靖華、郭成波、葛海燕、張寧等之論文。

71 即：阮氏明紅、王勝奇、閆文亮、魏曉娟、田晉芳、劉愛蓮、武宏璞、胡發萍、許彥龍、張利利、靳成誠、李娜等之論文。

72 即：袁梅、王懷義、張華、孫瑞芳、朱亞棟等之論文。

73 即：「詞作」研究：劉彩霞、章繼成、張屏、趙保勝；「辭賦」研究：劉洪波、張翩、宋東陽、孫旭輝；《詩品》研究：高敏、譚笑、徐超；「戲劇」研究：曹麗靜、楊挺、王琰等。

74 即：宋展云、李云、渡邊優子、李雪梅、潘靜如、鄂霞、韓曉蕾、楊銘、李文勝、吳增輝、龔思、李谷喬、千光玉、黃金艷等之論文。

弱。若再根據細部的分類，觀察專門人物、學科與書籍的研究，則超過10篇論文引述者的狀況如下：《莊子》97篇、《史記》21篇、「哲學思想」18篇、「語詞研究」17篇、《左傳》15篇、「日常生活」13篇、「陶淵明」12篇、「繪畫藝術」11篇、《韓非子》10篇、「版本文獻」10篇等。經由這些細部的分析，顯示了王老師在《莊子》學、《史記》學、「哲學思想」研究、「語詞研究」和《左傳》學等的研究上，受到大陸學界較高的重視，這也就是王老師對大陸學界影響與貢獻方面較大的學術專業範圍。

大陸地區幅員廣闊，引述王叔岷老師論著的學校及地理位置分佈上的狀況，以及引述研究生就讀學校的排名狀況，當該也是觀察王老師影響大陸學術範圍的一項重要指標，歸納2001-2013年共同產出433篇學位論文的學校，則引述王老師論著的研究生來自95所大學及一所社會科學院，[75]詳細的引述學校與論文篇數，以及在大陸全部734所大學中的排名，[76]則如下表：

---

75 本為96所大學，但上海「華東政法學院」即後來的「華東政法大學」，故以一校計算。再者「中國社會科學院」雖有4篇學位論文引述，由於係研究機構，故未列入表格計算。

76 排名的上層依武書連主編：《挑大學選專業──2014高考志願填報指南》（北京：中國統計出版社，2013）之200強排名，收錄大學共734所。下層則依「中國校友會」的「2014中國大學600強排行榜」，見：http://wenku.baidu.com/view/103ebe6110661ed9ad51f36d.html?re=view，2014年9月6日搜尋。兩個排名系統均未收錄者有：漳州師範學院、江西科技師範學院等2校。

引述王叔岷老師論著學位論文之篇數、學校及全國大學排名狀況表

排名	32	5	55	10	62	70	2	46	95	68	1	38	162	37	61	35	139	151	90	127
排名	24	4	54	16	71	無	6	40	86	111	1	36	168	64	37	51	83	148	127	120
學校名稱	華東師範大學	復旦大學	南京師範大學	山東大學	陝西師範大學	河南大學	浙江大學	東北師範大學	首都師範大學	揚州大學	北京大學	華中師範大學	廣西師範大學	鄭州大學	西北大學	蘇州大學	遼寧大學	河北師範大學	上海師範大學	山東師範大學
篇數	24	18	18	17	17	15	13	13	12	12	11	10	10	10	9	9	9	9	8	8

排名	190	119	11	71	13	159	80	239	160	33	162	77	97	176	92	51	47	329	257
排名	206	129	12	無	9	80	102	無	139	28	376	56	93	189	107	62	81	236	183
學校名稱	曲阜師範大學	西北師範大學	華中科技大學	湖南師範大學	吉林大學	中央民族大學	湘潭大學	重慶師範大學	江西師範大學	湖南大學	廣西師範大學	雲南大學	福建師範大學	哈爾濱師範大學	河北大學	暨南大學	江南大學	新疆師範大學	內蒙古師範大學
篇數	8	7	7	7	7	6	6	4	4	4	4	4	4	4	4	3	3	3	3

排名	6	8	131	85	67	14	無	100	50	136	279	28	42	無	無	22	無	134	171	200	192
排名	8	13	178	115	78	15	293	88	無	216	無	33	50	524	293	19	無	138	187	134	189
學校名稱	南京大學	四川大學	四川師範大學	浙江師範大學	南昌大學	南開大學	西藏民族學院	安徽大學	西南交通大學	江蘇師範大學	南京藝術學院	重慶大學	西南大學	陝西理工學院	青海師範大學	廈門大學	漳州師範學院	天津師範大學	遼寧師範大學	延邊大學	華東政法大學
篇數	3	3	3	3	3	3	3	2	2	2	2	2	2	2	2	2	2	2	2	2	2

排名	166	311	無	3	120	172	163	105	148	224	27	147	96	78	293	191	195	無	43	7
	95	無	376	2	67	無	151	163	無	224	38	218	153	75	無	176	248	無	50	5
學校名稱	內蒙古大學	中央美術學院	北京服裝學院	清華大學	中國政法大學	中國中醫科學院	南京林業大學	河南師範大學	成都理工大學	重慶工商大學	蘭州大學	濟南大學	青島大學	山西大學	中國美術學院	杭州師範大學	溫州大學	江西科技師範學院	武漢理工大學	武漢大學
篇數	2	1	1	1	1	1	1	1	1	1	1	1	1	1	1	1	1	1	1	1

排名	149	15	283	94	102	135	89	276	41	256	9	242	247	227	356
	152	無	243	99	109	178	104	284	34	196	10	197	357	106	無
學校名稱	長沙理工大學	中國科學技術大學	廣西民族大學	廣西大學	昆明理工大學	華僑大學	黑龍江大學	大連大學	東北大學	貴州師範大學	中山大學	山西師範大學	渤海大學	寧夏大學	安慶師範學院
篇數	1	1	1	1	1	1	1	1	1	1	1	1	1	1	1

大陸的大學數量頗有變動，若以2014年共734所大學的數量觀之，研究生學位論文引述王老師論著的大學有95所，占全部大學的12.8%，若扣除其中純以理工掛帥，未開設人文與社會學科的大學，則引述王老師論著的大學當超過二成五，就是約有四分之一左右大學的研究生，其學位論文曾引述王老師的論著為說。觀察引述的學校若以武書連（1953-）等的排名為例，則有46所排名在100名以內；76所排名在前200名之內，其中超出10篇以上學位論文引述的大學有：華東師範

大學、復旦大學、南京師範大學、山東大學、陝西師範大學、河南大
學、浙江大學、東北師範大學、首都師範大學、揚州大學、北京大
學、華中師範大學、廣西師範大學及鄭州大學等14所大學，這些大學
的排名多數在前100名之內。引述學校的數量可以了解王老師學術影
響各大學的範圍；各大學學位論文引述王老師論著篇數的多寡，可以
了解前述各大學受到王老師影響程度的深淺；引述學校的排名雖不見
得十分精確，但也可以了解王老師學術影響對象的學校，在大陸總體
學術上大致性的地位，進而可推知王老師學術影響的價值。

　　學校引述狀況可以觀察王叔岷老師的學術影響狀況之外，引述學
校的地理位置，可以了解王老師學術影響的區域。大陸的學位論文引
述王老師論著者，若依畢業時間先後，以城市而論，首先出現在北
京，接著是上海，然後是南京、開封、成都、濟南、蘭州、西安、杭
州、武漢、長春、南昌、金華、蘇州、合肥、呼和浩特、昆明、桂
林、揚州、大連、天津、曲阜、長沙、哈爾濱、湘潭、廈門、福州、
鄭州、石家莊、無錫、貴陽、瀋陽、西寧、延吉、保定、咸陽、重
慶、烏魯木齊、廣州、臨汾、青島、泉州、漢中、漳州、太原、南
寧、徐州、新鄉、錦州、安慶、銀川等51個城市，這也就是王老師論
著在學位論文引述上被接受而傳播流衍的次序。其中超過10篇引述
者，上海的大學有52篇、北京38篇、濟南和西安各26篇、南京25篇、
長春20篇、武漢19篇、杭州和開封各15篇、揚州和長沙各12篇、瀋陽
及鄭州和桂林則各10篇，這是城市引述王老師論著大略的狀況，也是
王老師論著在各城市的大學被接受傳播的狀況，可見王老師論著在上
海、北京、濟南、西安及南京等城市的大學，相對於其他城市確實受
到較高的重視。除城市之外，以下則略依當下大陸行政區域的劃分，[77]

---

77 「略依」即非全依，因此不將直轄市另外標出，例如「北京市」、「天津市」等歸入
　「河北地區」；「重慶市」歸入「四川地區」之類。

考察王老師學術影響的省區地理分佈情形，並從北向南及往西的次序製成下表：

引述王叔岷老師論著學位論文省區分佈表

省區	黑龍江	吉林	內蒙古	遼寧	河北	山西	陝西	寧夏	山東	河南	江蘇	安徽	浙江
篇數	5	22	5	14	56	2	31	1	34	26	103	4	19

省區	福建	江西	湖北	湖南	廣東	廣西	貴州	雲南	四川	青海	甘肅	新疆
篇數	9	8	19	18	5	16	1	5	18	2	7	3

觀察引述的省區則遍及全國27個省區中的25個，除西藏與海南之外，其他省區均有大學的研究生引述王老師的論著為說。比較各省區引述多寡的狀況，依次則為：江蘇、河北、山東、陝西、河南、吉林、浙江、湖北、湖南、四川、廣西、遼寧、福建、江西、甘肅、黑龍江、內蒙古、廣東、雲南、安徽、新疆、山西、青海、寧夏、貴州等。其中江蘇、河北、山東及陝西等四個省區相加，超過全數引述的五成，這當是王老師學術影響較為深入的地區。

　　了解王叔岷老師論著，在哪些地區、哪些城市、哪些學校、哪類學術專業，有多少篇學位論文曾引述運用為說之後，接著要問2001-2013年這13年間433篇學位論文，引述了王老師哪些論著？亦即在王老師24部學術專著、52篇單篇學術論文及非學術論著9部的著作中，到底何者與大陸研究生的專業研究關係最為密切？根據閱讀搜尋引述

學位論文「全文」的結果，在433篇論文中，除其中11篇或缺乏細部
資訊，或僅提及王老師名諱，[78]其餘422篇總共引述了王老師論著534
篇次，每篇論文平均引述王老師論著1.3篇。引述論著來自23篇論
文、24部學術專著及文學創作1種。以下即根據引述實況製成表格，
首先是單篇論文引述的情況：

引述王叔岷老師單篇論文狀況表

篇名	發表時間	引述篇數
《呂氏春秋》與《莊子》	1947	1
茆泮林《莊子》司馬彪注考逸補正	1947	2
《莊子》向郭注異同考	1947	4
《莊子》通論	1948	1
跋日本高山寺久鈔卷子本《莊子》殘卷	1950	2
論今本《列子》	1950	1
斠讎通例	1952	3
倫敦博物館敦煌《莊子》殘卷校補	1952	1
《淮南子》斠證	1953	5
跋日本古鈔卷子本《淮南鴻烈兵略間詁》第廿	1954	2
《文子》斠證	1956	4
《淮南子》斠證補遺	1956	5
《淮南子》斠證續補	1958	5
《淮南子》與《莊子》	1960	4
《顏氏家訓》斠注補錄	1962	1

---

78 即：劉秀俊、張乃芳、王延朋、鄔建麟、劉佩德、張華、呂素云、徐勝利、黃金
  艷、龔思、曹海洋等之論文。

篇名	發表時間	引述篇數
《荀子》斠理	1962	2
《顏氏家訓》斠注補遺	1963	1
論日本古鈔《史記・殷本紀》	1968	1
《劉子集證》續補	1968	1
論「今本《莊子》乃魏晉間人觀念所定」	1988	1
讀《莊》論叢	1996	1
《呂氏春秋》引用《莊子》舉證	1996	2
《淮南子》引《莊》舉偶	1998	9

就王老師23篇被引述的論文內容觀之，若涉及重複者分別計之，則11篇與《莊子》相關，6篇與《淮南子》相關，2篇與《呂氏春秋》相關，2篇與《顏氏家訓》相關；與「斠讎學」、《列子》、《文子》、《荀子》、《史記》、《劉子》等相關者各1篇。就學位論文引述的篇數而論，與《淮南子》相關者30篇最多，其次與《莊子》相關者28篇。可見王老師除《莊子》的研究成果之外，《淮南子》的研究也受到較多注意。其次王叔岷老師專著被學位論文引述的狀況如下表：

引述王叔岷老師專著狀況表

書名	初版時間	引述篇數
莊子校釋	1947	42
列子補正	1948	2
呂氏春秋校補	1950	2
郭象莊子注校記	1950	11
斠讎學	1959	2
劉子集證	1961	4

書名	初版時間	引述篇數
諸子斠證	1964	9
顏氏家訓斠注	1964	5
文心雕龍綴補	1975	1
世說新語補正	1975	9
陶淵明詩箋證稿	1975	28
古書虛字新義	1978	1
莊學管闚	1978	50
史記斠證	1983	19
校讎別錄	1987	1
莊子校詮	1988	91
古籍虛字廣義	1990	9
鍾嶸詩品箋證稿	1992	33
先秦道法思想講稿	1992	53
慕廬憶往	1993	3
列仙傳校箋	1995	55
左傳考校	1998	21
慕廬雜稿	2001	1
慕廬論學集	2007	4
斠讎學斠讎別錄	2007	8

觀察王老師被引述的這25部專書，以涉及《莊子》研究方面的書籍，被194篇學位論文引述最多，而《列仙傳校箋》和《先秦道法思想講稿》都有50篇以上的論文引述，《鍾嶸詩品箋證稿》有33篇、《陶淵明詩箋證稿》有28篇、《左傳考校》有21篇，這些書籍顯然較受研究生們的注意。雖然各書被引述的數量不同，但王老師出版的學術專書，

除《劉子補正》外均被引述，可見王老師學術專書不僅早期出版者受
到注意，即使在二十世紀九〇年代後纔出版的書籍，同樣也受到研究
生們的關注，引述的論文佔了全數422篇學位論文中的44%，由此可
見王老師學術論著受到研究生們全面性關注的實情。

　　統合以上論文與專書引述的實際表現，若依《四庫全書總目》的
四部分類觀之，且重複者兩計之，可發現王老師「經部」類論著被45
篇論文引述；「史部」類論著被20篇論文引述；「子部」類論著被393
篇論文引述；「集部」類論著被65篇論文引述。王老師論著在2001-
2013年大陸學位論文中被引述者，以「子部」最多，「集部」次之，
「經部」再次之，「史部」最少。這其實也就是王老師對大陸學術界
影響與貢獻的實況，亦即「子部」類的影響程度最高，「集部」其
次，「經部」再次，而「史部」最低。這個結果正可以和前文歸納引
述王老師論著的學位論文學術專業情況的統計互相證明，從而更加確
定王老師對大陸學術的影響與貢獻，確實在「子部」類的研究範圍內
最高，尤其以《莊子》研究方面的貢獻最大；雖然《史記》研究方面
的學位論文也有21篇的引述，《史記斠證》也被19篇論文引述運用，
但相對來說，「史部」類研究的影響與貢獻確實較小。

五　結論

　　王叔岷老師在1948年隨著中研院歷史語言研究所離開故鄉，直到
2002年回歸故鄉，這位生於四川、長於四川、學成於四川，最後長眠
於故鄉的學者，因緣際會而離開家鄉55年，將其一生的學術，貢獻給
臺灣與海外地區的學子，在大陸開革開放之後，終於有機會將自己學
術研究的心血回饋給故鄉的學者與學子，尤其北京中華書局在2007年
出版王老師的著作之後，王老師在大陸的學術影響狀況於是越來越顯

著，此後的影響也必然是越來越廣泛越深入，這應該可以預期。本文經由歸納統計大陸研究生學位論文引述王老師論著的表現，探討王老師對大陸學界的影響與貢獻。就引述的運用狀況而論，無論是基於贊成或反對，或基於和王老師商榷，事實上也都表現了引述者對王老師學術見解的重視，以及王老師學術成果對他們研究的影響與貢獻。贊成者固不必說，商榷者與反對者必然也是站在王老師的學術基礎上，或者補充或者更進一步發揮。這自然也就同樣表現了王老師學術成果，對大陸學界實質影響與貢獻的事實。

本文立基於「外部研究」的立場，以大陸各大學研究生的學位論文為對象，從傳播擴散的實際表現，探討王叔岷老師對大陸學界影響與貢獻的狀況，經由前述實證性的考察與分析，大致可以獲得下述幾點初步的結果：

（一）王叔岷老師的論著在1981年以後，始有學者在單篇論文中陸陸續續的引述，至於研究生學位論文則到2001年纔開始有引述。單篇論文引述在2001年以後即成為常態性的作為；學位論文則在2007年以後進入正常狀態，這是王叔岷老師學術回饋大陸的過程。

（二）王叔岷老師論著被大陸研究生學位論文引述的狀況，歸納起來總共有95所大學1所社會科學院433篇學位論文述及王老師，其中422篇論文曾引述王老師的論著為說，引述王老師學位論文的學術屬性包括：中國文學、語言學、哲學、史學、外國文學、藝術學、教育學、政治學、法律學、中醫學、管理學、圖書館學等12類學術專業的研究生，其中以中國文學、哲學、史學、語言學等4類專業的研究生引述最多。若以傳統中國學術的「四部分類」觀之，則引述數量最多者是「子部」，其次是「集部」，其三是「經部」，「史部」的引述最少；若以學科對象觀之，則《莊子》、《史記》、「哲學思想」、「語詞」、《左傳》、「日常生活」、「陶淵明」、「繪畫藝術」、《韓非子》、「版

本文獻」等方面的研究專業引述較多，尤其在《莊子》學、《史記》學、「哲學思想」、「語詞」和《左傳》學等的專業研究上，明顯受到較高的重視。這是王老師論著影響與貢獻於大陸學位論文專業範圍的實際表現。

（三）引述王叔岷老師學術論著的研究生就讀的大學來自51個城市，其中以上海、北京、濟南、西安、南京、長春、武漢、杭州、開封、揚州、長沙、瀋陽、鄭州、桂林等14個城市的大學引述較多，佔全部引述論文的67%；尤其是上海、北京、濟南、西安及南京等5城市的大學研究生，佔了全數引述學位論文的39%，明顯高於其他城市。以研究生就讀的大學所在省區觀之，全國27個省區中，除西藏與海南之外的25個省區，均有大學的研究生引述王老師的論著，尤其是江蘇、河北、山東及陝西等四個省區，大學研究生的引述超過全部引述者的五成，這是引述王老師學術論著較多的省區。此即王老師論著影響的空間範圍的實際狀況。

（四）大陸學位論文引述王叔岷老師論著為說的95所大學，以2014年為準，則佔大陸全數大學743所的12.8%，以武書連等的排名觀之，排名在前100名以內者有46所，佔全部引述學校的48%；排名在前200名之內者有76所，佔全數引述學校的八成。其中引述最多的華東師範大學、復旦大學、南京師範大學、山東大學、陝西師範大學、河南大學、浙江大學、東北師範大學、首都師範大學、揚州大學、北京大學等，排名多在前100名之內；而北京大學、浙江大學、復旦大學和山東大學，更分居全國排名的第一、第二、第五與第十名。雖然排名並非百分之百準確，但應該也可以了解王老師學術論著影響的研究生，就讀學校學術地位的高下，從而也就可以了解受到王老師學術影響的學位論文，在學術要求上大致的品質狀況。

（五）歸納433篇學位論文引述的王叔岷老師論著，總計來自23

篇論文及25部專書，其中涉及《莊子》的《莊子校釋》、《郭象莊子注校記》、《莊學管闚》、《莊子校詮》等書的引述數量最多，其它依次則是《列仙傳校箋》、《先秦道法思想講稿》、《鍾嶸詩品箋證稿》、《陶淵明詩箋證稿》及《左傳考校》等。統合單篇論文與專著的引述狀況，以傳統中國學術的「四部分類」觀之，則王老師論著屬於「子部」者被引述最多，其次是「集部」，再其次是「經部」，「史部」則殿後。總體而言，王老師的學術論著中，最被大陸研究生學位論文重視的是《莊子》系列的論著，其次則是《列仙傳》、先秦道法思想、《詩品》、陶淵明詩及《左傳》等，這也就是王老師的學術論著被大陸學界重視與影響的實際狀況。

（六）本文經由實證的方式，探索了王叔岷老師對大陸學位論文的影響實情，有效的證明了王老師論著在大陸的學術專業、省區、城市及大學等影響研究生的狀況，同時也證明了王老師在「子部」，以及《莊子》、《史記》、《列仙傳》、《左傳》、《詩品》、陶淵明詩及先秦道法思想等各學術專業領域，對大陸學界頗有影響與貢獻的實情。本文所得的研究成果，對於有心了解王老師對大陸的學術貢獻；以及探索臺灣與大陸學術的關係，還有探討因為國共政治鬥爭而離開大陸的學者，在改革開放後，以學術回饋家鄉，重啟兩岸學術交流等等方面的研究者，應該可以提供某些具有實證價值的可信答案，這也就是本文研究的理由與意義所在。

引述文獻

一　專書

楊伯峻：《列子集釋》（北京：中華書局，1979）。

程千帆、許有富：《校讎廣義》（濟南：齊魯書社，1998）。

臺灣大學中國文學系編：《臺灣大學中國文學系系史稿（1929-2001）》
　　　　　（臺北：臺灣大學中國文學系，2002）。

王叔岷：《王叔岷著作集》（北京：中華書局，2007）。

武書連主編：《挑大學選專業──2014高考志願填報指南》（北京：中
　　　　國統計出版社，2013）。

二　論文

李中華：〈論郭象與莊子人生哲學之異同〉，《晉陽學刊》1981年第2
　　　　期，頁50-56、頁75。

陳恆嵩：〈王叔岷先生主要著作目錄〉，《中研院歷史語言研究所集
　　　　刊》第74本第4分（2003年12月），頁765-781。

楊晉龍：〈論《埤雅》及其在宋代《詩經》專著中的傳播〉，《中國學
　　　　術年刊（春季號）》第35期（2013年03月），頁25-62。

楊晉龍：〈引導與典範：王叔岷先生論著在臺灣學位論文的引述及意
　　　　義探論〉，《中國文哲研究通訊》第24卷第3期（2014年9
　　　　月），頁117-143。

三　網站

http://cnki50.csis.com.tw/kns50/Navigator.aspx?ID=CMFD：中國優秀碩
　　　　士學位論文全文數據庫

http://cnki50.csis.com.tw/kns50/Navigator.aspx?ID=CDFD：中國優秀博
　　士學位論文全文數據庫

http://www.airitilibrary.com/：華藝線上圖書館

http://g.wanfangdata.com.hk/：萬方數據庫

http://www2.ihp.sinica.edu.tw/staffProfile.php?TM=3&M=1&uid=97：中
　　研院歷史語言研究所簡介

http://www.cl.ntu.edu.tw/people/bio.php?PID=146#personal_writing：臺
　　灣大學中國文學系簡介

http://wenku.baidu.com/view/103ebe6110661ed9ad51f36d.html?re=view
　　：2014中國大學600強排行榜

附錄三
師恩學術重於一切；氣度毅力非常人也！
——我眼中的林慶彰老師

　　我和林慶彰老師都是臺南縣「蕭壠」地區的人，但我之前並不知道林老師這號人物，認識林老師緣於中國文哲研究所的成立。中研院在1989年7月成立「中國文哲研究所籌備處」，聘請吳宏一老師擔任首位籌備處主任，吳老師於是商請當時還在東吳大學任教的林老師等人過來幫忙，1990年7月1日正式聘人工作，林老師即在當日進入文哲所工作。我則在1990年7月2日早上8點左右，才到當時暫被安置在蔡元培館內的「中國文哲研究所籌備處」，等待吳宏一老師的召見。本來吳老師規定我報到的日子是7月1日，但當時臺大中文系的葉慶炳老師（1927-1993）詢問我有沒有意願留在臺大中文系，如果有意願可以報名參加中文系助教的甄試。坦白說當時還真是想參加中文系的甄試，看看有沒有機會留在臺大中文系。因為那時候的助教屬於可以直接升等的專任「學術助教」，若到文哲所籌備處則只是當個非專任的「約聘研究助理」而已，薪水和工作保障全然不同。我當時家裡有兩個孩子要養，還有媽媽也需要生活費，更有房屋貸款要繳，光靠老婆一人的薪水實在不足，中文系助教的專任職當然較為適合。而且我當時還請教了在國際暨南大學中文系籌備的周鳳五老師（1947-2015），看看是否有機會到暨大中文系任教？因此對於到文哲所報到這件事兒，確實並沒有很熱衷。到了7月1日晚上就接到吳宏一老師的電話，

同時也接到張以仁老師（1930-2009）規勸的電話，於是7月2日七早八早就從靠近師大路的住家，轉了兩趟車到中研院，然後吳老師出現了，接著安排我和林慶彰老師在同一間研究室工作，從此就和林老師結下不解之緣，至今依然是恩沐酬報糾葛不斷難分難解。不過也因此而覺得當時到文哲所的選擇很不錯，這要謝謝吳宏一老師和張以仁老師的愛護，同時也要為自己的幸運大力喝采。

　　二十多年的相處，首先注意到的是林老師身材的變化，雖然我一再以曾在臺北榮民總醫院護理部服務10年的經歷和本身「不長進」的身材為依據，不斷的警告林老師保持身材的重要，但他喜愛甜食和肉食的「惡嗜力」，一直都無法有效改正，因此從一開始認識他之際的「平腹翁」階級，逐漸進步擴充到「小腹翁」階級，終至於變成現在的「大腹翁」階級，然後再加上他那「拼命三郎」式的工作狂熱，導致許多生理疾病的出現或加重，真是讓人又生氣又無奈。

　　進入文哲所後，除了幫忙整理林老師和簡恩定學長等，從霧峰林家載運回來的書籍之外，第一份正式工作是和林老師編輯《中國文哲研究集刊》，我當時對編輯刊物一無所知，其實是林老師帶著我學習編輯，無論是編輯體例或投稿規則的「稿約」訂定，描紅、校稿和在雪銅板上挖補，還有版面上「避頭點」的問題（這還要特別感謝李明輝先生的提醒）等等，都是由林老師擔當重綱，我不過是從旁學習而已。《中國文哲研究集刊》第2期由林老師獨立完成，第3期開始，纔由我一個人獨自負責編輯，「避頭點」的問題，還是經由李明輝先生的提醒纔確實注意到，可見我當時對編輯工作的學習，顯然沒有學得很好啦，後來林老師還要我到他東吳大學中文系的課堂上講「期刊編輯」，真是不好意思。但林老師就是這樣的人，一有機會就會照顧提拔他身邊的人，即使像我這種一天到晚「不聽話」又愛說不中聽的話，對許多事情都特別有意見的人，他也從來沒有削減過照顧我的心

思。2000年在林老師501研究室討論「治學方法」，我非常不客氣地批評林老師的「治學方法」教得不對，林老師當時只是聽我高談闊論，沒開口說話。沒想到不久，我就接到古國順老師的電話，詢問我願不願意到臺北市立師範學院（現在的臺北市立大學）應用語言研究所夜碩班開「治學方法」的課程？原來林老師在被我批評之後，不但沒有發火，竟然是暗中使手段的向古所長推薦我去替代他上課。這也就難怪林老師的肚子會越來越大，因為他實在是有夠「大肚」啦。像林老師這般「氣量」的人，我相信很少人能夠有機會遇到，有機會遇上也不見得有機會同事，有機會同事也不一定能相處20多年。我竟然能夠遇上，且還相處20多年的時光，這中間獲得的好處真是罄竹難書，是以我也常常為自己的幸運感到了不起與不可思議呢！

林老師還有一個很大的毛病一定要講出來讓大家知道，他這個毛病不僅拖累自己的健康，同時也拖累家人，實在是非常的不應該。前面說林老師具備「拼命三郎」式的工作狂熱，這絕對不是隨意說說而已，在臺灣中文學界一直流傳有「北牛林慶彰；南牛張高評」的「南北兩頭牛」的神話，這可不是任何人擔當得起的稱號。張高評學長的事兒姑且不論，林老師則打從1983年編輯《詩經研究論集》和1987年主編《經學研究論著目錄》開始，接下來編輯了許許多多和經學研究相關的叢書和目錄，這些書籍和目錄若認真計數，恐怕需要花很長的一段時間方能數畢，因此也就沒有必要一一羅列了。編輯書籍並不是隨意把文獻或資料湊在一起即可，那可是需要事先規畫的大事，例如要收入哪些內容？如若沒有事先規畫，根本就無法進行。以前許多人都小看了這件事，虧得林老師多年的努力，終至於讓學術界了解到編輯書籍和目錄的價值，即使今天有方便的電腦搜尋系統查詢，但這個方便的查詢所以能夠進行，依然需要事先建立資料輸入電腦之後，方能有效運作，這並不是任何人都能夠做得好，且願意花大功夫執行

「犧牲小我，完成大我」的「慈濟功德會」般的公益工作。以編輯叢
書和論文集為例，需要收入哪些書籍或論文？這些書籍或論文藏在何
處？哪一處的版本最好？光是這幾個「先期工作」，如果沒有很強的
「目錄學」和「版本學」的功力，根本就難以完成，遑論要進行實際
的編輯工作了。編輯「論著目錄」更是工程浩大，除了體例的訂定，
何處查詢相關資料？查出之後抄錄卡片，根據體例編輯卡片，這些都
是非常花費功夫，且無法借用電腦工具排序，必須一筆一筆校正排序
的「手工業」。當年林老師帶著家人到日本九州大學訪問，竟然發動
全家幫他編輯《日本研究經學論著目錄：1900-1992》，連當時還在讀
小學的孩子們都不放過，一下課就必須鑽進書房幫忙抄卡片，林師母
陳美雪教授更不用說了，這簡直是豈有此理嘛！不僅如此而已，由於
在學校等公家場所工作有時間的限制，無法盡心的方便工作，於是林
老師除了大量購買書籍存放在家中之外，竟然還在家裡設置編輯書籍
與目錄的工作場所，讓學生到家裡工作，同時還花錢租了影印機放在
家中使用，完全不顧「碳粉」對家中環境和家人健康的嚴重破壞力。
更糟糕的是無論編輯書籍、論文集或論著目錄，實際上不僅需要花費
很多的時間，同時還需要投入許多的金錢，更需要套交情、講人情，
請人家協助，在禮尚往來的前提下，林老師額外的學術服務特別多，
工作的狂熱與學術服務熱忱的影響，對家人的照顧投入，當然也就相
對的少很多，還好林師母陳美雪教授從來沒有太大的怨言，但看在我
這個外人眼裡，坦白說真的是有點看不過去啦。最嚴重的則是這類編
輯的工作，不僅回收的經濟利益微薄，有時候還要倒貼金錢，早期甚
至連升等當參考資料都不能列入，但特別奇怪的是林老師對這種「燃
燒自己照亮別人」的工作，卻無怨無悔勇往直前的毫不退縮，並且始
終如一的堅持，甚至在「頸椎」因為過度使用而開刀之後，大家勸他
以健康為重，可以稍作休息之後再繼續工作。誰也沒有想到林老師的

回答竟然是：「就是因為身體不好，所以更要加倍努力工作！」這種的回答、這樣的回答，我想除了大叫「天啊」之外，還能說什麼呢？實際上林老師身體健康出問題，最辛苦的當然是林師母陳美雪教授，但林老師似乎都沒有注意到這個「燃燒自己照亮別人」的作為，還附帶有「拖累家人」的利息，是以即使在病魔纏身之際，卻也依然不顧一切地為學術打拼，這不是「拼命三郎」是什麼？這不是辛苦自己造福人類的「牛」是什麼呢？還好林老師終於真的要退休了，希望他從此以後安分一點，乖乖地「聽話」一點，讓林師母可以少一點擔驚受怕，兩個「老尪公婆」安安穩穩的過著神仙眷侶生活，用以補償林老師以往為學術貢獻，卻遺忘家人的不當作為，這當然也只是我的希望啦！

　　林老師自從進入中國文哲研究所之後，最關心就是文哲所藏書和期刊的問題。他曾經有一次不知道從哪裡弄來一本大陸學術期刊的總目錄交給我，要我從中挑選出與中國文哲研究相關的期刊，我從三千多種中挑選了一千多種，後來經過林老師的選擇，再從中挑選出七百多種後交給吳宏一老師，以便決定訂閱哪些期刊，後續的工作不是我負責，因此最後訂閱多少種我並不知道，但從此事也就可看出林老師對文哲所圖書館訂閱學術期刊的用心。此外，林老師在文哲所籌備處的階段，經常到大陸訪問，向大陸學術界行銷文哲所，我幾次跟隨林老師到大陸訪問，就發現林老師經常「厚著臉皮」跟大陸的學術單位索取過期的期刊和出版的書籍，在書店也大量購買大陸出版的書籍和過期的期刊，有時候他更因為申請經費太過麻煩，乾脆就自己掏腰包購買，這些期刊和書籍最後都變成文哲所圖書館的典藏，甚至成為文哲所典藏的特色，雖然現在電子期刊已經很方便查閱，但林老師用心蒐集來的紙本期刊，依然有其不可取代與難以磨滅的價值。當時文哲所購書的經費比較豐富，林老師因此在大陸非常認真的購買，甚至還

帶有一點瘋狂的購買，就是連書店庫房的書籍也幾乎一掃而光，最後竟然誇張到大陸某些書店沒有文史哲方面的書可以賣。這個意外導致政治大學某位教授到大陸買不到書，氣得回臺灣之後，憤恨暴怒的打電話到文哲所責罵林老師，這應該也是人間少見的趣事。林老師又擔心圖書館的管理不好，會導致購買回來的書籍期刊無法有效的利用，因此說服了當時的籌備處主任，聘請專業的圖書館人員擔任圖書館主任，這也相當有利於文哲所圖書館的管理利用。由此可知林慶彰老師對文哲所圖書館藏書的用心與貢獻，當大家在方便使用文哲所的藏書時，請別忘記為林老師拍拍手喔！

　　林老師的學術與成就，我想大家都有目共睹，應該不需要我再來重複囉嗦。按照我本來的計畫，應該在林老師退休之際，送給林老師一面「惠我良多」的獎牌，還要送給為學術犧牲貢獻良多的林師母陳美雪教授一面「學術之母」的獎牌，用來嚇嚇林老師和林師母，不過我一向缺乏創新設計的能力，然後市面上的獎牌設計，我又覺得無法表達我的心意，也達不到我嚇唬林老師和林師母的目的，因此就選擇用這個方式來表達我對林老師和林師母的感謝：陳述我眼中所看到的林老師。希望我這個因為長期和林老師相處，而且承蒙林老師和林師母的信任，於是有機會觀察到和聽聞到可能是大家比較不注意的林老師的一面，這個陳述或者可以讓大家因此而更多方面的了解林老師。了解這位一輩子從沒有忘懷他的恩師──屈萬里教授，因而努力耕耘發揚師門學問──經學與文獻學。但從來也不曾公開表白，而且也一直認為不需要特別表白，只需要努力不懈默默耕耘，永遠將回報師恩放在第一位的多情學者。我等到他退休的時候，纔把他好久好久以前，私下告訴我的話公開出來，應該不算是違規吧！停筆之前，當然還要誠摯的祝福林老師和林師母：平安健康愉快！

經學研究叢書・經學史研究叢刊 0501A02

溯源與開展：大陸渡臺學者與臺灣地區傳統學術研究關係論集

作　　者　楊晉龍
主　　編　簡逸光
責任編輯　呂玉姍
特約校對　林秋芬

發 行 人　林慶彰
總 經 理　梁錦興
總 編 輯　張晏瑞
編 輯 所　萬卷樓圖書股份有限公司
排　　版　林曉敏
封面設計　菩薩蠻數位文化有限公司
印　　刷　百通科技股份有限公司

發　　行　萬卷樓圖書股份有限公司
　　　　　臺北市羅斯福路二段 41 號 6 樓之 3
　　　　　電話 (02)23216565
　　　　　傳真 (02)23218698
　　　　　電郵 SERVICE@WANJUAN.COM.TW
香港經銷　香港聯合書刊物流有限公司
　　　　　電話 (852)21502100
　　　　　傳真 (852)23560735

ISBN 978-986-478-436-3
2021 年 2 月初版
定價：新臺幣 600 元

如何購買本書：
1. 轉帳購書，請透過以下帳戶
　　合作金庫銀行　古亭分行
　　戶名：萬卷樓圖書股份有限公司
　　帳號：0877717092596
2. 網路購書，請透過萬卷樓網站
　　網址 WWW.WANJUAN.COM.TW
大量購書，請直接聯繫我們，將有專人為
您服務。客服：(02)23216565　分機 610

如有缺頁、破損或裝訂錯誤，請寄回更換
版權所有・翻印必究
Copyright©2021 by WanJuanLou Books CO., Ltd.
All Rights Reserved　　　　Printed in Taiwan

國家圖書館出版品預行編目資料

溯源與開展：大陸渡臺學者與臺灣地區傳統
學術研究關係論集/楊晉龍著.-- 初版.-- 臺北
市：萬卷樓圖書股份有限公司, 2021.02
　　面；　公分.--(經學研究叢書. 經學史研究
叢刊；501A02)
ISBN 978-986-478-436-3(平裝)

1.經學　2.文集

090.7　　　　　　　　　　　　109021401